La Survie du couple

Conception graphique de la couverture: Katherine Sapon
Photo: SuperStock

DISTRIBUTEURS EXCLUSIFS:

- Pour le Canada et les États-Unis:
  LES MESSAGERIES ADP*
  955, rue Amherst, Montréal H2L 3K4
  Tél.: (514) 523-1182
  Télécopieur: (514) 521-4434
  * Filiale de Sogides Ltée

- Pour la Belgique et le Luxembourg:
  PRESSES DE BELGIQUE
  96, rue Gray, 1040 Bruxelles
  Tél.: (32-2) 640-5881
  Télécopieur: (32-2) 647-0237

- Pour la Suisse:
  TRANSAT S.A.
  Route du Grand-Lancy, 2, C.P. 125, 1211 Genève 26
  Tél.: (41-22) 42-77-40
  Télécopieur: (41-22) 43-46-46

- Pour la France et les autres pays:
  INTER FORUM
  13, rue de la Glacière, 75624 Paris Cédex 13
  Tél.: (33.1) 43.37.11.80
  Télécopieur: (33.1) 43.31.88.15 ·
  Télex: 250055 Forum Paris

Dépôt légal: 3e trimestre 1990
Bibliothèque nationale du Québec

ISBN 2-89044-423-6

JOHN WRIGHT

La Survie du couple

le jour, éditeur

REMERCIEMENTS

Ce livre n'aurait pu être écrit sans la contribution de plusieurs personnes. Notre équipe de recherche comprenait Stéphane Sabourin, Pierre Gendreau, Francesca Sicuro et Huguette Courtemanche qui ont contribué à mettre sur pied le « Projet de Communication du Couple » de l'Université de Montréal et qui m'ont offert leur opinion éclairée à divers moments lors de la rédaction de ce livre.

Hélène Poitras, Marc-André Bouchard, Conrad Lecomte, Louis Guérette, Mireille Mathieu et Cathy Fichten m'ont également offert un milieu intellectuel qui a stimulé la quête d'un modèle intégré du fonctionnement de couple.

Ernest Poser, John Reid, Gerald Patterson, John Gottman, Neil Jacobsen, Al Marlatt, George Bach et Hélène Kaplan ont fourni les rudiments à l'élaboration de ce modèle. Des fonds de recherche généreux du ministère de l'Éducation et du Conseil québécois de recherche sociale ont permis à notre équipe de recherche d'étudier, à l'Université de Montréal et à McGill, les stratégies de survie de plus de 2 000 couples. En particulier, je tiens à remercier les centaines de couples qui ont participé au projet effectué à l'Université de Montréal. Plus de 50 psychologues et étudiants diplômés ont, au cours des dix dernières années, offert leurs précieux services en tant que cliniciens et chercheurs. Louise Jobin a démontré patience et doigté lors de la dactylographie de ce manuscrit. Dominique Bérard et Hélène Poitras ont effectué une tâche d'importance pour traduire et adapter cet ouvrage de l'anglais au français.

Mon agent, Janet Adams, a fourni de précieux conseils et encouragements.

Enfin, ma partenaire, Hélène, m'a offert la stimulation et la sécurité d'une relation intime extrêmement riche qui a servi de tremplin à cet ouvrage.

Cet ouvrage est dédié à mes parents, Ralph Wallace Wright et Elizabeth (Joe) Wright, qui m'ont permis, dès ma tendre enfance, d'être témoin d'une merveilleuse relation; et à Hélène Poitras et à nos deux enfants, Michel et Sarah: ensemble nous avons construit une famille intime.

Table des matières

Préface   9

CHAPITRE   1. Vous voulez donc que votre relation intime survive? 13

CHAPITRE   2. Pourquoi les relations intimes sont-elles menacées? 21

CHAPITRE   3. Comprendre l'amour, 29

CHAPITRE   4. Les fondements d'une relation intime: la communication efficace, 46

CHAPITRE   5. Comment rehausser l'amour, 75

CHAPITRE   6. L'intimité sexuelle, 99

CHAPITRE   7. La résolution efficace de problèmes, 119

CHAPITRE   8. L'art d'établir des compromis à l'amiable, 137

CHAPITRE   9. L'art du combat loyal, 153

CHAPITRE 10. Comment réduire le risque de violence dans vos querelles; comment vous réconcilier; comment évaluer vos propres façons de vous disputer, 174

CHAPITRE 11. La division efficace du travail, 189

CHAPITRE 12. Le mariage ouvert ou la monogamie: avantages et inconvénients, 209

CHAPITRE 13. La séparation et le divorce: comment affronter la crise, 231

CHAPITRE 14. Et maintenant? Les diverses options offertes aux couples, 253

Bibliographie   261

Préface

Pourquoi un autre livre sur la vie de couple?

C'est peut-être la première fois que vous avez en main un livre traitant de la vie de couple. Si tel est le cas, bienvenue! Les pages qui suivent vous apporteront nombre de renseignements utiles et fascinants. Si, toutefois, vous avez déjà lu plusieurs livres traitant des relations de couples tels que des guides au sujet d'une communication efficace, vous vous demanderez sans doute: «Pourquoi un autre livre sur le savoir-faire en matière de relations intimes?»

Eh bien! voici pourquoi. Au cours de mes quinze années comme consultant et chercheur auprès des couples, j'ai souvent voulu recommander aux partenaires un livre de référence qui serait à la fois simple, pratique et complet. Cependant, tous les ouvrages sur lesquels j'ai pu mettre la main présentaient de sérieuses lacunes. Avec *La survie du couple,* je crois avoir corrigé la plupart de ces faiblesses. Ainsi, un défaut évident des autres livres est leur tendance à simplifier à l'extrême. Les auteurs de ces livres essaient de nous convaincre que le bonheur d'un couple ne dépend en fait que d'*une seule* solution, que ce soit de la façon de s'opposer de façon constructive, ou celle d'atteindre l'harmonie sexuelle, de vaincre la peur de l'intimité, ou encore de quelle manière communiquer sans détour. Je suis convaincu que pour parfaire une relation intime, les partenaires en cause doivent maîtriser non pas une, mais *plusieurs* habiletés et les utiliser à bon escient pour résoudre leurs difficultés.

Ce livre ne vous conseille pas de pratiquer à la fois l'art délicat de l'affrontement loyal, de l'écoute attentive et de l'expression d'amour, et qui plus est tout cela en une conversation ni même en un jour. Ce n'est probablement ni possible ni nécessaire. Il maintient, cependant, qu'à différentes circonstances doivent répondre différentes approches et démarches. Ainsi, certains problèmes peuvent être résolus si le couple fait preuve de loyauté au cours de certaines frictions, alors que d'autres difficultés exigent une volonté de rapprochement sexuel ou encore une oreille attentive. Somme toute, ce livre vous enseigne huit démarches à adopter lors des moments critiques de votre relation. Il vous aide aussi à décider laquelle utiliser et à quel moment.

Plusieurs livres sur le marché ne font que fournir aux intimes des outils pour comprendre leur union, mais ils n'en proposent aucun pour la changer. En effet, lorsque je recommandais l'un ou l'autre de ces ouvrages aux couples participant à nos projets, leurs réponses typiques étaient les suivantes : « Nous avons trouvé le livre intéressant de prime abord et même excitant, mais lorsque nous avons essayé d'appliquer ses lignes de conduite, nous n'avons pas vraiment su comment nous y prendre » ; ou bien « Nous nous sommes sentis mieux pendant environ une semaine, puis une partie de notre traintrain quotidien s'est de nouveau infiltré (odeur de cigarettes, retards habituels, demandes des enfants) et notre lune de miel avec le livre s'est terminée là. » Ou encore : « Nous avons tenté de suivre les recommandations du livre ; non seulement nous n'avons pas obtenu les avantages anticipés, mais nous nous sommes butés à d'autres difficultés que nous n'avions jamais eues auparavant. » *La survie du couple* permet aux lecteurs de comprendre leurs relations intimes *et* leur offre aussi des suggestions claires et sensées pour changer certains aspects de leur liaison et atteindre l'harmonie générale.

Mon but principal en tant que chercheur et consultant a été d'aider les couples à améliorer leur liaison. Au cours de mon travail, j'ai eu le privilège de rencontrer toute sorte de partenaires. Évidemment, ils étaient très différents les uns des autres quant à leur degré de bonheur. Particulièrement intrigués par les couples heureux, mes collègues et moi leur avons consacré l'une de nos études de recherche et avons passé de longues heures à les interviewer, à les écouter et à observer leurs interactions afin de découvrir les secrets de leur réussite. A titre de consultant privé et de directeur de clinique, j'ai également connu autant de couples terriblement malheureux et en grande détresse avant, pendant ou à la suite d'altercations ou d'un divorce. Afin d'aider ces derniers ainsi que d'autres couples perturbés à s'aider eux-mêmes, j'ai entrepris, au cours des cinq dernières années, une étude dans le but d'indiquer à plus de deux cents couples quelles démarches concrètes à adopter pour éviter une détérioration irrémédiable de leur relation. Cette expérience professionnelle m'amène à affirmer que les personnes intimes, en possession de renseignements pertinents et de conseils éclairés, peuvent changer leurs rapports intimes pour le mieux.

Ce livre apporte des outils
pour comprendre et changer les relations intimes

Contrairement à la majorité des autres ouvrages sur le sujet, ce livre vous offre deux types d'informations pour améliorer vos relations. Le premier vous aidera à mieux *comprendre* les relations intimes en vous exposant à différents modes d'interaction entre partenaires; au fil des pages, vous rencontrerez plusieurs couples réels, connaîtrez les problèmes qu'ils vivent, leurs pensées, leurs sentiments, comment ils se comportent l'un envers l'autre. Le second vous permettra de *vous défaire* de certains mythes et préjugés véhiculés par notre société et qui réduisent sérieusement les chances de survie du couple. Pour chaque notion irrationnelle ou peu judicieuse, une option plus constructive et utile est proposée. Une façon précise d'analyser l'interaction entre intimes vous amènera également à devenir un meilleur observateur des démarches que votre partenaire et vous-même employez. Une série de tests vous permettront d'approfondir votre connaissance de votre liaison: par exemple, d'élaborer *votre propre profil de survie de couple,* d'évaluer si votre manière de vous opposer l'un à l'autre est loyale et de déterminer si vous partagez équitablement les tâches domestiques.

La survie du couple contient deux autres éléments que peu d'autres livres dans le domaine offrent:

1) Huit démarches

Je crois qu'il y a des façons clairement définies de s'attaquer à certains des problèmes courants vécus par les intimes. Chacune de ces démarches est expliquée dans une présentation simple, étape par étape. En outre, vous verrez comment d'autres couples s'y sont pris pour maîtriser ces habiletés.

2) Comment changer les anciens comportements et adopter les démarches de survie de couple

Au cours des dix dernières années, j'ai centré mes activités professionnelles et de recherche non seulement sur la façon d'aider les couples à acquérir les huit démarches de survie, mais également sur la manière de changer les approches et les types de comportements habituels qui nuisent aux relations. Vous apprendrez donc comment corriger vos comportements et comment remplacer des modes d'interactions néfastes par des démarches constructives pour veiller à la survie de votre liaison amoureuse.

Ce livre n'apporte pas de réponse à toutes les questions, ni ne résout tous les mystères. Aucun livre ne le peut. Il soutient simplement et fermement que les huit démarches de survie de couple décrites dans les chapitres qui suivent sont les chemins les plus importants vers l'amélioration des relations entre intimes. Il reconnaît également que chaque couple est unique, qu'aucun n'est facile à comprendre ni à expliquer entièrement et que toute union comporte son mystère.

Certains couples, particulièrement ceux qui apprécient la lecture d'interprétation plus philosophique, spirituelle ou poétique des rapports entre familiers, risquent de trouver ce livre un peu trop terre à terre ou « mécanique ». Ils auront peut-être l'impression « d'éliminer tout le merveilleux dans la liaison amoureuse » ou ils allégueront que « l'amour et la tendresse ne peuvent être réduits à une série de principes ou de recettes ! » Je comprends ces réactions. Moi aussi j'aime lire les philosophes, les mystiques et les poètes, mais je suis aussi frappé de voir que les relations en général, la mienne incluse, ne peuvent être entièrement et pleinement comprises. Ce qui, d'ailleurs, ne m'a pas empêché d'écrire ce livre, ni d'aider des centaines de couples à résoudre leurs problèmes ou de chercher constamment à accroître la qualité de ma propre relation intime. Selon moi, le mystère des relations intimes et l'approche des démarches de survie de couple ne sont pas des entités incompatibles. L'un n'exclut pas l'autre.

Aux partenaires qui disent ne pas vouloir lire ce livre parce qu'il « enlèvera tout mystère à notre liaison », je pose les questions suivantes : « Est-ce que le fait de lire une méthode de guitare diminue votre capacité d'émerveillement devant le talent de Segovia ou d'Eric Clapton ? » Ou encore : « Est-ce que de savoir que l'union d'un spermatozoïde et d'un ovule aboutit neuf mois plus tard à la naissance d'un enfant vous empêche d'admirer le fruit de cette union ? »

CHAPITRE PREMIER

Vous voulez donc que votre relation intime survive ?

Jacques et Denise*, mariés depuis sept ans, se rendent compte qu'ils se parlent de moins en moins. Leurs conversations, le temps consacré aux jeux de l'amour et aux loisirs sont devenus simple routine. Après trois ans de mariage, Robert doit admettre qu'il est incapable de retarder son éjaculation durant une relation sexuelle et Catherine n'a pas ressenti d'orgasme depuis plus d'un an. Virginie et Léonard, parents de deux enfants adorables, n'ont plus assez de moments à se consacrer. Ils travaillent tous les deux à plein temps et ne trouvent jamais le temps pour se divertir, jouer avec les enfants et se retrouver en tête à tête. Suzanne et Christian se querellent au moins une fois par jour, mais leurs affrontements ne règlent jamais rien. Henri et Sylvie se traitent de tous les noms, se lancent des assiettes pour un oui, pour un non et échangent des coups régulièrement ; jusqu'au jour où, à la suite d'un épisode particulièrement violent, Sylvie se retrouve à la salle d'urgence et Henri au poste de police. Sur l'insistance de William, son mari, France accepte de faire l'essai du mariage ouvert. Mais lorsque, à sa grande surprise, elle devient amoureuse d'un collègue de travail, William se montre très jaloux. Paule, après un an de psycho-

---

*J'ai beaucoup appris des nombreux couples qui ont cherché conseil auprès de notre équipe. Les histoires et les dialogues rapportés ici sont réels. Par souci du respect de la vie privée de ces gens et de leur droit au secret, leurs noms ainsi que certains détails pouvant les identifier ont été modifiés.

thérapie individuelle et six séances de consultation en couple, annonce à Michel qu'il doit choisir entre une relation exclusive avec elle ou le divorce.

Tous ces couples se trouvent confrontés à des difficultés qui sont courantes à notre époque. A titre de consultant conjugal et de chercheur, j'ai pu connaître intimement chacun des membres de ces couples; dans ce livre, vous aussi pourrez avoir cette expérience. Ils se heurtent tous à un et, dans certains cas, à plusieurs obstacles qui menacent sérieusement leur union. Chaque couple aurait pu tout laisser tomber et choisir la séparation ou le divorce. Mais ils préfèrent plutôt continuer à vivre ensemble même si, temporairement, ils ne baignent pas dans le bonheur. Tous ont choisi de participer à une de nos études ayant pour but d'évaluer et d'augmenter les chances de survie des couples.

Après quinze ans de recherche et de consultation auprès de plus de 2 000 couples, j'en suis arrivé aux conclusions suivantes: une relation intime a encore plus de difficulté à survivre aujourd'hui qu'autrefois; bien que chaque union soit unique, la plupart des couples se butent à des ensembles d'obstacles définis qui s'apparentent; ceux qui survivent se distinguent de ceux qui ont échoué moins par le type de difficultés rencontrées que par la manière dont ils ont attaqué ces problèmes; certaines façons d'agir, que j'appelle «démarches inefficaces» lorsqu'elles sont utilisées par les membres d'un couple, conduisent leur union à l'échec; d'autres comportements, c'est-à-dire les «démarches de survie du couple», augmentent considérablement les chances de voir une relation se poursuivre.

A quel type de couple ce livre s'adresse-t-il?

Chaque couple trouvera des éléments pertinents dans ce livre. Toutes les liaisons qui y sont rapportées sont celles de couples hétérosexuels. Cependant, j'ai également enseigné les démarches de survie du couple à des partenaires homosexuels, et je suis convaincu que ces démarches peuvent augmenter les chances de durée et la qualité de toute liaison, et ce, sans distinction de l'orientation sexuelle des partenaires.

Ces principes s'appliquent aussi bien aux couples depuis un certain temps déjà ensemble qu'aux amoureux dont la fréquentation est encore à l'étape de la cour romantique et qui n'ont pas encore décidé de vivre ensemble ou de se marier. En outre, une connaissance des éléments présentés dans ce livre ne peut qu'aider à la fois les personnes qui sont à la recherche d'un partenaire, et celles vivant déjà ensemble mais qui n'ont pas pris encore d'engagement profond vis-à-vis l'un de l'autre.

Un examen du couple

De nos jours, les examens de tout genre sont monnaie courante. En effet, les dentistes suggèrent un examen général annuel aux adultes et biannuel aux enfants. Bon nombre d'entreprises exigent de leurs employés qu'ils se prêtent à un examen médical général et à une radiographie pulmonaire une fois l'an. Les examens gynécologiques annuels sont également courants. Les propriétaires d'automobiles savent qu'une vérification préventive avant l'hiver peut éviter perte de temps et d'argent. La plupart des couples prisent davantage leur bonheur conjugal que leur santé physique ou le bon fonctionnement de leur voiture. Mais la notion d'examen du couple est relativement nouvelle. Pourquoi? D'abord parce que la recherche dans le domaine des relations intimes n'est en aucun cas aussi avancée que la recherche effectuée en sciences de la santé telles que l'étude du cancer, du diabète ou des maladies rénales. Ensuite, parce que la définition d'une liaison heureuse ou perturbée est plutôt difficile: cela dépend grandement de l'opinion des deux partenaires. Ce que certains considèrent comme un paradis peut être vu comme l'enfer par d'autres ou, au mieux, ennuyeux. Finalement, les solutions offertes aux couples en proie à un sérieux conflit, ou aux partenaires qui veulent éviter un désastre, n'ont été développées qu'au cours des vingt dernières années et ne font que commencer à être connues du grand public.

Heureusement, diverses formes d'examen du couple existent maintenant. Dans les prochaines pages, vous pourrez remplir la version abrégée d'une enquête qui donne un aperçu du type de questions posées dans un examen du couple. La forme complète ne serait offerte que chez un consultant compétent qui inclurait dans cet examen non seulement des questionnaires écrits tel le *test de survie du couple* présenté à la page ci-après, mais aussi des entrevues et l'observation directe de l'interaction entre partenaires.

Le test de survie du couple

Dans le test suivant, vous devez décider si chaque énoncé décrit effectivement ou non l'état de vos rapports sentimentaux. Si un énoncé correspond réellement à votre état de liaison, encerclez «V» pour «vrai», sinon encerclez «F» pour «faux». Il est possible que vous trouviez que certaines questions contiennent à la fois des éléments vrais et faux, mais vous devez choisir *la réponse* qui décrit le mieux votre liaison. Vous trouverez à la page 17 les instructions sur la façon d'établir le score de votre test.

→

1. Je sens que je peux parler assez facilement de mes émotions, qu'elles soient exaltantes ou démoralisantes, avec mon / ma conjoint(e). V F

2. Souvent, mon partenaire ne m'écoute pas lorsque j'explique mes sentiments. V F

3. Je critique souvent mon partenaire pour des choses qu'il/elle n'a pas faites. V F

4. Plusieurs fois par semaine, je dis à mon partenaire que je l'aime ou que je l'estime. V F

5. Parfois, mon partenaire ou moi avons des colères explosives inattendues. V F

6. Nous avons régulièrement (au moins une fois par mois) des discussions (d'une durée de 30 minutes au moins) pour tenter de résoudre nos difficultés. V F

7. Au cours de la dernière année, nous n'avons que très peu échangé nos opinions sur notre façon respective de vivre nos rapports sexuels. V F

8. Nous sommes tous deux assez satisfaits de la répartition des tâches ménagères. V F

9. Nous avons eu des discussions honnêtes sur la façon dont chacun de nous envisage les relations sexuelles extra-conjugales. V F

10. Nous avons régulièrement (au moins deux fois par mois) des mésententes sur la quantité de travail (trop ou pas assez) que l'un de nous fait à l'extérieur de la maison. V F

11. Lorsque nous avons des divergences d'opinion sur la solution à apporter à un problème donné, il est rare que nous arrivions à un compromis. V F

12. Lorsque je veux exprimer à mon/ma partenaire que je l'aime, je sais comment le lui dire. V F

13. Lorsque nous essayons de résoudre un problème qui nous concerne comme couple, il nous arrive de discuter d'une foule d'autres difficultés dans une même conversation. V F

14. Durant nos relations sexuelles, j'ai un orgasme au moins une fois sur deux, même chose pour mon / ma partenaire. V F

15. Nous faisons habituellement la paix dans les vingt-quatre heures qui suivent une querelle. V F

16. Mon / ma conjoint(e) et moi avons des différences d'opinions importantes sur les rapports sexuels extra-conjugaux. V F

Grille d'interprétation

Dans la grille qui suit, les réponses favorables à la survie du couple sont indiquées pour chaque question. Si vous avez choisi cette réponse, inscrivez + 1 dans l'espace suivant la question ; si vous n'avez pas la réponse, marquez − 1. Additionnez les + 1, puis séparément, les − 1. Il vous faut maintenant soustraire la somme des − 1 du total des + 1 pour obtenir votre score.

Numéro de question	Meilleure réponse pour la survie du couple	Chapitre
1	V	4: révélation de soi
2	F	4: écoute active
3	F	7: résolution de problèmes
4	V	5: amour
5	F	9: expression d'hostilité
6	V	7: résolution de problèmes
7	F	6: sexualité
8	V	11: travail
9	V	12: mariage ouvert
10	F	11: travail
11	F	8: négociation
12	V	5: amour
13	F	7: résolution de problèmes
14	V	6: sexualité
15	V	10: expression d'hostilité
16	F	12: mariage ouvert

Somme des + 1 _____   Somme des − 1 _____

Score total _____

Plus votre score s'élève au-dessus de zéro, meilleures sont vos chances de durée de couple. Plus votre score est bas, particulièrement s'il est inférieur à zéro, plus il est probable que vous soyez actuellement en détresse ou que de sérieux conflits vous attendent. Les couples qui ont obtenu un score relativement faible ou négatif ne doivent pas cependant s'alarmer outre mesure ; votre propre niveau de satisfaction subjective est plus important que les résultats de n'importe quel test. Si, toutefois, un score peu élevé vient renforcer des doutes déjà présents, il y a des démarches précises que vous pouvez entreprendre pour améliorer votre situation. Aucun test n'est infaillible. L'utilité de celui-ci est de souligner vos points forts et d'éclairer vos points faibles (ainsi que ceux de votre partenaire) quant aux démarches de survie. La colonne de droite vous réfère au chapitre qui traite de l'habileté particulière que vous et votre partenaire avez avantage à maîtriser.

Quelles sont les démarches de survie du couple?

1) Une bonne communication

Beaucoup d'entre nous espérons qu'une relation intime nous permette de jeter le masque, de montrer qui nous sommes vraiment et d'être compris et respectés pour ce que nous sommes. Ce chapitre décrit comment les membres d'un couple peuvent parler ouvertement d'eux-mêmes et de leurs sentiments les plus profonds, et comment chaque partenaire peut encourager l'autre à faire de même. Comme couple, vous apprendrez à vous écouter attentivement et saurez comment éviter les obstacles qui entravent l'honnêteté et l'ouverture d'esprit.

2) L'expression de l'amour et de l'affection

La majorité des adultes espèrent former une relation intime dans laquelle ils pourront donner des marques d'amour et en recevoir. Il n'est pas facile cependant de savoir ce que chacun d'entre nous entend par « amour », ni de connaître qu'est-ce qui fait que nous nous sentons aimés. Le chapitre 5 suggère des démarches que les intimes peuvent adopter pour mieux exprimer leur amour et pour prévenir la lente érosion de la passion qui se produit souvent avec les années.

3) La sexualité et la sensualité

Plusieurs couples croient qu'une compatibilité sexuelle et des rapports physiques satisfaisants ouvrent la porte à une union riche et stimulante. Cependant, jusqu'à 50% des couples des pays occidentaux rapportent avoir des difficultés sexuelles depuis longtemps et près de 100% révèlent avoir eu au moins une période temporaire d'insatisfaction. Ce chapitre décrit six problèmes sexuels les plus fréquents chez les hommes et les femmes. Il explore les causes les plus courantes de difficultés sexuelles et souligne plusieurs techniques que les couples peuvent maîtriser pour améliorer leurs relations sexuelles.

4) La résolution de problèmes

Toute relation intime se heurte nécessairement à des obstacles à un moment donné. Le chapitre 7 illustre des attitudes maladroites de couples qui, par leur nature même, ne font qu'envenimer les relations. Il offre ensuite une série de lignes de conduite directes pour faciliter votre manière de résoudre vos difficultés. Une fois acquises, ces approches permettent aussi aux partenaires de trouver les meilleures solutions à leurs problèmes.

5) La négociation et les compromis

La plupart des couples conviennent que les divergences d'opinion sur certains sujets sont inévitables: sur la manière de se comporter, par exemple, sur les valeurs à adopter ou sur la façon de résoudre un problème. Les couples « Colombes » feront abstraction de ces divergences, alors que pour les couples « Faucons » elles seront l'objet de querelles incessantes. Ces attitudes extrêmes conduisent inévitablement à la frustration. Ce chapitre démontre comment des partenaires peuvent maîtriser l'art d'atteindre des compromis équitables.

6) L'expression d'hostilité

Les « Colombes » évitent les disputes à tout prix. Par contre, les « Faucons » ne manquent aucune occasion de s'affronter. Ce chapitre démontre qu'il est moins dangereux de se quereller que de ne pas le faire du tout. Il explique comment adopter une attitude loyale et analyse, à l'aide d'extraits d'histoires vécues, les moyens différents qu'emploient les « Colombes », les « Faucons » et les opposants loyaux. Puis, les manières d'agir adoptées par les adversaires déloyaux sont comparées à celles qui permettent des affrontements productifs.

7) La répartition du travail

La division du travail au sein d'une famille est plus complexe à résoudre aujourd'hui qu'elle ne l'était il y a quelques décennies. Certains couples modernes se sentent lésés s'ils adoptent le modèle traditionnel (*elle* à la maison, *lui* au travail) et peuvent craindre tout autant les répercussions d'une carrière pour chaque partenaire. Vous trouverez des façons de procéder pour vous aider à décider de la répartition du travail, à l'extérieur du foyer comme à la maison, qui conviennent mieux à votre situation. Ce chapitre propose également des solutions aux nombreux problèmes qu'une répartition inégale des tâches domestiques et une surcharge de travail à l'extérieur entraînent.

8) Les relations sexuelles extra-conjugales et l'indépendance

De plus en plus de couples s'engagent dans des relations sexuelles extra-conjugales. Le désaccord des partenaires sur la façon de voir les relations en dehors de leur couple est l'un des facteurs de stress les plus importants pour les liaisons intimes. La monogamie, cependant, n'est pas le remède universel. Ce chapitre présente huit questions essentielles que les couples devraient discuter avant de rechercher la monogamie ou de vivre leur sexualité à l'extérieur du couple; il fournit plusieurs exemples de couples qui ont fait l'essai des deux options.

Devons-nous nous séparer et, si oui, comment?

Nombre de couples se trouvent confrontés à la décision de se séparer ou non. Ce chapitre examine avec vous les questions fondamentales que les partenaires doivent envisager pour parvenir à une décision de cette importance. Il explore l'éventail des différentes options qui s'ouvrent aux partenaires à partir de la rupture jusqu'à la décision de continuer «comme si de rien n'était». Aussi, il offre des suggestions sur la manière d'entreprendre le type de séparation qui est le moins susceptible de nuire aux deux partenaires et à leurs enfants.

A quel moment faut-il apporter des changements à une relation intime?

Avant d'essayer d'apprendre les huit démarches de survie, il peut être utile de mieux comprendre les deux questions essentielles que se posent les couples modernes, c'est-à-dire: Pourquoi les relations intimes sont-elles menacées de nos jours? Et: Qu'est-ce que l'amour? Beaucoup de couples ont découvert que ce n'est qu'après avoir trouvé réponse à ces questions, qu'ils ont été disposés à se donner la peine d'apprendre les démarches de survie. Si l'on passe outre à ces questions, des doutes persistants peuvent saper la motivation d'une personne en quête d'une meilleure relation au moyen de l'approche des démarches de survie.

Si vous êtes satisfait(e) de vos réponses à ces interrogations, allez-y. Sautez les deux prochains chapitres et mettez-vous immédiatement à l'oeuvre pour améliorer vos démarches de survie.

CHAPITRE 2

Pourquoi les relations intimes sont-elles menacées?

Est-il vraiment plus difficile aujourd'hui qu'autrefois de maintenir une relation intime stable? Si l'on en croit les statistiques sur le divorce, la réponse est affirmative. A titre d'exemple, le taux de divorce dans les pays occidentaux a augmenté de 241% entre 1960 et 1980. Chaque année, la durée moyenne des mariages diminue de quelques années. Plus de 40% des mariages se soldent par un divorce. Au rythme où vont les choses, il y aura autant de personnes divorcées que de gens mariés d'ici l'an 2000. Chaque année, des millions de dollars sont investis en frais d'avocat dans les causes de divorce.

Mais avant de vous laisser décourager par ces statistiques, je vous suggère de considérer les questions suivantes: Comment se fait-il que de plus en plus de relations intimes s'achèvent par une séparation et dans la désillusion? Ces relations valent-elles le temps et la peine qu'on se donne ou faut-il tout simplement y renoncer et les considérer comme choses du passé? Que pouvons-nous faire pour améliorer notre liaison à part de nous croiser les bras et espérer que nous ne viendrons pas grossir les statistiques sur le divorce?

Sept causes de taux élevé de séparation

1) Des attentes plus grandes: le mariage comme remède universel

Les couples modernes attendent davantage du mariage que les couples d'autrefois. En effet, les générations précédentes voyaient dans le mariage une occasion d'avoir des enfants et de construire un foyer où les deux partenaires pourraient vieillir ensemble. Cependant, depuis les vingt dernières années, les conjoints s'attendent à recevoir beaucoup plus de gratifications de leur partenaire, depuis les enfants et la sécurité financière jusqu'à l'amitié, l'accomplissement des tâches domestiques, l'entretien de la propriété et le plaisir sexuel. Même si, plus que jamais, nos attentes à l'égard du mariage sont beaucoup plus grandes que ne l'étaient celles de nos parents, il n'est pas évident que nous soyons disposés ou aptes à faire ce qu'il faut pour répondre à ces aspirations plus ambitieuses. Bien que nous ayons changé par rapport à nos parents ou arrière-grands-parents en demandant davantage du mariage, nous avons toutefois conservé deux attitudes qui leur étaient propres mais qui n'en demeurent pas moins fausses: « Nous sommes nés avec la capacité de former un mariage pleinement satisfaisant » et « Un bon mariage vient de lui-même, on n'a pas à le construire ».

2) Changement des attitudes à l'égard de la sexualité

Grâce à la libéralisation des attitudes à l'égard de la sexualité, notre culture en parle maintenant ouvertement. En fait, nous sommes constamment exposés aux stimulations érotiques par le biais des médias. L'un des résultats positifs de cette libéralisation est que maintenant, nous en connaissons beaucoup plus sur les fonctionnements sexuels adéquats et inadéquats. Parallèlement, cependant, nombre d'individus ont élevé leurs aspirations sexuelles à un niveau peu réaliste. Aujourd'hui, beaucoup plus de couples se plaignent de difficultés sexuelles qu'autrefois. Aussi, la révolution sexuelle a contribué à faire naître le désir de satisfaire les besoins sexuels à l'extérieur de la relation principale. En effet, nombre de couples recherchent leur plaisir sexuel avec de nouveaux partenaires plutôt que d'essayer de résoudre leurs difficultés sexuelles avec leur compagnon ou compagne. Il en est résulté l'acceptation de mariages ouverts, lesquels, bien qu'ils aient résolu certaines difficultés, en ont créé autant de nouvelles.

3) Changement de rôles pour les hommes et les femmes

Il était relativement facile pour les générations précédentes de décider qui ferait quoi à l'intérieur de la relation conjugale: la femme s'occupait de la maison, élevait les enfants et prodiguait affection et réconfort; l'homme était le soutien de famille, prenait l'initiative des relations sexuelles quand il le désirait et, si nécessaire, veillait à discipliner les enfants. Cette division des rôles, le modèle courant des mariages dits « traditionnels », est de moins en moins en vogue dans la culture occidentale. En raison de changements sur le marché du travail ainsi que dans la façon d'élever les enfants et grâce aux plus grandes opportunités offertes aux femmes sur le plan de la carrière et de l'éducation, la définition traditionnelle des rôles des hommes et des femmes s'est trouvée modifiée. Il n'est donc pas surprenant que les relations intimes entre hommes et femmes aient également subi quelques transformations.

Ces changements ont amené une plus grande flexibilité de comportement entre les deux sexes. C'est pourquoi les couples modernes se voient maintenant confrontés à une série de questions que leurs parents n'ont jamais eu à considérer. Ainsi, leurs préoccupations peuvent désormais être les suivantes: Qui effectuera les tâches domestiques? Qui élèvera les enfants? Qui prendra les décisions financières? Quelle carrière a la priorité? Comment devrions-nous exprimer notre affection? De quelle façon chacun de nous dépendra de l'autre? Jusqu'à quel point pouvons-nous être à la fois indépendant et engagé? Pouvons-nous montrer nos points faibles sans menacer notre relation?

Plusieurs couples se rendent compte que s'ils ne trouvent pas de réponses satisfaisantes à ces questions, leur relation sera objet de conflit et d'insatisfaction.

4) Moins de soutien de la part des parents

De moins en moins de couples peuvent compter sur leurs parents de la façon dont les générations précédentes le faisaient. En effet, la famille élargie traditionnelle offrait autrefois un soutien moral, financier et social inestimable lors d'événements particulièrement stressants tels que le mariage, la maladie, la naissance et les conflits. De nos jours, cependant, en raison de la plus grande mobilité des couples, du taux élevé de séparation et de la moins grande valeur accordée à la famille élargie, les couples sont contraints d'affronter seuls leurs problèmes.

5) Changement des lois sur le divorce

Aujourd'hui, dans les pays occidentaux, il est beaucoup plus facile de se séparer pour la simple raison que la relation ne fonctionne plus à la satisfaction d'un partenaire ou de l'autre. Auparavant, seuls les actes malveillants ou illégaux (cruauté physique ou mentale, par exemple, adultère et mariage non consommé) étaient considérés par les tribunaux comme des causes justifiées de divorce. Grâce donc aux dispositions plus souples des lois modernes, les couples dont la liaison ne peut être modifiée choisissent maintenant de se séparer plutôt que de souffrir ensemble durant des années comme le faisaient leurs parents.

6) Des attitudes sociales plus tolérantes à l'égard du divorce

Notre société se montre maintenant plus tolérante envers le divorce. Alors qu'une personne divorcée était considérée autrefois comme un raté, un monstre ou un perdant, elle est maintenant acceptée comme un être humain normal. Pourquoi ce revirement? La société n'a eu d'autre choix que de changer son attitude. En effet, à force de voir la moitié de nos amis et des membres de notre famille se séparer, comment pouvons-nous continuer à croire que seuls les déviants et les inadaptés divorçaient? Un résultat inévitable de l'acceptation par la société de la dissolution du mariage est que nombre de partenaires insatisfaits de leur liaison hésitent beaucoup moins que leurs parents à choisir la séparation.

7) La génération du « moi »

Nos parents ont été élevés dans la mentalité du sacrifice des besoins individuels au profit du bien-être de la famille, de la communauté et du pays. La génération moderne, cependant, a davantage été exposée aux valeurs de l'expression de soi, de la croissance personnelle, de l'éveil sexuel et de la liberté individuelle. Alors qu'il était naturel pour nos parents de travailler de longues heures pendant des jours et des années pour assurer le bonheur et la sécurité de chaque partenaire et des enfants, les couples modernes sont beaucoup moins disposés à faire de tels sacrifices. La génération du « moi » actuelle a découvert la liberté et la satisfaction en termes de sexualité, d'éducation et de vie sociale à un degré que nos parents n'ont jamais imaginé. Néanmoins, il reste encore une question en suspens: cette génération a-t-elle réussi à satisfaire les besoins individuels au détriment des besoins des relations intimes?

Comment comprendre la situation générale?

Aucun des facteurs énumérés ci-dessus n'est en soi la cause du taux élevé de divorces. Cette situation est plutôt le résultat de l'ensemble de ces facteurs qui se combinent tous pour produire les changements aux relations intimes dont nous sommes témoins; ils influencent également la durée de ces relations.

En résumé, les couples modernes exigent plus de la vie en

général, et davantage des relations intimes en particulier, que leurs parents ne l'ont fait. Leur volonté de satisfaire une grande variété de besoins coïncide avec des règles de conduite entre partenaires de plus en plus flexibles et de plus en plus déroutantes. La lutte pour l'expression de soi et la satisfaction sexuelle a nettement aidé nombre d'individus à obtenir des degrés plus élevés de satisfaction personnelle et sexuelle. Mais les nouvelles demandes ont également exercé une plus grande pression qu'autrefois sur les relations intimes. Cette tension croissante se produit à un moment où les couples n'ont pas encore pris des moyens pour accroître leur capacité à composer avec cette tension. En outre, avec la désintégration de la famille élargie, les couples modernes ne peuvent plus compter sur le soutien familial pour les aider à lutter contre les pressions créées par la vie moderne. Donc, en un mot, les couples d'aujourd'hui vivent dans un plus grand stress, mais ils ne sont pas armés pour en venir à bout, ni n'ont autant de soutien de la part de leurs familles que les générations précédentes.

Le facteur stress pourrait expliquer à lui seul pourquoi les couples se séparent de plus en plus: leur liaison est moins satisfaisante à cause du degré de stress qu'ils doivent supporter. Les générations précédentes pouvaient tolérer une situation stressante ou désagréable parce qu'elles craignaient la menace de la justice ou la censure morale de la société. En ce qui concerne les couples modernes, cependant, il y a peu d'obstacles à la rupture d'une relation insatisfaisante. De plus, étant donné l'influence de la génération du « moi », le partenaire qui est mécontent de sa liaison reçoit en général l'assentiment de tous lorsqu'il explique sa séparation en ces mots: « Je mets un terme à la relation du couple parce que JE n'en suis plus satisfait(e). »

L'un des risques de terminer rapidement une relation intime sans faire d'effort soutenu pour l'améliorer est que cette liaison aurait pu être sauvée avec un peu de compréhension de la part des deux partenaires. Le chapitre 13 traite de cette question en profondeur.

Les relations intimes en valent-elles la peine?

Étant donné que la génération actuelle attache beaucoup d'importance à la satisfaction des besoins individuels et que les statistiques sur le divorce continuent à s'élever, on pourrait s'attendre que les individus accordent moins de valeur aux relations amoureuses. Mais telle n'est pas la tendance. En effet, une relation intime stable qui procure une satisfaction aux deux partenaires est encore considérée comme le plus grand bonheur d'une vie par la majorité des adultes occidentaux. Aussi la détresse ou la rupture d'une relation amoureuse sont-elles encore vues comme les causes les plus importantes de chagrin et de stress. La joie et l'angoisse étant en jeu, nous pourrions alors nous poser la question suivante: les relations intimes en valent-elles vraiment la peine? La réponse de la majorité des adultes de culture occidentale est un oui inébranlable. Mais quels sont donc ces plaisirs que les relations intimes promettent et procurent assurément, même si, pour certains couples, ce n'est que brièvement?

Le sentiment d'être aimé. L'amour signifie plusieurs choses pour différentes personnes, mais la plupart s'accordent pour dire que c'est un sentiment difficile à oublier. Le sentiment d'être aimé et estimé par une autre personne peut être l'une des expériences les plus précieuses de l'existence.

Le sentiment d'être compris. En cette ère de technologie, de stress et d'isolement social croissant, il est merveilleusement bon et réconfortant de sentir que quelqu'un arrive à nous apprécier et à nous comprendre.

Le sentiment d'être accepté. Avec les pressions qui s'exercent de toutes parts pour produire, accomplir et améliorer, il est merveilleux d'entendre quelqu'un qui nous connaît intimement nous dire: « Je t'aime tel que tu es. »

Une protection contre le stress. L'existence humaine comporte inévitablement de nombreux défis et périodes de tension. Les études révèlent invariablement que ceux qui se sentent soutenus dans une relation intime surmontent plus aisément ces difficultés et résistent mieux aux situations de crise telles que la maladie, le chômage, les conflits émotifs et la vieillesse.

Les enfants. Pour certains couples, la conception, la naissance et l'éducation des enfants sont des expériences des plus enrichissantes d'une vie.

L'expression de la sexualité. De plus en plus de gens aspirent à la pleine expression de leur sexualité avec un autre adulte. L'anxiété et le défi présents au cours de la période de séduction d'une brève relation peuvent être très intenses. Mais de nombreuses formes d'expression de la sexualité ne sont réalisables et vraiment excitantes que si les deux partenaires connaissent les besoins physiques et émotionnels de chacun d'eux. Cette compréhension n'est habituellement possible que si la liaison est stable et dure depuis un certain temps.

Un foyer bien à soi. La plupart des êtres humains désirent fermement avoir un endroit bien à eux où ils peuvent se détendre, dormir, travailler ou se divertir. Que ce territoire leur appartienne ou qu'il soit loué, temporaire ou permanent a souvent moins d'importance que s'il est partagé avec un autre.

Beaucoup d'adultes espèrent pouvoir satisfaire certains de ces besoins, ou même tous, avec une autre personne.

Que pouvons-nous faire pour améliorer la qualité de notre relation de couple?

Ma propre relation intime et celle de plus de 2 000 couples que j'ai connus au cours de mes années de pratique m'ont convaincu que les partenaires peuvent prendre des mesures actives pour améliorer la qualité de leur relation. J'appelle cette approche active « la perspective des démarches de survie du couple ». J'ai découvert que si les partenaires acceptent de jeter un regard honnête sur certaines de leurs convictions et sur certains de leurs comportements, ils peuvent apporter des changements importants à leur liaison.

Chacun des chapitres suivants vous aidera à identifier des opinions et comportements de première importance. Vous découvrirez lesquels peuvent ruiner une relation intime. Des attitudes plus réalistes sont ensuite définies avec soin et des lignes de conduite vous sont proposées pour vous aider à changer vos anciennes attitudes et à adopter des comportements plus efficaces à l'égard de votre partenaire.

Un avantage de cette approche est que, dorénavant, les couples peuvent entreprendre activement des démarches pour améliorer leur liaison plutôt que de la regarder passivement se détériorer à petit feu ou, pour certains, de façon catastrophique.

Un autre avantage est que cette perspective permet aux couples d'apprendre des démarches précises pour améliorer leur relation amoureuse. De plus, elle nie la valeur des attitudes fatalistes du type: « On naît avec la capacité d'être un bon partenaire dans une relation intime » ou « Une relation heureuse ne dépend que du choix d'un bon partenaire ».

Le dernier avantage, et non le moindre, est que l'approche des démarches de survie n'essaie pas de classer chaque couple dans une catégorie. Bien au contraire, non seulement les différences personnelles sont-elles respectées, mais elles sont également considérées comme louables et naturelles. Dans la même veine, cette approche allègue qu'une fois qu'un couple a appris certaines démarches de survie, lui seul a ensuite le choix des moyens à adopter et de la façon de les appliquer.

L'approche des démarches de survie ne constitue pas un remède universel

Toute personne qui a fait l'expérience d'une relation intime sait très bien que les démarches de survie doivent être considérées de façon réaliste. Rien ne garantit inconditionnellement que votre liaison survivra si vous appliquez toutes les recommandations décrites dans ce livre. Comme vous le savez sans doute, le bonheur durable entre intimes est un phénomène infiniment compliqué et mystérieux qu'aucun ensemble de démarches ne peut arriver à sonder.

Bien que je croie qu'une bonne part de la satisfaction d'un couple dépend de la compatibilité entre les deux partenaires (cette question pourrait faire l'objet d'un livre complet), les démarches de survie ne peuvent pas remédier à certaines incompatibilités cruciales. En outre, les individus changent avec le temps, de même que leurs besoins. En effet, deux êtres qui, à l'origine, se complétaient très bien mutuellement peuvent éventuellement s'éloigner l'un de l'autre. Les démarches de survie aideront certains couples à se rapprocher, alors que pour d'autres couples, il serait plus indiqué d'envisager une saine séparation plutôt que de poursuivre une relation destructrice. J'ai pu me rendre compte que les partenaires qui maîtrisaient les méthodes de résolution de problèmes, d'affrontement loyal et de concertation sont beaucoup plus aptes à entreprendre une séparation constructive s'ils décident de mettre un terme à leur relation. Même si, parfois, les démarches n'ont pas aidé le couple à maintenir leur vie commune, elles ont certainement permis à chaque partenaire et aux enfants d'être moins traumatisés.

Il n'existe aucun remède miraculeux pour la survie du couple. Les partenaires doivent plutôt apprendre une nouvelle façon de concevoir les relations intimes et d'évoluer au sein de celles-ci. La tâche ressemble à l'apprentissage de la conduite automobile ou, mieux encore, à l'apprentissage d'une nouvelle langue. Comme c'est le cas avec toute nouvelle technique, les débuts sont difficiles, maladroits et ne semblent pas naturels. Mais c'est en forgeant qu'on devient forgeron. Plus de 80% des couples qui ont complété nos programmes d'enrichissement du couple rapportent à des degrés élevés de satisfaction la maîtrise de ces habiletés. De plus, nombre de partenaires ont trouvé les exercices agréables et l'expérience stimulante. Il est possible que la relation amoureuse soit temporairement dépouillée d'un peu de romantisme et de mystère au début de l'apprentissage de cette nouvelle orientation. Cependant, les bénéfices inhérents à une perspective si originale ne peuvent que compenser largement la confusion et la frustration qui caractérisaient cette relation de couple.

CHAPITRE 3

Comprendre l'amour

De nombreuses études ont révélé que le désir le plus cher de la plupart des adultes des pays occidentaux est « d'être aimé ». En effet, c'est « par amour » que les gens décident habituellement de se marier. Par contre, la fin ou le déclin de l'amour est la cause de divorce la plus fréquemment invoquée. Cependant, malgré les pouvoirs importants, quelquefois mystiques, que nous attribuons à l'amour, nombre d'entre nous sont dépourvus des moyens nécessaires pour satisfaire leur désir le plus profond.

Ce chapitre comprend une revue générale des découvertes que certains scientifiques et thérapeutes ont faites sur l'amour et aborde trois questions qui se posent inévitablement à un certain moment durant une relation intime : Qu'est-ce que l'amour ? Comment l'amour se développe-t-il ? Quels facteurs empêchent l'expression et l'acceptation de l'amour ?

Qu'est-ce que l'amour ?

Bien que, pour la plupart, nous nous entendions pour admettre que l'amour nous est extrêmement important, il est peu probable que nous soyons tous d'accord sur les caractéristiques de l'amour. Ni les partenaires amoureux, ni les scientifiques peuvent facilement définir l'amour. Ne serait-ce que pour démontrer la complexité de ce concept, essayez de compléter en quelques mots les énoncés suivants :

1. Je pense que l'amour est ⎯⎯⎯⎯⎯⎯⎯⎯⎯⎯
2. Mon (ma) partenaire pense que l'amour est ⎯⎯⎯⎯
3. Au début de notre relation, je croyais que l'amour était⎯
4. Au début de notre relation, mon (ma) partenaire croyait que l'amour était ⎯⎯⎯⎯⎯⎯⎯⎯⎯⎯⎯⎯⎯⎯⎯

Demandez à votre partenaire de faire le même exercice et comparez ensuite vos réponses. Vous découvrirez certainement que vos idées sont tout à fait différentes; vous serez peut-être même étonné du contraste entre vos réponses et celles de votre partenaire. Enfin, vous vous rendrez sans doute compte que votre conception actuelle de l'amour diffère énormément de celle que vous aviez au début de votre relation.

Vous constaterez que le concept de l'amour comporte de nombreuses dimensions. Certains interprètent l'amour comme un sentiment personnel fort, reconnaissable aux effets physiques qu'il engendre tels que l'accélération des battements du coeur, le souffle court ou des bouffées de chaleur. Pour d'autres, l'amour est fortement relié au comportement qu'ils (elles) adoptent à l'égard de leur partenaire ou du comportement de leur partenaire à leur égard. Ainsi, votre interaction avec l'autre est-elle empreinte de générosité, d'affection, de réconfort, de compréhension, de sacrifice ou de séduction.

Certains peuvent concevoir l'amour comme un ensemble de cognitions : « Mon (ma) partenaire me protège, il (elle) est un bon parent, il (elle) a besoin de moi et s'ennuie de moi quand je ne suis pas là. » D'autres ne peuvent imaginer l'amour sans excitation sexuelle : « L'amour est une vive attirance sexuelle » ou « l'amour est faire l'amour ». Pour d'autres, l'amour et le sexe sont indépendants : « Je peux sentir profondément que j'aime mon (ma) partenaire et qu'il (elle) m'aime, que je sois excité(e) sexuellement ou pas. » Plusieurs associent l'amour à la passion quelquefois douloureuse qui accompagne l'étape romantique au début d'une relation : « Nous sommes réellement tombés amoureux l'un de l'autre lorsque nous nous sommes rencontrés pour la première fois. Ce fut comme un coup de foudre. » Pour d'autres, enfin, l'amour est un état de stabilité, de détente et de quiétude, de sentiments partagés par deux grands amis.

Certains croient que l'amour n'est possible que tant et aussi longtemps que l'expérience comporte des risques, de l'aventure, de l'incertitude et du nouveau. D'autres croient que l'amour n'est atteint qu'après plusieurs années de confiance et de compréhension partagées. Certains associent même l'amour à la jalousie et à la possession : « Je mourrais si mon (ma) partenaire ne jetait qu'un seul regard à quelqu'un d'autre. » Ou d'autres n'ont aucune appréhension à aimer quelqu'un qui ne leur appartient pas corps et âme; leur amour peut alors s'enrichir de l'indépendance de chaque partenaire.

L'amour peut nous demander d'être prévisibles ou par contre de créer de perpétuelles surprises, voire même le mécontentement. Nous avons peut-être besoin d'un(e) partenaire provenant d'un milieu similaire au nôtre, quelqu'un qui partage nos valeurs, ou encore un(e) partenaire qui est tout à fait notre opposé. Certains d'entre nous ne peuvent aimer qu'une personne qu'ils trouvent belle physiquement. Pour d'autres, la beauté est beaucoup moins importante que l'intelligence, la capacité d'aimer, la force ou même la santé.

Nous savons peut-être quelle étincelle a allumé notre amour. De même, il est possible que nous soyons conscients des caractéristiques de chaque partenaire ainsi que des aspects de notre relation qui nourrissent notre amour. Ou l'amour peut tout simplement être un mystère étrange et merveilleux.

Comment se développe l'amour?

La plupart des experts s'accordent pour dire que nous ne sommes pas nés avec la capacité de donner et de recevoir de l'affection. Nous développons plutôt notre capacité d'aimer durant l'enfance, l'adolescence et la vie adulte. Quatre aspects de notre expérience influencent aussi bien notre attirance pour les traits de personnalité de l'autre que les modes d'expression que nous employons pour lui communiquer notre amour: notre relation avec nos parents, nos frères, sœurs et amis, nos partenaires précédents et notre relation actuelle.

Les parents

Freud et ses disciples ont insisté sur le fait que la relation parent-enfant, presque à l'exclusion des autres expériences d'une vie, est le facteur dominant dans le développement de notre capacité d'aimer. Pour pouvoir aimer quelqu'un d'autre, il faut avoir un certain degré d'amour de soi et d'acceptation de soi. Les tenants de l'école de pensée freudienne croient que l'amour de soi ne peut se développer qu'avec l'amour parental comme modèle.

Si nous avons joui d'une relation affectueuse stable et régulière avec notre père et notre mère, il y a de fortes chances que nous soyons capables de ressentir un amour profond pour un(e) partenaire. Si nos parents nous ont encouragés à exprimer nos sentiments et s'ils étaient affectueux l'un envers l'autre, il nous sera assez facile d'exprimer notre amour. Si, toutefois, nos parents nous ont donné peu d'affection ou si l'amour qu'ils nous prodiguaient alternait régulièrement entre les punitions ou le rejet, il nous sera alors plus difficile d'aimer quelqu'un. En termes freudiens, nous cherchons inconsciemment à répéter exactement notre première relation intime avec tous nos partenaires futur(e)s et à revivre cette première expérience émotionnelle en modelant notre comportement sur le comportement qui caractérisait cette première relation.

Les frères et soeurs et les amis

Heureusement, nos parents ne sont pas vraiment les seuls êtres de notre vie qui peuvent nous enseigner comment donner et recevoir de l'amour. Des études effectuées au cours des quinze dernières années ont démontré que nos frères et soeurs, nos amis et la société en général peuvent fortement influencer nos désirs, nos attentes et notre comportement amoureux. En fait, une affinité fraternelle ou l'acceptation de la part d'un(e) ami(e) peuvent, à certains moments, se révéler un puissant antidote aux sentiments d'insécurité engendrés par une relation difficile. C'est ainsi que nombre de personnes qui ont eu une expérience amère avec un parent ont formé une relation affectueuse forte et constructive avec un frère, une soeur ou un ami et celle-ci a servi de bon modèle pour une relation amoureuse future.

Cependant, si durant notre enfance nous avons dû rivaliser avec un frère ou une soeur pour gagner l'affection de nos parents, il est possible que nous soyons des amoureux anxieux durant notre vie adulte. Si nous avons été incités à penser que « mon frère ou ma soeur est mieux que moi », nous risquons d'avoir plus de difficulté à faire confiance à un(e) partenaire dans une relation adulte. La tendance sera alors de rivaliser avec notre partenaire comme nous le faisions avec notre frère ou notre soeur.

Les partenaires précédents

Nos premières aventures dans le monde de l'amour romantique peuvent également influencer fortement notre façon d'aimer. Si vous avez été repoussé par la première personne que vous avez aimée, vous avez sans doute eu besoin de plusieurs expériences positives pour supprimer les effets de ce premier rejet. Les adolescents ont tendance à entrer dans une relation amoureuse et à en sortir assez facilement. La variation extrême et rapide entre la passion et le découragement que nous vivons au cours de notre adolescence constitue de bien des façons un excellent apprentissage pour le futur. Durant cette période de notre vie, nous apprenons à donner et à recevoir de l'amour sensuel et nous avons la possibilité de découvrir un « type » de partenaire qui nous convient.

L'adulte qui a partagé ouvertement un amour avec d'autres entreprendra une liaison avec des attentes très différentes de celles d'un adulte qui n'a jamais vécu de relation intime avec un autre. Les partenaires qui s'engagent dans une nouvelle liaison après une séparation douloureuse chercheront probablement chez leur nouveau (nouvelle) partenaire des caractéristiques qui leur sembleront les aider à prévenir une récurrence de leur frustration.

Notre relation actuelle

Les expériences plaisantes et désagréables que nous avons vécues au début de notre relation actuelle sont également cruciales. Si nous éprouvons des sentiments exaltants et plaisants lorsque nous sommes avec notre partenaire, notre amour et notre attirance à l'égard de celui-ci (celle-ci) resteront forts. Cependant, si nous commençons à ressentir plus de désagrément que de plaisir, nos liens avec notre partenaire s'affaibliront. Initialement, lorsque nous tombons amoureux, une intimité agréable compense largement les moments désagréables que nous pouvons vivre. Mais cette situation change, lentement ou rapidement, pour diverses raisons.

Nous avons tous vu que, dans de nombreux mariages, l'échange d'amour diminue considérablement avec le temps. Les conjoints décident souvent de poursuivre un « mariage de raison » une fois que l'amour n'existe plus entre eux, « à cause des enfants », « pour ne pas lui faire du mal » ou « pour ne pas vivre seul ». Mais pourquoi est-ce donc si difficile de rester amoureux dans une liaison stable ? Il y a probablement autant de raisons qu'il existe de couples. Nous nous attarderons ici sur trois facteurs importants qui entravent l'amour : les conceptions erronées sur l'amour, l'évitement d'une douleur émotionnelle éventuelle et l'incompatibilité.

Les conceptions erronées sur l'amour

Notre société a encouragé une variété de croyances qui sont non seulement irrationnelles, mais également nuisibles au partage efficace de l'amour entre deux intimes.

> *« Nous étions fous l'un de l'autre quand nous nous sommes rencontrés. Si seulement notre amour était aussi fort maintenant qu'il l'était lorsque nous sommes tombés amoureux l'un de l'autre ! »*

Combien de fois avons-nous entendu cette lamentation ? De nombreux couples forment une relation stable après leur mariage parce qu'ils ont vécu une expérience que notre culture appelle « tomber amoureux ». Il s'agit du type d'amour qui a inspiré la plupart des poèmes romantiques et des romans. Des mots tels que « passion », « désir », « folie » et « adoration » servent à décrire cette expérience. Sur le plan cognitif, cet amour implique souvent que l'être aimé est placé sur un piédestal tellement élevé qu'il incarne la perfection. Une fois qu'il occupe ce piédestal, nous courons le risque qu'il nous rejette, car nous ne pourrions jamais atteindre cette perfection. Cependant, lorsqu'il nous accepte, nous pouvons alors le rejoindre puisque cela doit signifier que nous aussi méritons d'être sur un piédestal. Dans la lutte qui s'ensuit entre la passion et la raison, cette dernière est largement perdante et nous en venons à laisser le vent emporter notre objectivité, et probablement notre destinée. Nous ne pensons qu'à l'être aimé, ignorant allègrement ses mauvais penchants et exagérant ses bons côtés, prêts à faire n'importe quoi pour lui plaire. Ce comportement est ce que notre culture appelle «tomber amoureux» parce que nous avons l'impression de perdre notre raison et la maîtrise de notre destinée. Nos facultés cognitives deviennent esclaves de nos émotions et nous voyons dans l'autre des aspects extraordinaires que des «observateurs objectifs» ne peuvent pas voir.

Nous décidons donc de vivre ensemble, de former des liens affectifs stables. Puis, la flamme s'éteint, lentement pour certains, rapidement pour d'autres. Nous commençons à remarquer quelques caractéristiques déplaisantes et des habitudes irritantes qui, auparavant, avaient échappé à notre attention. Les qualités fantastiques de l'être aimé sont ramenées à des proportions plus humaines. Notre folle passion pour lui devient de moins en moins intense. Pour certains d'entre nous, elle disparaît même tout à fait. C'est alors que nous commençons à nous demander: «Est-ce vraiment l'amour tout ça?», «Me serais-je trompé(e)?», «Mon / ma partenaire a tellement changé depuis que nous nous sommes mariés». Si nous avons de la chance, l'amour romantique sera remplacé par d'autres formes d'amour; sinon, il ne nous restera rien d'autre que des souvenirs agréables d'un passé révolu.

Plusieurs se demanderont: «Pourquoi laisser mourir l'amour romantique?» «Pourquoi ne pas essayer d'entretenir la flamme?». Cela n'est réalisable que si les conditions qui étaient présentes à l'étape de «l'amour romantique» sont maintenues. Prenons l'exemple des écrits de la période romantique. Il y a toujours une guerre, un mari jaloux, une épouse invalide, l'interdiction des parents, la distance ou la mort qui empêchent les aimants passionnés d'être réunis dans les bras l'un de l'autre, si ce n'est que pour de brefs moments. Leur besoin de l'un et l'autre ne peut jamais être assouvi. Bref, les versions romancées de l'amour ont toujours une saveur aigre-douce de plaisir et de douleur. Étant donné qu'ils ne réussissent jamais à passer beaucoup de temps ensemble, ces amoureux n'ont pas la possibilité de s'observer l'un l'autre dans plusieurs situations (un lendemain «de veille», par exemple, pendant la maladie, etc.). Par conséquent, leurs illusions ne sont jamais brisées. L'être aimé ne descend jamais de son piédestal.

L'un des paradoxes de l'amour romantique est qu'il nous amène à désirer l'autre: «Je ne peux me passer de toi.» Pour plusieurs, l'amour romantique est à l'origine de leur décision de former une relation stable: «N'est-il pas sensé de marier quelqu'un dont vous ne pouvez vous passer?» Mais votre situation change soudainement et du tout au tout lorsque vous vivez ensemble.

Vous pouvez maintenant cesser de craindre de perdre votre partenaire : vous avez signé un contrat ensemble et vous vous êtes installés dans une maison. Alors que vous éprouviez constamment la sensation de lutter pour gagner l'amour de votre partenaire, il vous est maintenant facile de tenir celui-ci (celle-ci) pour acquis(e).

Quels choix vous sont donc offerts ? Essentiellement, il y en a trois : a) Ne jamais s'engager avec un(e) partenaire. Aussitôt que vous remarquez que l'étape romantique s'achève, rompez la liaison et commencez à chercher un(e) nouveau (nouvelle) partenaire ; b) Supporter l'ennui de vivre avec cette personne qui a tellement changé et qui était si agréable et un(e) si bon(ne) partenaire sexuel(le), et ressasser le souvenir de la lune de miel ou rêver de l'éventualité d'un nouvel amour ; c) Laisser une partie de votre passion originale être graduellement supplantée par de nouvelles formes d'amour, issues d'expériences partagées, de confiance, d'aide mutuelle, de vie sexuelle satisfaisante, de l'expérience d'être parents, etc.

Pourquoi tant de personnes se lancent-elles sans enthousiasme dans le nouveau projet d'améliorer une relation ? Parce que notre société, avec ses chansons, ses livres et ses films, nous incite à estimer l'amour romantique plus que tout autre amour. Il en résulte que nous savons peu comment identifier et améliorer le type d'amour issu d'une union. Tragiquement, nous faisons même souvent peu de cas de tout amour qui n'est pas romantique.

« Si mon (ma) partenaire m'aimait vraiment, il (elle) saurait quoi faire pour que je me sente aimé(e). »

Plusieurs d'entre nous supposent honnêtement qu'un(e) partenaire réellement prévenant(e) devrait connaître ce dont nous avons besoin pour nous sentir heureux, que nous ne devrions pas avoir à manifester et à définir nos besoins. Cette supposition est particulièrement dangereuse lorsqu'elle est partagée par les deux membres d'un couple. Les deux restent alors là à attendre que l'autre fasse le premier pas avec le résultat évident d'une vie amoureuse froide et inactive.

« Nous devrions aimer les autres comme nous voudrions être aimés. »

Il existe presque autant de définitions possibles de l'amour qu'il existe de gens. Certains d'entre nous, cependant, sont plus enclins à oublier qu'il y a d'autres façons d'aimer que la leur. En fait, il est probable que les attentes de notre partenaire à l'égard de l'amour ne correspondent pas du tout aux nôtres.

Étant donné que nos préférences en amour sont déterminées par une combinaison de facteurs (expérience et relations durant l'enfance, le milieu), il est tout à fait naturel que deux partenaires ne soient pas intéressés ou stimulés par exactement les mêmes expériences. Vous protesterez peut-être en disant : « Oui, mais lorsque nous nous faisions la cour, nous semblions aimer tous les deux les mêmes choses. Je supposais que mon (ma) partenaire était sincère. C'est pourquoi, en fait, j'ai choisi de demeurer avec lui (elle), parce que j'aime les choses qu'il (elle) trouve stimulantes. » Rappelez-vous que l'étape au cours de laquelle deux amoureux se font la cour est une période où la passion domine la raison, où l'enjeu est considérable, et où chaque partenaire s'ingénie adroitement à gagner le coeur de l'autre. A ce stade, nous ne voyons qu'un échantillon trompeur de ce que l'autre aime ou n'aime pas. Cependant, plusieurs impasses pourraient être évitées en amour si, au cours de la liaison qui suit l'étape de l'amour romantique, nous essayions de connaître davantage les préférences réelles de notre partenaire plutôt que d'essayer de lui plaire avec ce que nous aimons.

« *Si nous avons bien choisi, notre amour durera toujours.* »

Nous avons ici une autre conception erronée et dangereuse basée sur l'hypothèse que la durée de l'amour romantique est garantie par le choix d'un bon partenaire. Il est évident que nous convenons mieux à certains types de personnes qu'à d'autres et bien que des styles d'amoureux bien assortis contribuent à faire durer une liaison, un choix sensé ne fait que préparer le terrain à recevoir les graines. Si vous n'arrosez pas et ne sarclez pas les jeunes plants et que vous ne leur donniez pas de soleil, ils ne pousseront pas. Ainsi, certains soins doivent être apportés, car un amour qui n'est pas nourri finit par mourir, tel un jardin abandonné.

« *Un amour véritable ne change jamais.* »

Nombre d'entre nous pensent savoir à quoi s'attendre lorsqu'ils nouent une liaison. Lui, par exemple, suppose que, parce qu'elle est séduisante, affectueuse et énergique maintenant, elle sera toujours ainsi. De même, elle sait qu'il est sensible, passionné et libre d'esprit, et suppose qu'il ne changera jamais, peu importe ce qui arrive. L'amour n'est toutefois pas statique. En vivant ensemble, l'un et l'autre verront la situation changer, de même que leurs attentes et leur estime. Une femme qui, au début de sa liaison, estimait son partenaire pour l'originalité de son caractère imprévisible et son esprit indépendant peut, après cinq ans de vie commune, en venir à admirer la considération et l'appui qu'il lui donne. Un homme qui, au début, était attiré par l'apparence physique de sa partenaire et sa joie de vivre peut priser davantage, après quelques années, la capacité intellectuelle de cette dernière et le soutien moral qu'elle lui apporte.

Les couples perturbés se plaignent souvent « qu'il (elle) a changé, qu'il (elle) n'est plus comme il (elle) était. J'ai l'impression que je ne le (la) reconnais plus ». Grâce aux examens du couple effectués dans notre cours sur les démarches de survie, nous avons découvert immanquablement que les deux membres d'un couple changent avec le temps. Non seulement ils se traitent mutuellement de façon différente, mais leur estime de l'un et l'autre change également. Nous avons identifié trois causes principales de ces changements : la routine, la « maturation » et les nouvelles demandes.

La routine. Lorsque nous sommes constamment exposés au même événement, un processus « d'habituation » se produit. Même le champagne et le caviar perdraient leur attrait si nous pouvions jouir de ce luxe trois fois par jour. De même, la belle apparence d'un(e) partenaire, ses prouesses sexuelles et sa façon de dire les choses, qui pouvaient sembler énormément attirantes au début de la relation, peuvent perdre leur pouvoir d'excitation avec le temps.

La « maturation ». La personnalité de l'être humain n'est jamais stagnante. Ainsi le phénomène de changement continu chez les jeunes enfants ne nous échappe-t-il pas car il est manifeste ; mais nos propres besoins sexuels ainsi que nos besoins de stimulation émotionnelle, de stabilité et de défi qui changent à mesure que nous prenons de l'âge, sont plus difficiles à déceler. Un jeune couple peut aimer la mobilité et déménager annuellement. Cependant, après quatre ou cinq ans, lorsqu'ils ont des enfants, qu'ils ont réalisé certains projets et atteint leurs objectifs de carrière, il peut s'avérer plus important pour eux de construire leur vie à un seul endroit. Puis, après dix ans, un changement de milieu ou de nouveaux défis peuvent encore leur sembler désirables.

Les nouvelles demandes. A chaque étape d'une vie et d'une relation intime, certaines demandes disparaissent pour faire place à de nouvelles. Ainsi, les pressions exercées sur deux partenaires sans enfants qui n'ont pas de revenu régulier et qui ont quelques dettes font place à de nouvelles priorités lorsqu'ils entreprennent une carrière, achètent une maison et ont des enfants.

Le changement est inévitable. Il faut donc présumer que quelques-unes ou la plupart des caractéristiques qui nous ont attirés chez notre partenaire changeront elles aussi. Et tout comme il n'est pas raisonnable de supposer que notre partenaire aimera ce que nous aimons, il est tout aussi déraisonnable de croire que nos besoins en amour changeront dans le même sens. Nombre de couples sont surpris lorsqu'ils se rendent compte, après cinq ans de vie intime, qu'il (elle) « n'est plus la personne qu'il (elle) était ». Cela est tout ce qu'il y a de plus normal. Il est certain que les couples qui désirent maintenir un échange d'amour riche et partagé feraient mieux de tenir pour acquis qu'ils devront constamment varier l'amour qu'ils se donnent selon les besoins changeants de chaque partenaire.

« Je ne peux pas maîtriser l'amour que je ressens, ni avoir d'influence sur ce que mon partenaire ressent à mon égard. »

Nombre de partenaires voient l'amour comme un état stagnant. Certains d'entre nous croient que nous n'avons pas d'emprise sur l'amour que nous ressentons et que les tentatives faites par notre partenaire pour nous plaire sont arbitraires et indépendantes de notre propre comportement. Ce mythe est souvent influencé par la théorie freudienne qui affirme que tous les déterminants importants de notre raison et de notre façon d'aimer sont fixés lorsque nous quittons la période d'enfance. Cependant, la recherche actuelle corrobore l'argument selon lequel nos désirs et notre capacité à satisfaire les besoins de l'être aimé dépendent dans une certaine mesure de la façon dont nous communiquons mutuellement. Ceci implique que deux personnes peuvent apprendre à être plus aimantes l'une vis-à-vis l'autre. Les démarches de communication que je suggère ici sont fondées sur la notion que nous pouvons aider notre partenaire à mieux satisfaire nos besoins sexuels et émotionnels et que notre partenaire peut à son tour nous aider à satisfaire davantage ses propres besoins. Cependant, avec un manque de connaissance de soi et de bonne communication, il se peut que nous ne soyons pas capables de fournir à notre partenaire les indices nécessaires pour qu'il (elle) se comporte d'une façon qui nous donnerait le sentiment qu'il (elle) nous aime. Il est même possible que nous blâmions notre partenaire sans savoir qu'en fait il (elle) est dans la bonne voie.

« Si tu m'aimais vraiment, tu m'accepterais tel(le) que je suis. »

Les partenaires du type « prends-moi comme je suis » croient qu'une fois qu'une relation stable est en route, la mission est accomplie, que l'autre devrait être satisfait de ce que tous les deux ont dorénavant à donner. « Je suis né(e) comme ça. » « C'est ainsi que je suis fait(e). » « Mon père était comme ça et moi aussi » ou « Les femmes sont comme ça. » Ces excuses et d'autres de même nature sont les préférées de ceux qui veulent justifier leur manque de motivation à faire l'effort d'être affectueux de la façon que l'autre le souhaiterait. Ainsi, si un(e) partenaire demande à l'autre qu'il (elle) démontre son affection plus ouvertement, qu'il (elle) fasse plus de compliments, qu'il (elle) soit plus compréhensif(ve) ou qu'il (elle) partage plus d'activités avec lui (elle), la personne qui reçoit cette demande de changement peut justifier son manque de volonté à changer par la sempiternelle réplique: « Prends-moi comme je suis. »

L'idée que quiconque devrait ou pourrait être entièrement malléable afin d'accommoder l'inflexibilité de l'autre (ce que cette conception erronée demande en réalité) est tout à fait déraisonnable, voire impossible. Cependant, quelque part entre la malléabilité et la rigidité, il existe un style d'amour qui permet un compromis réalisable et un échange facile d'amour et d'affection.

Évitement d'une douleur émotionnelle éventuelle

Certaines attentes renforcées par la société nous amènent à avoir des opinions irrationnelles et inefficaces sur l'amour. Ces attentes ont des conséquences directes sur notre définition de l'amour, sur notre comportement ainsi que sur la satisfaction que nous ressentons à l'égard de l'amour que nous offre notre partenaire. Pour compliquer les choses, il peut nous en coûter de montrer nos sentiments profonds, de nous laisser aller. Il est toutefois important que nous comprenions et surmontions la crainte de rejet éventuel, d'embarras, de dépendance ou de colère si nous voulons atteindre notre plein potentiel d'amour.

Crainte du rejet

En amour, nous devons souvent nous préparer à être dans l'incertitude, à courir le risque d'offrir à contretemps ce que nous croyons que notre partenaire veut. Nous devons aussi accepter que nous nous exposons alors à ce que notre partenaire réponde à une étreinte ou à un baiser par: « S'il te plaît, ce n'est pas le moment. » Lorsque nous lui disons: « Viens, allons faire l'amour », « J'aimerais que tu me serres dans tes bras », « Faisons un voyage ensemble » ou « Si nous faisions un enfant? », nous nous dévoilons, révélant ainsi ce dont nous avons besoin pour nous sentir aimés, pour être heureux. En communiquant notre désir, nous courons toutefois le risque que notre partenaire nous réponde: « Je n'en ai pas envie », « Non, je ne veux pas » ou « Je ne suis pas intéressé(e) ». Si nos offres ou nos demandes d'amour sont refusées assez souvent, nous pouvons malheureusement en conclure que notre partenaire nous rejette. « Tu refuses ce que j'ai à te donner », « Je n'arrive pas à te plaire » ou même « Tu ne m'aimes pas ». Ceux d'entre nous dont les efforts pour communiquer les émotions ou les désirs ont, par le passé, été fréquemment dédaignés par les parents, les amis ou un autre amour, seront plus vulnérables à la crainte de rejet inhibitive. En effet, nous pouvons être tellement bouleversés d'entendre « Je n'ai pas envie de faire l'amour ce soir » que nous en oublions le « Je t'aime » qui suit.

Les partenaires qui partagent de nombreuses expériences enrichissantes dans leurs relations avec leurs enfants, au travail et durant les loisirs seront moins menacés si leurs offres sont déclinées ou leurs demandes refusées. Si l'un des partenaires répond

« Je suis trop fatigué(e) pour faire l'amour » ou « Je ne veux pas en parler en ce moment, je me sens un peu déprimé(e) » ou « Tu m'embrouilles les idées », il est moins probable que l'autre interprète ce refus comme une indication de sa propre insuffisance. Par contre, un(e) partenaire qui a peu d'échanges satisfaisants est beaucoup plus vulnérable aux effets du rejet. Il (elle) peut perdre de l'intérêt pour la liaison, devenir déprimé(e) et renfermé(e) ou se plonger dans des activités à l'extérieur de la vie commune. Ou encore, il (elle) peut manifester ouvertement de l'agressivité et de l'hostilité à l'égard de l'autre partenaire. La situation peut dégénérer au point où le divorce est la seule solution.

Crainte de l'embarras

La personne qui croit que l'expression au grand jour de l'affection et des demandes d'amour est un signe de faiblesse ou d'immaturité se sentira embarrassée de donner ou de recevoir des marques d'affection.

La personnalité passionnée, glorifiée par les Romantiques, a été refoulée avec succès par les Victoriens, qui adoptèrent une attitude très différente: la maîtrise absolue de toutes les émotions était idéalisée. Le monde occidental est maintenant composé d'une mosaïque de formes d'amour. Les Anglo-Saxons, habituellement reconnus pour leur réprobation de la démonstration sans retenue des marques d'affection, contrastent énormément avec les autres Européens et les Latins, chez qui cette aversion n'existe pas. Les Nord-Américains, eux, sont souvent gênés de montrer leurs émotions en public: « Mon père n'était pas démonstratif et moi non plus. Le fait de l'être n'est pas viril. » Le (la) partenaire qui ne ressent aucun embarras à donner et à recevoir de l'affection peut se demander pourquoi son (sa) partenaire montre tellement peu d'enthousiasme à en faire autant.

Crainte de la dépendance

Lorsque nous nous attachons à une autre personne, nous pouvons en venir à dépendre d'elle non seulement émotionnellement, mais aussi sur le plan de la sécurité matérielle et physique et celui du partage des responsabilités. Aimer et avoir besoin de l'autre signifient que nous nous exposons non seulement au risque de rejet, mais aussi au retrait de l'appui et de la protection apportés par l'autre. Ceux qui ont été négligés durant leur enfance ou coupés de la protection parentale, ou ceux qui ont eu une liaison non réussie avec un(e) partenaire qui n'offrait aucun appui, peuvent ressentir le besoin pressant d'être protégés. Ou ils peuvent être terrifiés à l'idée que s'ils laissent l'autre personne prendre trop de place dans leur vie, ils seront exposés aux mêmes traumatismes qu'ils ont déjà vécus.

Les mariages des années 50 et 60 étaient plus souvent qu'autrement basés sur les rôles traditionnels des sexes; lui était le soutien de la famille et elle, la ménagère. Les femmes de cette époque ne s'opposaient pas ouvertement à dépendre de leur mari sur le plan de la sécurité matérielle et de la protection. C'est en fait ce que la société attendait d'elles. Selon cette entente traditionnelle, les partenaires devaient adopter des rôles très différents: la femme se consacrait à l'éducation des enfants et à l'accomplissement des tâches ménagères, alors que le mari poursuivait sa carrière à l'extérieur de la maison. De nombreuses mères ont communiqué leur ressentiment à leurs enfants alors qu'elles se voyaient forcées de «dépendre» d'un homme de cette façon et qu'elles devaient sacrifier une carrière pour se marier et jouer le rôle de mère.

Au cours des deux dernières décennies, ce modèle a changé radicalement. Un nombre croissant de femmes ont montré leur aversion à l'égard de ce type de dépendance envers un homme, et ont démontré qu'elles peuvent tout aussi bien fonctionner, sinon mieux, que les hommes dans une variété de carrières à l'extérieur de la maison. Ainsi, dans beaucoup de foyers modernes, les deux partenaires travaillent à l'extérieur. Cependant, le modèle que les femmes d'aujourd'hui ont observé durant leur enfance était sans doute celui d'une mère qui donnait facilement de l'amour mais qui était aussi très dépendante de son partenaire pour la satisfaction de nombreux besoins. Par conséquent, elle occupait la deuxième place. Il en résulte que les femmes des années 70 et 80 craignent qu'un engagement complet de leur part envers l'être aimé crée une dépendance qui les obligera à renoncer à leur ambition et à leur indépendance.

Une aversion profonde à l'égard de la dépendance peut entraîner une variété de conséquences négatives. Ainsi, nous pouvons sentir le besoin d'exercer une retenue sur tous nos sentiments amoureux de façon à ne pas tomber dans un état de trop grande dépendance envers un autre. Ou encore, nous pouvons éviter tout à fait les relations intimes, ou ne nous engager que superficiellement, sans établir de profondes racines émotionnelles.

La colère

Certains d'entre nous croient que la colère et l'amour sont incompatibles, que nous ne pouvons pas ressentir de colère ou de ressentiment envers notre partenaire et l'aimer en même temps. L'aptitude à tolérer ces deux sentiments apparemment incompatibles envers la même personne est grandement déterminée par les expériences que nous avons vécues durant notre enfance. Ainsi, certains parents encouragent leurs enfants à être conscients de leurs émotions et à exprimer leur amour et leur agressivité simultanément. D'autres encouragent la maîtrise de soi-même ou la dénégation de la colère. Si nos parents utilisaient ce type de comportement, il est possible que nous soyons peu préparés à l'intimité dans la vie adulte, les relations intimes étant toutes un mélange aigre-doux d'amour et de colère.

Malheureusement, certains d'entre nous sont tellement peu préparés à se laisser aller à des accès de colère qu'ils les évitent à tout prix. Ainsi, nous pouvons nous arrêter avant de nous sentir trop près de l'autre et éviter tout conflit éventuel en refrénant notre amour. Ou nous pouvons refuser de remarquer même la plus petite faute chez notre partenaire, craignant que toute expression de colère ne détruise notre amour. Ce comportement est toutefois dangereux, car une crainte exagérée d'exprimer notre colère peut mettre notre union en péril.

Les partenaires qui ne communiquent pas de façon efficace et qui ont accumulé une multitude de problèmes non résolus vont également entretenir de profonds sentiments de frustration et de colère. Chez un couple en détresse, les échanges d'hostilité peuvent devenir plus fréquents que les échanges d'amour. Chaque partenaire peut ressentir tant de colère que ses propres sentiments conciliants ou toute marque d'affection de la part de l'autre risquent de passer tout à fait inaperçus. Lorsque la relation a dégénéré à ce point, il est fortement recommandé que les partenaires demandent l'aide d'un consultant professionnel afin qu'ils puissent libérer leur frustration et résoudre leurs problèmes.

L'incompatibilité

Les scientifiques oeuvrant dans le domaine des sciences sociales se sont longuement penchés sur la question de savoir ce qui attire initialement deux êtres l'un à l'autre, ce qui nous fait tomber amoureux, ce qui nous décide à nous marier, quelles combinaisons de types de personnalité ont le plus de chances de durer et lesquelles sont vouées à l'échec dès le début.

Au cours de mes propres recherches et de mes années de pratique, j'ai été impressionné par le peu de fiabilité des pronostics de succès et d'échecs. Ainsi, il m'est arrivé parfois de rencontrer deux personnes dont je n'aurais jamais prévu la survie en tant que couple mais qui, en fait, avaient développé une relation très riche et mutuellement satisfaisante. De même, deux intimes qui semblaient avoir tout en leur faveur finissaient quelquefois par voir leur relation s'écrouler.

Il est impossible d'expliquer, en termes simples, les causes de succès ou d'échec d'une relation intime. La recherche et l'expérience m'ont convaincu, cependant, que la motivation et les moyens d'interaction sont des facteurs cruciaux. Deux personnes qui, au dire des observateurs, n'ont guère de chances de réussir ensemble peuvent construire une relation très satisfaisante si celle-ci est suffisamment importante pour les deux. Mon but est donc de démontrer comment les qualités nécessaires pour construire une relation mutuellement satisfaisante peuvent être développées et comment des démarches de survie peuvent être planifiées.

Motivation et qualités mises à part, qu'en est-il de la compatibilité? Si deux individus sont mal assortis, il est certain que leur manque d'harmonie finira par avoir raison de leur désir de s'épauler. Lui, par exemple, est peut-être habile à résoudre des problèmes et elle, de son côté, a du doigté pour exprimer ses émotions, mais, malheureusement, l'ouverture d'esprit de celle-ci est constamment neutralisée par son incompétence à lui, et vice versa. Ainsi, il est possible qu'ils ne parviennent jamais à se mettre sur la même longueur d'onde. Toutefois, lorsqu'elles sont appliquées de façon efficace, les concertations et les périodes d'écoute active expliquées plus loin peuvent venir à bout d'incompatibilités apparemment inconciliables.

Les scientifiques oeuvrant en sciences sociales n'arrivent pas à s'entendre sur les types de personnalité qui ont le plus de chances de former une relation heureuse. Récemment, cependant, des chercheurs ont identifié des combinaisons de types de personnalités qui ne devraient peut-être *pas* songer au mariage. Si ces types de personnes formaient une relation ensemble, elles feraient mieux de retrousser leurs manches et de s'atteler au travail. En effet, il sera nécessaire que les deux fassent preuve de souplesse si elles veulent trouver le bonheur ensemble.

Lasswell et Lobsenz[1] ont discuté des couples compatibles et incompatibles dans leur excellent livre intitulé *Styles of Loving*. Ils ont identifié six types d'amoureux: les meilleurs amis, les altruistes, les esprits logiques, les possessifs, les romantiques et les intrigants *(game-players)*. Une variété de combinaisons sont très prometteuses mais les auteurs en identifient quelques-unes comme particulièrement explosives.

Ainsi, une combinaison «amoureux possessif-intrigant» est dangereuse. L'amoureux possessif a besoin d'avoir la pleine maîtrise et l'emprise sur son partenaire, ne vivant que pour des heures de rapport intense. Un amoureux possessif sera fou de jalousie à l'idée que l'être aimé pourrait partir avec un autre. Un intrigant, par contre, peut aimer le plaisir de la séduction mais il ne veut pas se sentir trop près trop longtemps. Alors que l'amoureux possessif craint le rejet et a un grand besoin de sécurité, l'intrigant craint la

---

1. Cet appel de note et ceux qui apparaissent dans les pages qui suivent réfèrent à la bibliographie qui se trouve à la fin de ce livre.

dépendance et tout ce qui est prévisible. Bref, les deux suivent des voies opposées. Il n'est donc pas étonnant que leur histoire ensemble, généralement courte, soit remplie de conflits explosifs. Deux partenaires possessifs, par contre, pourraient vivre ensemble pourvu qu'ils soient tous deux prêts à être patients l'un vis-à-vis l'autre et qu'ils prennent chacun les mesures nécessaires pour calmer les inquiétudes de l'autre.

Une combinaison de deux amoureux romantiques est une autre liaison explosive. En effet, demeurer « en amour » indéfiniment présente des difficultés importantes. Cela signifie que chaque partenaire doive continuellement maintenir l'autre sur un piédestal. Un(e) romantique invétéré(e) voudra conserver à tout prix une image idéalisée de son (sa) partenaire. La désillusion peut soulever des accusations de duperie telles que : « Tu m'as laissé(e) faussement croire que tu étais... » La réticence de la part des deux partenaires à accepter les aspects moins attirants de la personnalité de l'autre les conduira probablement à « se détacher » l'un de l'autre et, bien souvent, non sans se lancer mutuellement toutes les accusations possibles.

Quels moyens pouvez-vous donc prendre pour améliorer vos chances de succès dans une liaison? Il existe essentiellement deux séries d'habiletés d'adaptation que vous pouvez développer comme bases de démarches de survie. La première série vise à accroître les sentiments amoureux par la communication, l'expression de l'amour par la parole et l'acte, et l'expression sexuelle.

La communication: de nombreux partenaires croient que leur amour ne peut grandir que s'ils communiquent ensemble honnêtement et ouvertement. Le chapitre suivant débute avec les principes de base sur la façon de communiquer.

L'expression de l'amour par la parole et l'acte: les couples qui ont participé à nos programmes de démarches de survie ont découvert qu'ils peuvent apprendre des façons d'exprimer leur amour et leur affection pour l'un et l'autre et ces façons aident grandement à augmenter leur satisfaction à l'égard de leur liaison.

L'expression sexuelle: des relations sexuelles satisfaisantes constituent une part importante des liens amoureux. L'éveil sexuel et la volonté de découvrir de nouveaux modes d'expression sexuelle peuvent aider un couple à survivre.

J'ai découvert, cependant, qu'il est rare que l'apprentissage de démarches pour construire une relation amoureuse s'avère suffisant, que les couples ont également besoin d'autres moyens afin d'empêcher les frustrations et les conflits quotidiens de détruire leur vie commune. Plusieurs principes peuvent s'avérer très précieux en aidant les couples à surmonter les conflits et les difficultés qu'ils auront inévitablement à affronter dans une liaison à long terme: la résolution de problèmes, la concertation, l'affrontement loyal, la division efficace des tâches et une attitude constructive à l'égard de l'indépendance en général, et de l'indépendance sexuelle en particulier.

Sans plus de préambule, je vais maintenant vous expliquer comment vous et votre partenaire pouvez développer des démarches de survie efficaces. Si vous êtes déjà familier avec ces techniques, pourquoi alors ne pas raffiner vos méthodes au moyen des exercices suggérés dans les pages qui suivent?

CHAPITRE 4

Les fondements d'une relation intime : la communication efficace

Jacques, 29 ans, gérant du rayon de chaussures d'un grand magasin de vente au détail, et Denise, 28 ans, assistante à la recherche dans une université, ont suivi l'un de nos cours sur les démarches de survie non pas parce que leur liaison était en période de crise, mais parce que chacun en était venu à trouver l'autre ennuyeux. Même s'ils n'avaient pas encore de difficultés sexuelles importantes, la fréquence de leurs rapports sexuels avait lentement diminué jusqu'à une fois par mois. Il était évident que ni l'un ni l'autre n'étaient aussi satisfaits de leur vie sexuelle qu'ils ne l'avaient été pendant les trois premières années de leur relation, laquelle durait maintenant depuis sept ans. Au début, ils avaient parlé de fonder une famille avant que tous deux n'aient 30 ans, mais aucun n'a jamais suggéré que Denise cesse de prendre la pilule. Les deux partenaires étaient préoccupés par le fait que s'il ne se produisait rien dans leur vie qui puisse raviver tous les aspects de leur liaison, ils suivraient inévitablement le même chemin que plusieurs de leurs frères et soeurs et amis et divorceraient. L'une des conséquences de leur insatisfaction à l'égard de leur relation a été que, durant les deux dernières années, Jacques, avec le consentement de Denise, a commencé à avoir des aventures avec d'autres femmes.

La première étape entreprise par notre équipe a été de faire passer à Jacques et à Denise un examen complet du couple, comme nous le faisons pour tous les couples qui s'inscrivent aux cours sur les démarches de survie. Celui-ci comportait une interview d'une heure avec le couple, de brèves rencontres individuelles avec le conseiller et chaque membre du couple séparément, plusieurs questionnaires et l'enregistrement sur bande vidéo d'une conversation de 30 minutes entre Jacques et Denise. Les résultats de l'examen du couple nous ont convaincus que Jacques et Denise étaient d'excellents candidats pour un cours sur les démarches de survie et la première tâche que nous leur avons conseillée a été d'apprendre à communiquer de façon plus efficace. Après trois rencontres de deux heures et demie, Jacques et Denise, à leur grande surprise et satisfaction, avaient considérablement amélioré leur degré de communication.

La plupart des couples qui suivent nos cours constatent qu'ils apprennent plus facilement les façons d'améliorer leurs propres facilités de communication en comparant des moyens de communication efficaces avec ceux qui sont inefficaces. Voyons donc comment Jacques et Denise communiquaient entre eux lors de l'examen préliminaire du couple. Immédiatement après, nous pourrons comparer dans quelle mesure ils étaient capables de communiquer plus efficacement après environ sept heures d'apprentissage des démarches de survie.

Exemples de communication inefficace

Durant l'examen du couple, nous avons demandé à Jacques et à Denise de discuter d'une expérience agréable récente qu'ils ont partagée ensemble. Voici un extrait de leur discussion :

JACQUES : Bon. De quoi allons-nous parler ?

DENISE (*l'air tendu*): Je ne sais pas, moi. Que penses-tu du film que nous avons vu hier soir ?

JACQUES (*visiblement soulagé d'avoir un sujet à discuter*): Bonne idée! Commence, toi.

DENISE : Bien, j'ai aimé le film mais tu ne sembles pas l'avoir aimé.

JACQUES (*à voix basse et en détournant les yeux de Denise*): Je me suis endormi au milieu du film mais j'ai aimé la fin.

Puis, les deux se sont regardés pendant 30 secondes et l'interviewer leur a suggéré de discuter d'un autre événement plaisant, un voyage récent par exemple. Tout comme dans la discussion précédente, ils ont discuté de ce sujet sèchement et sans entente réelle. L'interviewer leur a alors demandé que chacun apporte à tour de rôle son appui à l'autre en discutant un événement frustrant ou stressant qu'il (elle) avait vécu récemment au travail.

JACQUES *(enthousiaste à cette idée)*: Veux-tu que je commence?

DENISE: Bien sûr.

JACQUES: Bien. Depuis que le nouveau propriétaire a acheté le magasin, je suis très anxieux.

DENISE *(le regardant pendant qu'il parle, mais sans expression ni un geste)*: Tu pourrais toujours chercher un autre emploi *(cherchant à l'aider)*.

JACQUES *(visiblement crispé)*: Pas avec un taux de chômage de 15%. Je ne pourrais pas!

Après 30 secondes de silence, l'interviewer leur a suggéré de changer de sujet et de discuter une situation difficile vécue récemment par Denise.

DENISE *(d'une voix plus animée)*: J'aime mon emploi au laboratoire, mais je crains toujours que tu ne sois irrité à cause des longues heures que je passe au travail, surtout quand je ne suis pas à la maison pour te préparer le souper.

JACQUES *(d'un ton peu convaincant)*: J'avais l'impression que tu n'avais pas d'autre choix que de travailler toutes ces heures. Si c'est ce que tu dois faire pour garder ton emploi, pourquoi n'en parles-tu pas avec ton patron?

DENISE *(l'air de s'excuser)*: Eh bien! il est bizarre: il ne remarque jamais les longues heures que je dois travailler pour arriver à tout faire, mais il me fait beaucoup d'éloges sur mon travail.

JACQUES *(irrité)*: C'est toi qui connais le mieux ton travail. Je ne sais rien de la chimie.

Après un long silence, le conseiller a demandé aux deux partenaires de discuter de plusieurs autres sujets.

Plus tard, lorsque nous leur avons demandé comment ils avaient trouvé les séances de discussion lors de l'examen du couple, les deux partenaires ont répondu qu'ils se sentaient mal à l'aise au début mais qu'ils avaient rapidement surmonté leur embarras. Les deux ont reconnu qu'à quelques exceptions près, l'essence de leur conversation était typique des dialogues qu'ils avaient à la maison. Lorsque nous leur avons demandé ce qu'ils pensaient de la qualité de leurs échanges, voici ce qu'ils nous ont répondu:

JACQUES *(l'air déprimé)*: Lorsque nous nous sommes mariés, nous n'étions jamais à court de sujets de discussion. Mais maintenant il semble que nous n'ayons plus rien de nouveau à nous dire. Denise sait ce que je pense et je sais ce qu'elle pense. Nous nous heurtons tous les deux aux problèmes de la vie, mais comment pouvons-nous nous aider mutuellement? A quoi ça sert de parler de nos soucis?

DENISE *(l'air découragé)*: Mais j'aimerais bien que nous puissions en parler davantage. Souvent, après le souper, le téléviseur est ouvert, ou lorsque nous nous rendons au travail en voiture, la radio joue à tue-tête et nous n'avons jamais la possibilité de parler. Il est vrai que nous ne nous disons pas grand-chose, mais je ne suis pas d'accord avec Jacques quand il dit que nous nous connaissons trop bien. Parfois, j'ai l'impression de communiquer davantage avec des étrangers ou avec mes collègues de travail qu'avec Jacques.

JACQUES *(se fâchant)*: Peut-être que nous nous parlons moins, mais n'est-ce pas le cas de tous les couples qui sont ensemble depuis sept ans?

Ce type de conversation vous est-il familier? Le style de communication de Jacques et de Denise ressemble à celui d'un grand pourcentage de partenaires qui ont participé à nos examens du couple. Avez-vous remarqué quelques-unes des démarches de communication inefficaces adoptées par chaque partenaire? Quelles conséquences croyez-vous que celles-ci peuvent avoir à la longue sur leur vie commune?

Voyons maintenant comment ils communiquaient après avoir travaillé pendant sept heures à l'amélioration de leurs démarches de communication.

Exemples de communication efficace

Notez que la démarche de communication efficace employée par chacun des deux partenaires dans le dialogue suivant apparaît en italique après le message.

DENISE: J'ai remarqué que nous ne sommes pas beaucoup sortis de la maison durant les fins de semaine. *(Elle utilise le « je ». Elle ne fait qu'une courte intervention. Elle choisit un sujet qui lui est important.)*

JACQUES: Tu trouves donc que nous ne sortons pas autant que nous le faisions? *(Il résume ce que Denise a dit. De cette façon, elle sait qu'il écoute. En même temps, il s'assure qu'il comprend son message.)* Qu'est-ce que tu en penses? *(Il lui pose une question pour l'encourager à parler davantage.)*

DENISE: Eh bien! je trouve que nous pourrions avoir plus de plaisir ensemble si nous partagions de nouvelles expériences. *(Elle exprime son opinion. Celle-ci reste brève.)* Qu'est-ce que tu en penses? *(Elle encourage Jacques à donner son opinion.)*

JACQUES: Ma foi, parfois j'en ai assez d'être à la maison, mais en général j'aime vraiment ça ici. Notre maison est finalement comme nous la voulions. J'ai ma salle de travail. Je peux t'entendre quand tu chantes en haut. Je suppose que je n'ai tout simplement pas autant besoin de sortir que toi. *(Il utilise le « je ». Il exprime ses sentiments. Il reconnaît qu'ils ont des besoins différents, mais il ne reproche pas à Denise d'être différente de lui.)*

DENISE: Tu te sens heureux à la maison et tu penses que nous sommes différents parce que j'aime sortir plus que toi. C'est bien ça? *(Elle résume sa réponse et cherche à confirmer qu'elle l'a bien compris.)*

JACQUES: Mmm. *(Il lui indique qu'elle ne se trompe pas, mais il ne parle pas afin de l'encourager à donner sa propre opinion.)*

DENISE: Pour être franche, j'aime nos bons moments de détente à la maison, mais à quelques occasions, lorsque nous avons fait un effort pour sortir et faire quelque chose en ville, nous avons fini par vraiment nous amuser. Lorsque je retourne à la maison après un film ou une soirée, j'apprécie encore plus ta présence et notre maison que si nous y restons toute la fin de semaine. *(Elle utilise le « je ». Son message est court. Elle essaie de décrire sa fin de semaine idéale sans reprocher à Jacques d'être plus casanier. Elle ne lui demande pas d'en arriver à une entente à la suite de cette divergence d'opinions.)*

Si vous revenez aux discussions de Denise et de Jacques avant leur apprentissage des habiletés de communication et que vous les compariez à leur dernière conversation, vous vous rendrez compte de l'énorme progrès accompli. Vous serez également capable de distinguer plus clairement les styles de communication efficaces des styles inefficaces.

Les partenaires qui, comme Jacques et Denise, sont moyennement perturbés, ou ceux qui sont à couteaux tirés, mentionnent le manque de communication comme la cause la plus fréquente de discorde entre eux. La communication signifie toutefois nombre de choses différentes à nombre de personnes différentes. Mais, en général, les partenaires s'attendent à ce qu'ils soient écoutés, compris, soutenus et respectés dans leur relation de couple. Beaucoup espèrent qu'en maintenant les voies de communication ouvertes, ils seront plus aptes à partager les joies et les chagrins de la vie. D'autres croient qu'en parlant ensemble, ils peuvent rester près de leur partenaire. Toutes ces aspirations peuvent être concrétisées si les deux partenaires ont appris les deux séries de démarches de communication mentionnées ci-dessous.

Il faut être deux pour communiquer: un interlocuteur et un auditeur.

S'ils veulent faire équipe ensemble pour communiquer efficacement, les deux partenaires doivent être capables d'exercer les deux rôles d'interlocuteur et d'auditeur. Nous connaissons tous des couples qui réussissent dans un rôle mais pas dans l'autre; des couples qui, par exemple, sont de bons interlocuteurs mais de piètres auditeurs. Ces partenaires ont tendance à parler fort, à s'interrompre fréquemment et à se plaindre qu'ils se sentent seuls et incompris. Ou nous connaissons des couples comme Jacques et Denise, qui se parlent peu et prennent rarement le temps d'échanger leurs opinions ou leurs sentiments. Ces partenaires sont habituellement de bons auditeurs, mais ils n'exercent généralement cette aptitude qu'à l'extérieur de leur propre relation. Celle-ci est souvent marquée par de longs silences et l'ennui, lesquels peuvent parfois dissimuler des sentiments de tension, de colère et de dépression. Finalement, nous connaissons peut-être des partenaires qui ont des moyens de communication complémentaires: l'un est un bon auditeur et l'autre, un bon interlocuteur, mais ni l'un ni l'autre n'est expert dans les deux rudiments. Ces partenaires peuvent être relativement stables et satisfaits de leur relation, mais il y a toujours le danger que le bon interlocuteur trouve le bon auditeur peu stimulant, même ennuyeux, alors que le bon auditeur peut à son tour se sentir perdant ou incompris.

S'ils veulent maîtriser les deux moyens, les partenaires doivent s'habituer à assumer les deux rôles au cours d'une même conversation. Un avantage de cet exercice est que si vous vous astreignez à être un bon auditeur, vous savez que votre rôle sera bientôt celui de l'interlocuteur et vous ne serez pas trop impatient durant la conversation.

Les six démarches qui suivent peuvent vous aider à améliorer la qualité du dialogue avec votre partenaire. Elles sont suivies de quatre règles qui peuvent également accroître votre capacité d'écoute.

Six démarches d'expression efficace
dans une relation intime

1. Choisissez un sujet sur lequel vous pouvez échanger vos points de vue.
2. Prenez la responsabilité de vos dires en utilisant le pronom « je ».

3. Servez-vous de messages courts.
4. Encouragez votre partenaire à écouter en lui posant des questions.
5. Complimentez votre partenaire pour les efforts qu'il (elle) fait pour vous comprendre.
6. Lorsque vous discutez des points de mésentente, essayez de vous comprendre et non pas de convaincre l'autre.

DÉMARCHE nº 1
Choisissez un sujet sur lequel vous pouvez échanger vos points de vue

Nombre de partenaires qui sont ensemble depuis plusieurs années se plaignent qu'ils n'ont plus rien à se dire. Certains individus, comme Denise, sont à court de mots lorsqu'ils ont l'opportunité de parler. Ainsi, Denise nous confiait : « J'ai rarement quelque chose à dire qui puisse intéresser Jacques. » Les couples qui ont suivi nos cours sur les démarches de survie ont trouvé la liste suivante utile pour les aider à choisir des sujets qui intéressent les deux partenaires.

Les loisirs : Les films et les émissions de télévision qui vous plaisent ; les pièces musicales et les livres qui vous sont chers ; les voyages que vous avez faits ensemble ; les passe-temps que vous partagez tous les deux.

Les sports : Les sports que vous pratiquez ensemble ou individuellement, les matches auxquels vous assistez ; les sports pratiqués par vos enfants.

Les projets pour le futur : Les projets de construction d'une nouvelle maison, de voyage, de changement de carrière.

Les enfants : Leurs ressemblances et leurs différences, leur façon de jouer, d'apprendre.

Le travail dans la maison : Les tâches que vous aimez et que vous n'aimez pas ; les améliorations qui doivent être apportées ; les projets qui ont déjà été réalisés.

Le travail à l'extérieur de la maison : Les décisions difficiles à prendre au bureau ; les expériences amusantes avec les collègues de travail ; les événements inattendus.

Les sentiments exaltants : De nombreuses émotions agréables dont la satisfaction, la fierté, le désir sexuel, le plaisir sensuel, la confiance, l'attirance, l'espoir, le défi et l'ambition, peuvent valoir la peine d'être partagées par les deux partenaires.

Les sentiments démoralisants : Certaines émotions pénibles dont l'anxiété, la confusion, le stress, le découragement, la crainte de la maladie, la solitude, la dépendance, la frustration sexuelle, la colère peuvent rapprocher davantage des partenaires si elles sont partagées efficacement.

Le milieu familial et le passé : Vos souvenirs d'enfance, vos sentiments à l'égard de vos parents et de vos frères et soeurs, vos relations précédentes.

Les amitiés : Les plaisirs et les frustrations de vos amitiés actuelles.

La politique et la communauté : Vos convictions, vos lectures partagées des questions d'actualité, votre participation active à des événements politiques et sociaux.

Les valeurs spirituelles : Les croyances qui guident votre conscience.

Les études : Les cours que vous suivez ou avez l'intention de suivre, et pourquoi ils vous intéressent.

DÉMARCHE nº 2
Prenez la responsabilité de vos dires en utilisant le pronom « je »

Ceci peut vous sembler une suggestion trop simpliste et d'une importance discutable, mais vous seriez surpris de la différence qu'elle peut produire dans une conversation. Lisez bien le dialogue suivant entre Jacques et Denise au cours duquel ils essaient de se faire des compliments :

JACQUES : Oh! que tes cheveux sont voluptueusement longs et brillants et que tes yeux pétillent.

DENISE : Merci. Les hommes de ta génération réussissent beaucoup mieux que les plus jeunes à dire à une femme ce qu'ils aiment en elle.

Avez-vous remarqué quels pronoms chaque partenaire a utilisés ? Pouvez-vous identifier les faiblesses de leur interaction ? Bien que nous leur ayons demandé d'exprimer leurs propres sentiments, ni l'un ni l'autre ne l'a fait bien clairement. Jacques a entamé la conversation avec une exclamation impersonnelle plutôt qu'avec l'emploi du « je ». Il a ensuite complimenté Denise sur ses cheveux et ses yeux, mais ses compliments auraient été beaucoup plus efficaces s'il avait tout simplement dit : « *J'aime* tes cheveux et tes yeux. » La difficulté que présente la façon dont Jacques aborde cette situation est qu'il ne révèle pas clairement à Denise ce qu'il ressent réellement. Il crée ainsi une distance entre elle et lui. Denise est tout autant vague. Elle parle des hommes en général au lieu de Jacques en particulier. En ne répondant pas au compliment de Jacques par le pronom « je », elle aussi crée une distance entre elle et Jacques et ne lui révèle pas clairement ses sentiments réels. Cependant, après s'être exercés à utiliser le pronom « je », ils étaient capables de reformuler ainsi les compliments qu'ils s'adressaient l'un l'autre:

JACQUES: Je suis ébloui par tes cheveux brillants et tes yeux pétillants.

DENISE: J'aime ça quand tu me fais des compliments. Tu arrives encore à me donner des frissons.

L'utilisation du « je » dans une conversation rapproche davantage les partenaires et facilite la compréhension mutuelle de leurs sentiments personnels. Elle permet également aux deux partenaires d'occuper une place légitime dans la relation intime. Souvent, lorsque les partenaires remplacent le « je » par « nous » ou « on », ils dissimulent leurs vraies émotions aussi bien à eux-mêmes qu'à leur partenaire. Ainsi, lorsque Jacques et Denise ont tenté d'exprimer leurs sentiments au sujet de leurs rapports sexuels insatisfaisants, leur échange s'est déroulé comme suit:

DENISE: As-tu remarqué que les *couples* qui sont mariés depuis plusieurs années ont des relations sexuelles moins fréquentes?

JACQUES: Peut-être qu'ils aimeraient en avoir plus souvent, mais trop de choses comme les enfants, le travail et la fatigue les en empêchent.

Encore une fois, Denise a neutralisé ses sentiments en utilisant le mot « couples ». De même, Jacques a employé « ils ». La conséquence de cette façon d'échanger est qu'ils continuent à maintenir une distance entre eux. Ainsi, l'expression de leurs émotions, qui aurait pu les rapprocher l'un de l'autre, quitte à se sentir un peu anxieux au début, a été contournée. Plus tard, après s'être tous deux exercés à employer le pronom « je » dans les séances de cours sur les démarches de survie, Denise était capable de dire: « Je suis préoccupée par le fait que nous faisons l'amour moins souvent. Je crains que cela ne signifie que je ne t'excite plus, que tu chercheras une autre femme pour me remplacer, si tu ne l'as pas déjà fait. » Jacques était également capable d'admettre: « J'ai peur d'être en train de vieillir parce que j'ai moins souvent envie de faire l'amour. »

En utilisant le pronom personnel « je », chaque partenaire prend carrément la responsabilité d'*identifier* et d'*assumer* ses propres émotions. Si deux partenaires n'essaient pas à tour de rôle d'identifier et d'exprimer leurs propres émotions, une grande part de leur interaction sera difficile à comprendre et encore plus à contrôler. Ainsi, l'une des premières étapes pour améliorer vos relations sexuelles (voir le chapitre 6) est de prendre la responsabilité d'identifier les activités que vous aimez et celle que vous n'aimez pas dans vos ébats amoureux. Mais cela n'est possible que si chaque partenaire s'exprime en disant «je pense» plutôt que «tu penses», «nous pensons» ou «les couples pensent».

Ce que Jacques et Denise évitaient en n'utilisant pas le pronom «je» dans leurs discussions était le sentiment qu'ils étaient différents l'un de l'autre. Dès le début de leurs fréquentations, les deux ont été frappés par leur grande ressemblance quant au milieu familial, à l'instruction, aux préférences et aux préoccupations. En fait, les deux croyaient que seules les personnes très similaires pouvaient survivre dans une relation intime. Ils craignaient que si, par hasard, ils développaient des sentiments et des intérêts différents, de tels changements annonceraient la fin de leur relation. Cependant, comme vous le verrez au chapitre 9, qui propose des démarches d'affrontement loyal, j'estime que les différences entre intimes sont non seulement inévitables mais également essentielles pour maintenir la qualité et l'intensité d'une relation. En parlant à la première personne, les partenaires ne peuvent plus prétendre qu'il n'existe pas de différences entre eux : ils ne peuvent pas manquer de remarquer que «je» n'est pas synonyme de «nous». En outre, non seulement cette reconnaissance est-elle désirable, mais elle est aussi profitable pour toutes les relations intimes.

DÉMARCHE n° 3
Servez-vous de messages courts

La moitié de la responsabilité d'une bonne conversation repose sur les épaules de l'auditeur. Par des signes de tête, des questions et des résumés, l'auditeur encourage l'interlocuteur à exprimer ouvertement ses opinions et ses sentiments. En revanche, l'interlocuteur peut faciliter la tâche de l'auditeur en *ne* monopolisant *pas* la conversation avec plus de deux ou trois phrases à la fois. Les couples trouvent généralement les discussions plus animées s'ils peuvent intervenir à environ toutes les minutes pour donner leur opinion. Les intimes qui n'ont pas l'habitude de révéler leurs sentiments ou qui ont rarement l'oreille attentive de leur partenaire, ou qui ont une opinion qu'ils veulent ardemment faire accepter de l'autre, peuvent commettre l'erreur de parler trop longtemps. Ils peuvent non seulement dépasser la limite de deux ou trois phrases, mais ils peuvent également monopoliser la conversation durant une période qui semble interminable. Les dangers d'un tel comportement sont nombreux : (a) Si un(e) partenaire ne réussit pas à placer un mot, il (elle) peut perdre de l'intérêt à la conversation ; (b) si un(e) partenaire monopolise le rôle d'interlocuteur(trice), il faut s'attendre que l'autre en fasse autant lorsqu'il (elle) aura l'occasion de parler ; (c) si un(e) partenaire ne laisse pas à l'autre l'occasion de mettre en pratique ses capacités d'écoute, soit résumer, questionner et clarifier, l'interlocuteur(trice) ne saura pas s'il (elle) a été compris(e) par l'autre. Un long discours n'apporte donc pas de résultats concluants. L'interlocuteur(trice) ne se sentira pas compris(e) et l'auditeur(trice) n'aura pas la satisfaction d'avoir écouté activement.

DÉMARCHE n° 4
Encouragez votre partenaire à écouter en lui posant des questions.

L'interlocuteur(trice) efficace n'a pas à être constamment préoccupé(e) par le désir de son auditeur(trice) à comprendre ce qui est dit dans la conversation puisque c'est à celui-ci (celle-ci) qu'incombe la responsabilité d'écouter. Néanmoins, l'interlocuteur(trice) peut faciliter de beaucoup le rôle de l'auditeur(trice) et retenir son attention en lui posant occasionnellement des questions telles que: « Saisis-tu ce que je veux dire? » ou « Qu'est-ce que tu en penses? » ou encore « Quel est ton sentiment à cet égard? »

DÉMARCHE n° 5
Complimentez votre partenaire pour les efforts qu'il (elle) fait pour vous comprendre.

Nombre de partenaires tombent dans le piège de tenir pour acquis que si leur partenaire les aime, il (elle) leur doit alors de les écouter et de les comprendre. La plupart, cependant, écoutent non pas par devoir mais parce qu'ils estiment que leur partenaire appréciera les efforts qu'ils font pour l'écouter. Des réponses telles que: « Merci d'essayer de comprendre » ou « Merci de m'aider à me vider le coeur », « Cela m'a fait du bien de parler » peuvent encourager fortement l'auditeur(trice) à répéter ses efforts.

Au cours de leur troisième séance d'apprentissage des moyens de communication, Denise et Jacques ont eu la conversation suivante, qui illustre leur maîtrise des cinq premières démarches de dialogue efficace entre partenaires.

JACQUES: Cet après-midi, mon nouveau patron a passé quatre fois dans mon rayon. Je ne voyais jamais mon ancien patron plus d'une fois par mois. *(Il utilise le pronom « je » et a choisi un sujet sur lequel ils peuvent échanger leurs points de vue.)*

DENISE: Quel effet t'ont fait ses visites? *(Elle pose une question claire et ouverte.)*

JACQUES: J'avais l'impression d'être surveillé, d'être suivi par un détective. J'avais bien envie de lui dire d'aller au diable. *(Pause)* Que penses-tu que je devrais faire? *(Il questionne l'auditrice, l'impliquant ainsi dans la conversation.)*

Après avoir discuté des diverses options offertes, Jacques et Denise commentent les progrès qu'ils ont accompli en communication.

JACQUES: Cela m'a fait du bien de me vider le coeur. J'admets toutefois que je ne connais pas encore très bien mon nouveau patron. Il ne m'a pas encore adressé de reproche et peut-être qu'il est plein de bonnes intentions. Ce serait idiot de ma part de lui faire voir qu'il m'énerve. Après tout, c'est *son* magasin! Bon, je me sens moins inquiet. Ah, Denise, tu sais vraiment comment t'y prendre pour me faire parler. *(Il la complimente pour avoir été une bonne auditrice.)*

DENISE *(souriant et visiblement contente du progrès accompli)*: Je suis bien contente que tu m'aies parlé de tes ennuis. Je comprends maintenant pourquoi tu reviens parfois de mauvaise humeur à la maison. Tu sais, toi aussi tu réussis bien à m'encourager à ouvrir mon coeur. Tiens, hier soir, par exemple, lorsque nous rentrions du travail en auto, tu m'as aidée à parler de la confrontation que j'ai eue avec l'un de mes collègues. J'ai apprécié cela. *(Elle le complimente pour avoir été un bon auditeur.)*

DÉMARCHE n° 6
Lorsque vous discutez des points de mésentente, essayez de vous comprendre et non pas de convaincre l'autre.

De nombreux couples, surtout ceux qui se querellent souvent, ont tendance à ne pas suivre ce principe. Si un(e) partenaire est dans le rôle d'interlocuteur(trice) et a l'impression ou sait que son (sa) partenaire n'est pas d'accord avec ce qu'il (elle) dit, il (elle) va persister à essayer de vaincre sa réticence. Le problème soulevé par ce comportement est que si l'interlocuteur(trice) dit essentiellement: « Admets enfin que tu as tort » ou « Change ton attitude », l'auditeur(trice), contrarié(e), perdra patience. Si le but d'un couple est d'accroître la compréhension et le partage dans leur relation au moyen de la communication efficace, l'interlocuteur(trice) doit d'abord s'assurer, dans toute conversation, que l'auditeur(trice) *comprenne* ce qu'il (elle) pense et ressent. Les partenaires confondent souvent la faculté de comprendre une opinion avec l'assentiment.

Jacques et Denise ont trouvé que la démarche n° 6 était l'une des plus difficiles à maîtriser, mais ils ont toutefois admis qu'elle était celle qui les a le plus aidés à améliorer leurs facultés à communiquer. Voici comment se déroulait l'une de leurs conversations au début de leur apprentissage des aptitudes de communication:

DENISE: Nous aurions plus de plaisir ensemble si nous sortions plus souvent de la maison les fins de semaine. *(Elle n'a pas utilisé le pronom « je ». Elle n'a pas exprimé ses sentiments.)*

JACQUES: Non, nous ne serions pas plus heureux. Nos fins de

semaine sont parfaites. *(Il n'a pas utilisé le pronom « je ». Il n'a pas essayé de comprendre son opinion.)*

DENISE : Tu n'écoutes pas ce que je te dis.

Il est évident que les deux auraient pu aborder ce sujet différemment et plus efficacement. Si chaque partenaire avait utilisé le pronom « je », il n'y aurait pas eu ce dialogue de sourds et les deux auraient éprouvé moins de malaise au cours de leur échange de vues. Étant donné que Denise a amené un sujet qu'elle savait avoir été à l'origine de nombreuses mésententes dans le passé, la première réaction de Jacques a été d'être en désaccord avec elle, plutôt que d'essayer de comprendre son opinion. Il s'est donc empressé d'imposer sa propre opinion. Cependant, après s'être exercés tous les deux à employer la démarche N° 6 avec une variété de sujets délicats, ils ont eu une autre discussion sur le même sujet, qui s'est déroulée comme suit *(remarquez les progrès accomplis)* :

DENISE : Je pense que nous aurions plus de plaisir les fins de semaine si nous sortions de la maison plus souvent. *(Elle utilise le pronom « je » et exprime seulement ses propres sentiments, sans suggérer ce que Jacques devrait ressentir.)*

JACQUES *(prenant une attitude et un ton attentifs)* : Vraiment, tu aurais plus de plaisir si nous sortions plus souvent ? *(Il essaie de comprendre ce qu'elle lui a dit sans imposer d'abord sa propre opinion.)*

DENISE : C'est ça. Qu'est-ce que tu en penses ? *(Elle, se sentant comprise, est maintenant plus intéressée à connaître ses sentiments.)*

JACQUES : Eh bien ! je pense que nous sommes différents. Je suis plus casanier. Mais la dernière fois que nous sommes allés voir un film ensemble et que nous avons mangé des mets chinois, j'ai vraiment eu du plaisir. *(Il réussit à admettre qu'ils sont différents et que lorsqu'il partage avec elle une de ses envies, il peut aussi s'amuser.)*

Comment améliorer vos capacités d'écoute

Nombre de partenaires pensent qu'ils sont de bons auditeurs. Nos recherches révèlent toutefois que peu le sont vraiment. L'une des meilleures façons de savoir si vous écoutez attentivement votre partenaire est d'enregistrer l'une de vos conversations. Lorsque vous écoutez l'enregistrement, ne portez attention qu'à la façon dont *vous* écoutez votre partenaire.

Puis, jugez si vous êtes un bon auditeur, un auditeur médiocre ou mauvais suivant le résultat obtenu pour chacune des quatre règles d'écoute efficace suivantes :

4 DÉMARCHES D'ÉCOUTE ATTENTIVE	ÉVALUEZ VOTRE PROPRE CONVERSATION		
N°	BONNE	MÉDIOCRE	MAUVAISE
1. Écoutez avec votre corps et votre voix.			
2. Encouragez l'interlocuteur(trice) à parler.			
3. Résumez le message de votre partenaire pour vous assurer que vous le (la) comprenez et lui démontrer que vous l'écoutez.			
4. Si vous n'êtes pas certain du message de votre partenaire, posez-lui des questions.			

Il serait utile que vous évaluiez vos capacités d'écoute une autre fois, après que vous aurez étudié les règles d'écoute active élaborées dans les pages suivantes et lorsque vous aurez exercé chacune d'elles avec votre partenaire.

Les facultés requises pour être un bon auditeur ont fait l'objet de recherches intensives, plus que la plupart des autres domaines de la psychologie humaine. Essentiellement, les bons auditeurs ont appris à maîtriser plusieurs démarches clairement définies. La plupart des couples estiment qu'il est moins difficile d'apprendre ces démarches que de se rappeler de troquer le rôle d'interlocuteur pour celui d'auditeur. Nos études ainsi que celles de plusieurs autres experts ont révélé que les partenaires qui réussissent à prendre chacun leur tour le rôle d'auditeur actif se sentent beaucoup plus en confiance et plus près l'un de l'autre.

DÉMARCHE n° 1
Écoutez avec votre corps et votre voix

Les intimes peuvent facilement commettre l'erreur de croire que ce sont leurs interventions verbales qui comptent le plus lorsqu'ils écoutent l'autre parler. Cependant, pendant que vous écoutez votre partenaire, vos paroles peuvent signifier une chose et votre corps, une autre. Ainsi, vous pouvez lui dire, quand (elle) vous parle: «Dis-m'en davantage» ou «C'est intéressant», mais avez-vous écouté avec votre corps? Avez-vous bâillé? Avez-vous continué à lire le journal? Aviez-vous un regard terne? La partie «Dis-m'en davantage» de votre message est ce que les experts en communication appellent le contenu verbal d'une communication, mais d'égale importance en est la composante non verbale, le langage du corps.

Les couples qui désirent améliorer leurs habiletés d'écoute active doivent être conscients de quatre types de langage corporel : le contact des yeux, l'expression faciale, les mouvements du corps et la position du corps. Observez la façon dont vous écoutez votre partenaire, vos enfants, vos amis et vos collègues. Examinez ensuite le tableau suivant, qui présente plusieurs messages non verbaux qui peuvent signifier à votre partenaire que vous ne l'écoutez pas, même si vous affirmez le contraire.

Votre corps transmet-il des messages d'écoute ou de non-écoute ?

Mode de communication non verbal	Position ou mouvement du corps signifiant « J'écoute »	Position ou mouvement du corps signifiant « Je n'écoute pas »	Message transmis par votre corps
Yeux	sur l'interlocuteur (trice)	pas ou rarement sur l'interlocuteur (trice)	« Je m'en fiche » ou « Tu m'énerves »
Visage	ouvert, air attentif	grimacer	« Je ne suis pas d'accord »
		bâiller	« Tu m'ennuies »
Mouvement du corps	acquiescer de la tête	aucun	« Je ne te suis pas »
		hocher la tête	« Je ne suis pas d'accord »
		lire le journal	« Tu m'ennuies » « Je n'écoute pas »
		surveiller les enfants	« Ils sont plus importants »
Position du corps	directement vers l'interlocuteur	détourné de l'interlocuteur	« Je n'écoute pas »

Un groupe de chercheurs, dirigé par le Dr John Gottman[2], a découvert que ce qui distingue le plus les styles de communication des partenaires grandement perturbés des partenaires non perturbés est que l'intention des messages entre les partenaires en détresse est le plus fréquemment mal interprétée. Une cause fréquente de ce phénomène est un manque de synchronisation entre l'expression verbale et l'expression non verbale. Examinez bien cette interaction qui se produit souvent entre partenaires.

Lui ou elle (l'interlocuteur(trice) rentre à la maison après son travail et il (elle) (l'auditeur(trice) lui demande : « Comment a été ta journée ? » et l'interlocuteur(trice) de répondre « difficile ». Le (la) partenaire qui écoute répond alors : « Raconte-moi tout ça », mais il (elle) s'affaire de nouveau à ce qu'il (elle) faisait avant l'arrivée de l'interlocuteur(trice), que ce soit préparer le souper, lire le journal ou réparer l'automobile.

Si un partenaire transmet un message (« Je n'écoute pas ») avec son corps et un autre (« Je t'écoute ») par ses paroles, cela peut produire un effet de confusion et de colère sur l'interlocuteur-(trice) et lui enlever toute envie de raconter ses déboires de la journée.

DÉMARCHE n° 2
Encouragez l'interlocuteur(trice) à parler

De simples paroles d'encouragement telles que « Je vois », « Continue », « Dis-m'en davantage » peuvent inciter de façon surprenante l'interlocuteur(trice) à révéler davantage ce qu'il (elle) pense.

DÉMARCHE n° 3
Résumez le message de votre partenaire pour vous assurer que vous le (la) comprenez et lui démontrer que vous l'écoutez.

L'un des outils les plus exigeants et les plus puissants d'un bon auditeur est le reflet de l'essentiel du message émis par son interlocuteur. Lisez le dialogue qui s'est déroulé entre Denise et Jacques après qu'ils eurent exercé cette habileté d'écoute :

JACQUES : De quoi allons-nous parler ?

DENISE : Que penses-tu de la sexualité ?

JACQUES : D'accord. Commence.

DENISE : Bon. J'ai remarqué que nous ne faisons pas l'amour aussi souvent qu'autrefois.

JACQUES : Tu as remarqué que nous avons moins de relations sexuelles qu'avant.

DENISE : Mais je pense que nous nous *aimons* autant qu'avant.

JACQUES : Mmm. Tu penses que nous sommes encore en amour, mais que nous ne faisons pas l'amour aussi souvent qu'au début de notre relation.

Avez-vous reconnu les tactiques que Jacques a employées dans cet exercice ? Il a tout simplement répété à Denise ses propres paroles ou lui a retourné l'essentiel de son message avec des mots très similaires. Après avoir utilisé cette démarche, Jacques a rapporté: «Je sentais que je ne voulais pas perdre un mot de ce que Denise disait et c'est pourquoi j'étais vraiment très attentif.» Denise a réagi de la façon suivante: «Je me suis sentie écoutée et comprise comme rarement auparavant. J'avais l'impression d'être sur la sellette et cela me gênait un peu, mais j'avais aussi le sentiment que notre discussion pouvait vraiment nous mener quelque part. Cela m'a surtout encouragée à m'ouvrir, à dire réellement ce qui se passait dans ma tête.»

Denise et Jacques ont trouvé quatre avantages à cet exercice: il oblige l'auditeur(trice) à demeurer alerte, il permet à l'interlocuteur(trice) de se sentir compris(e), il aide à éviter les malentendus entre partenaires et il encourage l'interlocuteur(trice) à dévoiler plus profondément ses propres sentiments, ce qui permet par le fait même une meilleure compréhension de soi. Plus tard, lorsque ce fut le tour de Jacques de révéler ses sentiments sur le même sujet, le dialogue s'est déroulé comme suit:

JACQUES: Tu sais, en t'écoutant, je me suis rendu compte que le fait que nous ne faisons plus l'amour aussi souvent me tracasse moi aussi, mais je ne sais pas vraiment pourquoi cela m'inquiète.

DENISE: Ah! toi aussi tu t'inquiètes de nos relations sexuelles mais tu ne sais pas pourquoi.

JACQUES: Je craignais que tu ne penses que je t'aime moins qu'avant, mais ce n'est pas le cas.

DENISE: Tu sens que tu m'aimes encore, mais tu craignais que je ne le sache pas.

Jacques et Denise ont appris à maîtriser la règle simple qui consiste à résumer et, comme l'extrait ci-dessus le révèle, elle les a déjà aidés à rendre leur communication plus ouverte.

DÉMARCHE n° 4
Lorsque vous ne saisissez pas le message de votre partenaire, questionnez-le.

Il arrive souvent que nous ayons une conversation avec notre partenaire et qu'il (elle) dise quelque chose que nous ne saisissons pas tout à fait. Lorsque cela se produit, nous pouvons être tentés de simplement laisser notre partenaire continuer à parler ou nous pouvons lui résumer ce que nous pensons du sens de ses dires. Une autre façon simple et efficace que l'auditeur(trice) peut utiliser lorsqu'il (elle) n'est pas certain(e) du contenu du message de l'interlocuteur(trice) est de lui poser des questions.

Il y a plusieurs types de questions. Le but principal du partenaire qui écoute est d'en choisir une qui aidera l'interlocuteur(trice) à poursuivre sa propre exploration de soi. Il faut cependant éviter les questions qui ne font que refléter ce que l'auditeur(trice) veut entendre, soit les questions indirectes, les « pourquoi » et les questions qui changent de sujet. Les exemples qui suivent illustrent les types de questions posées par les auditeurs efficaces et inefficaces.

	Auditeur efficace	Auditeur inefficace
Denise	Peux-tu m'en dire un peu plus sur ce que tu penses de notre vie sexuelle? *(question directe)*	Comme ça, tu penses que notre vie sexuelle est en difficulté? *(question indirecte)*
Jacques	Veux-tu dire que tu te sens encore amoureuse de moi, même si nous ne faisons pas l'amour aussi souvent qu'avant? *(question qui vise à vérifier le sens des paroles de l'interlocuteur)*	Je suis surpris de t'entendre dire que tu m'aimes encore même si nous ne faisons pas souvent l'amour. *(déclaration de l'auditeur, non pas une question à l'interlocuteur)*
Denise	Tu sembles accorder de l'importance au fait que nous ne faisons pas l'amour plus souvent. Veux-tu en parler? *(déclaration qui vise à refléter le message de l'interlocuteur; question qui encourage à parler)*	Tu t'inquiètes de notre vie sexuelle et du fait que notre mariage soit en train de s'écrouler? *(question indirecte, qui change de sujet)*

Lorsque nous expliquons les quatre règles d'écoute active à nos participants aux cours sur les démarches de survie, ceux-ci nous apportent souvent les arguments suivants:

Argument 1 : « Ça sonnera faux si je pose mes questions de cette façon et mon (ma) partenaire va me trouver ridicule. »

Réponse : Tout comportement nouveau ou toute nouvelle façon de parler semblent maladroits au début. Cependant, avec la pratique, vous vous sentirez bientôt plus à l'aise. La plupart des gens qui jouent le rôle d'interlocuteur aiment que leur partenaire de discussion les écoute activement. Il est bon de se sentir écouté.

Argument 2 : « Il faudra trop de temps et d'effort pour me changer. »

Réponse : Oui. Au début, il faut beaucoup d'effort pour changer de vieilles habitudes mentales et verbales surtout si, comme bien des gens, vous avez été un(e) auditeur(trice) paresseux(se) dans de nombreuses relations. Nous ne vous suggérons pas de vous écouter activement l'un et l'autre toute la journée. (Ce qui pourrait mener les deux partenaires à l'épuisement!) Nous disons simplement que si vous voulez retirer quelques bénéfices réels de votre communication avec votre partenaire, et si vous voulez vraiment avoir des discussions franches et constructives ensemble, les quatre règles d'écoute que nous venons de décrire vous montreront comment y arriver.

Qu'est-ce qui empêche les couples d'améliorer leurs moyens de communication?

Maintenant que vous avez étudié les six démarches pour améliorer votre façon de vous exprimer ainsi que les quatre règles pour devenir un meilleur auditeur, vous voulez peut-être commencer à améliorer vos propres moyens de communication. Cependant, avant de passer à l'action, vous seriez peut-être intéressé de savoir que de nombreux couples qui ont suivi nos cours sur les démarches de survie se sont fréquemment heurtés à trois obstacles qui les ont empêchés d'améliorer leur pouvoir de communication. Ces obstacles sont les suivants:

1. Avoir des conceptions erronées qui peuvent entraver l'émission de messages efficaces entre intimes.
2. Avoir des conceptions erronées qui peuvent empêcher l'écoute active entre partenaires.
3. S'attendre que les pouvoirs de communication résolvent toutes les difficultés du couple.

I. Six conceptions erronées qui peuvent entraver l'expression efficace

Les six démarches d'expression efficace déclenchent des réponses différentes de la part de nos participants, selon les conceptions erronées qu'ils se font sur la communication entre partenaires. Quelques-unes des conceptions erronées inhibitives les plus fréquentes sont résumées dans le tableau ci-contre. Pour chaque idée qui inhibe l'utilisation efficace de démarches de la part de l'interlocuteur, une contrepartie est proposée pour encourager le recours à cette démarche.

Conceptions erronées qui inhibent l'expression efficace	Convictions qui encouragent l'expression efficace
1. Mon (ma) partenaire me connaît si bien que ce serait une perte de temps que de lui parler de mes pensées ou de mes sentiments.	1. Si je ne communique pas régulièrement mes pensées et mes sentiments à mon (ma) partenaire, nous allons graduellement devenir des étrangers l'un pour l'autre.
2. Pourquoi parlerais-je de mes sentiments? Les paroles ne changent rien.	2. Si tous les deux nous suivons les règles d'expression et d'écoute efficaces, nous allons nous comprendre et nous sentir plus près l'un de l'autre.
3. Si je révèle trop mes sentiments profonds, mon (ma) partenaire va me juger, me critiquer ou me blesser.	3-4. Si nous nous accordons suffisamment de temps et que nous soyons honnêtes tout en étant attentifs à ce que nous nous disons, nous devrions pouvoir discuter de la plupart des sujets. Ceci est surtout vrai si nous apprenons les techniques de résolution de problèmes et d'affrontement loyal.
4. Si je dis ce que je pense, mon (ma) partenaire va sûrement se fâcher.	
5. Seuls les faibles parlent de leurs sentiments.	5. Il faut plus de courage pour parler honnêtement de nos sentiments que de garder le silence, mais les gratifications qui en résultent valent largement les risques que je dois prendre.
6. Si mon (ma) partenaire m'aimait vraiment, il (elle) saurait ce que je ressens sans que j'aie à le lui dire.	6. Personne ne peut lire la pensée des autres. Si je veux que mon (ma) partenaire sache ce que je pense, je dois le lui dire.

Examinons maintenant chacune des conceptions erronées qui empêchent l'interlocuteur(trice) d'utiliser des méthodes d'expression efficace.

« Mon (ma) partenaire me connaît si bien que ce serait une perte de temps que de lui parler de mes pensées ou de mes sentiments. »

Les partenaires qui vivent ensemble depuis un certain temps

entretiennent souvent cette conception erronée parce qu'ils ont des capacités d'écoute inefficaces. Ils ont peut-être tendance à toujours parler de la même chose, par habitude. La stratégie d'expression n° 1 décrite à la page 52 a aidé de nombreux partenaires à prendre conscience qu'il existe de nombreux sujets intéressants sur lesquels ils peuvent échanger. Lorsqu'un partenaire se donne la peine de révéler ses sentiments ou ses pensées, l'autre doit s'appliquer à employer les démarches d'écoute active pour s'assurer que l'interlocuteur(trice) ne soit pas forcé(e) de conclure que « parler est une perte de temps puisque mon (ma) partenaire n'est pas intéressé(e) à ce que j'ai à lui dire ».

« Pourquoi parlerais-je de mes sentiments? Les paroles ne changent rien. »

Les partenaires qui n'ont jamais réussi à bien communiquer et qui, avec le temps, ont perdu le contact avec les pensées de l'un et l'autre peuvent avoir cette attitude. Celle-ci peut être causée par de nombreux facteurs. Le plus fréquent, cependant, est lié aux moyens de communication adoptés par les partenaires dans leurs rôles d'interlocuteur et d'auditeur et influence de ce fait leurs opinions sur l'efficacité des paroles. Revenons à la conversation de Jacques et de Denise sur le film qu'ils ont vu ensemble afin de souligner les choses qu'ils se sont dites ainsi que la façon dont elles ont été dites. Voyons ensuite en quoi cette conversation corroborerait l'argument selon lequel parler ne vaut pas la peine.

Denise disait à Jacques qu'elle avait aimé le film mais sans lui dire pourquoi, et supposait ensuite qu'elle savait qu'il n'avait pas aimé le film avant même de lui avoir demandé son opinion. En court-circuitant ainsi la conversation, Denise a perdu les bénéfices de l'expression ou de l'écoute. De même, Jacques a très peu réagi et n'a pas encouragé Denise à parler de ses impressions.

À mesure qu'ils perfectionnaient leurs techniques de communication dans le cours sur les démarches de survie, Jacques et Denise ont appris que, souvent, l'expression et l'écoute suffisent. Après avoir appris à s'écouter l'un l'autre à tour de rôle, ils ont découvert combien il était bon de parler et d'être compris par quelqu'un d'autre. Les deux ont senti que leurs conversations prenaient une nouvelle signification parce qu'ils pouvaient maintenant se comprendre mutuellement.

« Si je révèle trop mes sentiments profonds, mon (ma) partenaire va me juger, me critiquer ou me blesser. »

Les couples qui sont à couteaux tirés ou sur le bord de la séparation seraient malavisés d'espérer partager avec succès leurs sentiments les plus profonds. Ce type de couple « en guerre » ferait mieux d'apprendre à s'affronter loyalement ou à se séparer de façon constructive.

Cependant, les couples qui ont fréquemment des arguments mais qui ne sont pas encore à couteaux tirés peuvent profiter énormément du temps passé à parler et à écouter tranquillement. Évidemment, si chaque fois qu'un partenaire parle, l'autre critique, une communication profitable est difficilement possible. Les couples doivent entamer leurs discussions sérieuses durant des moments paisibles, et chaque partenaire devrait adopter l'attitude suivante : « Je vais te donner la possibilité de parler sans te critiquer si tu fais la même chose pour moi. » Un couple ne peut agir ensemble de cette façon que si les deux partenaires emploient les techniques d'expression efficace et d'écoute active.

« Si je dis ce que je pense, mon partenaire va se fâcher. »

Cette conception erronée ressemble à la précédente, mais comporte une différence importante : dans ce cas, l'interlocuteur (trice) craint non seulement que l'auditeur(trice) lui fasse des reproches, mais qu'il (elle) se mette aussi en colère et riposte par des sarcasmes ou une attitude hostile. Certains partenaires ont raison de ne pas vouloir risquer les conséquences de la révélation de soi et devraient sans doute laisser de côté certains sujets tant qu'ils n'ont pas amélioré certains aspects de leur relation. Mais de nombreux intimes ont recours à l'excuse que leur partenaire va se fâcher sans fondement.

C'est à l'interlocuteur(trice) qu'incombe la responsabilité d'apprendre à parler de sentiments frustrants sans blâmer l'auditeur (trice). La démarche de communication nº 6 sur la façon d'aborder une discussion portant sur des mésententes peut dans ce cas devenir une aide précieuse. Le moment est également crucial : l'interlocuteur(trice) doit choisir le moment propice pour aborder des sujets délicats. Même un couple trop prudent apprendra que l'effort et le risque couru dans la révélation de soi et l'écoute active valent vraiment la confiance, la compréhension et l'intimité accrues qui en résultent.

Jacques et Denise ont tous deux été surpris d'apprendre qu'au lieu de provoquer la colère de l'autre comme ils le croyaient d'abord, certains sujets produisent en fait des réponses totalement différentes telles que le soulagement, la curiosité et le rire, lorsqu'ils étaient abordés lentement et avec précaution.

« Seuls les faibles parlent de leurs sentiments. »

Nombre d'entre nous, durant leur enfance, ont été profondément endoctrinés par des mythes tels que : « Il n'y a que les poules mouillées qui pleurent », « Il n'y a que les enfants qui ont peur de la noirceur », « Seuls les faibles deviennent fatigués », etc., et ils en subissent encore les effets inhibitifs. La recherche a confirmé que les hommes et les femmes qui refoulent leurs sentiments sont de bons candidats aux ulcères, aux problèmes cardiaques et autres.

Ils sont également plus enclins à vivre dans la solitude et à demeurer en dehors de la vie émotionnelle de la famille. Il faut plus de courage pour parler honnêtement et ouvertement de nos sentiments positifs et négatifs qu'il n'en faut pour les refouler. Un partenaire qui refuse de courir le risque de s'ouvrir manquera la riche expérience de savoir que quelqu'un d'autre l'aime et comprend ses sentiments.

« Si mon (ma) partenaire m'aimait vraiment, il (elle) saurait ce que je ressens sans que j'aie à le lui dire. »

Cette attitude est parfois quelque peu justifiée. Cependant, dans la plupart des relations intimes, un manque de communication ouverte n'est pas la faute d'un seul partenaire. Habituellement, les deux entretiennent certaines conceptions erronées et présentent des déficiences significatives au niveau de leurs moyens d'expression et d'écoute.

« Si tu m'aimais, tu pourrais lire ce qui se passe dans ma tête », est une présomption tout à fait déraisonnable et non constructive. Nous, les mortels, ne pouvons tout simplement pas lire la pensée d'un autre. Un partenaire qui adopte cette attitude exige l'impossible de sa relation. Essayez plutôt ces contreparties constructives : « Si je t'aimais, je n'essaierais pas de lire ta pensée, mais je te demanderais plutôt ce que tu ressens » et « Si je t'aimais, je te dirais ce que je pense de façon que tu n'aies pas à le deviner ».

II. Quatre conceptions erronées qui inhibent l'écoute active.

Les participants à nos cours ont découvert qu'ils peuvent entretenir certaines idées qui risquent de les empêcher d'apprendre ou d'exercer des démarches d'écoute efficace. Le tableau ci-dessous comprend une liste de quatre conceptions erronées typiques, chacune étant accompagnée d'une contrepartie constructive.

Suppositions qui entravent l'écoute active	Supposisitons qui favorisent l'écoute active
1. Écouter seulement ne sera pas suffisant.	1. *« Écouter seulement » fait souvent toute la différence.*
2. Si j'écoute et montre que je comprends, mon (ma) partenaire croira que je suis d'accord avec tout ce qu'il (elle) dit.	2. *Je peux montrer que je comprends sans être nécessairement d'accord.*
3. Pourquoi écouterais-je quand mon (ma) partenaire ne m'écoute même pas ?	3. *Si nous nous écoutons chacun notre tour, nous pouvons améliorer la communication entre nous.*

4. Je suis trop fâché(e) pour écouter.

4. *Lorsque je suis fâché(e), écou-*
ter l'autre peut m'aider à le (la)
comprendre et nous aider à
nous faire sentir que nous som-
mes plus près l'un de l'autre.
Une séance d'écoute efficace
peut amener une séance de ré-
solution de problèmes qui nous
aidera à régler nos différends.

« Écouter ne sera pas suffisant »

De nombreuses personnes dans le rôle d'auditeur ont l'impression qu'elles devraient faire quelque chose de plus qu'écouter. Si votre partenaire décrit une expérience pénible, vous vous sentez peut-être forcé à compatir ou à donner une suggestion. Mais retenez votre envie d'intervenir dans la conversation et continuez plutôt à écouter attentivement; c'est la meilleure chose que vous puissiez faire pour votre partenaire et vous. Bien souvent, l'interlocuteur(trice) a davantage besoin de compréhension que d'une solution.

Certains ont même énormément de difficulté à « écouter seulement » pendant que leur partenaire décrit sa satisfaction, son appréciation ou son admiration. L'auditeur(trice) peut se sentir embarrassé(e) ou désirer donner sa propre appréciation en démontrant son affection par une étreinte ou une caresse. Rappelez-vous toutefois qu'écouter est souvent la meilleure façon de montrer son affection.

Des révélations telles que celles de Denise et de Jacques lors de leur conversation sur le travail de Denise devraient déclencher une discussion satisfaisante entre des partenaires qui possèdent les habiletés requises pour alimenter leur conversation, et une bonne attitude.

Cependant, au lieu de résumer ce que Denise a dit à l'aide des capacités d'écoute telles que le reflet, la clarification et l'encouragement, Jacques est intervenu en suggérant une solution. Lorsque nous lui en avons parlé, il a protesté ainsi : « J'avais l'impression que si je n'aidais pas Denise à trouver une solution à son problème, je la laissais tomber. » Denise avait tendance à manifester un comportement semblable. Le résultat est que ni l'un ni l'autre ne passaient beaucoup de temps à parler des sentiments qui les troublaient : l'interlocuteur(trice) coupait court à la conversation si une solution ne lui venait pas à l'esprit, ou l'auditeur(trice) intervenait pour émettre une suggestion.

« Si j'écoute et montre que je comprends, mon (ma) partenaire croira que je suis d'accord avec tout ce qu'il (elle) dit. »

Beaucoup de partenaires confondent compréhension et accord. Charles et Suzanne ont découvert que les conversations qu'ils entamaient en respectant les règles de communication tournaient souvent en querelles lorsqu'ils abordaient leurs divergences d'opinion. Dans les cours sur les démarches de survie, Charles protestait : « Comment voulez-vous que je l'écoute si je ne suis pas d'accord ? » En fait, nombre de leurs divergences d'opinion importantes auraient pu être résolues si seulement chacun avait écouté activement l'opinion de l'autre sans l'interrompre constamment par « Je ne suis pas d'accord » ou « Je ne le vois pas de cette façon ».

« Pourquoi écouterais-je quand mon partenaire ne m'écoute même pas ? »

Suzanne et Charles jouaient souvent le petit jeu de « C'est toi qui commences », de sorte que leurs discussions aboutissaient fréquemment à un point mort et personne n'avait écouté l'autre. Dans le cours de démarches de survie, nous suggérons que chaque partenaire utilise ses réponses d'écoute même s'il a l'impression que l'autre partenaire n'a pas écouté attentivement.

« Je suis trop fâché(e) pour écouter. »

Les couples qui se querellent fréquemment laissent souvent dégénérer leurs facultés d'écoute. En adoptant l'attitude « trop fâché(e) pour écouter », ils n'aident pas à dissiper leur colère. De fait, il faut admettre que dans certaines situations explosives, il est préférable de demander une trêve et de ne reprendre la conversation que lorsque les deux partenaires se seront calmés (voir le chapitre 10). Cependant, de nombreux couples ont appris que si les deux partenaires pratiquent un contrôle de soi modéré et respectent les règles d'expression et d'écoute, ils peuvent écouter même s'ils se sentent plus ou moins en colère. Des partenaires que j'ai connus en thérapie de survie ont découvert qu'en écoutant malgré leur colère, ils commençaient à comprendre pourquoi leur partenaire se comportait d'une façon qui les mettait en colère.

III. Une communication efficace ne résoudra pas tous les problèmes de votre vie commune

Les couples qui ont participé à nos cours sur les démarches de survie ont aimé apprendre les techniques de communication et ont découvert qu'à mesure que leurs méthodes d'expression et d'écoute s'amélioraient, il en était de même de leur relation. Plusieurs programmes d'enrichissement conjugal tels que le « Marriage Encounter » accordent une importance presque exclusive aux mérites du type de techniques de communication décrites dans ce livre. Cependant, dans les cours que nous offrons, une fois que les couples ont maîtrisé les méthodes de communication, ils passent à l'apprentissage de démarches qui les aideront à exprimer leurs émotions, à résoudre leurs problèmes et à se disputer sans amertume. Essentiellement, nous avons découvert que d'autres démarches de survie, en plus de la communication efficace, sont nécessaires pour venir à bout d'une variété de situations que les partenaires intimes doivent inévitablement affronter.

Dans toute relation intime, il y a un art de savoir adopter la stratégie la plus appropriée dans une situation donnée. La plupart des couples satisfaits de leur relation savent que leur succès est dû en partie à leur bon jugement quand il s'agit de choisir le moment propice pour se mettre en colère, écouter, réconforter, résoudre un problème, se laisser mutuellement un moment de répit et faire l'amour. Il n'est pas toujours facile de décider ce qui sera à la satisfaction des deux partenaires au bon moment. Mais si les deux partenaires se souviennent que la plupart des situations peuvent être abordées de plusieurs façons, ils peuvent alors se demander, une fois qu'ils ont communiqué honnêtement leurs impressions sur les circonstances présentes: « Que devrions-nous faire maintenant ? » Ils peuvent alors décider que la communication suffit ou ils peuvent passer à une séance de résolution de problèmes, avoir une querelle, ou faire l'amour.

IV. Huit lignes directrices pour l'exercice à domicile des méthodes de communication

Si vous et votre partenaire avez décidé de faire un effort concerté pour développer une ou toutes les habiletés suggérées dans ce livre, prenez note des lignes directrices suivantes. Celles-ci se sont révélées très utiles pour les couples qui exercent leurs méthodes de communication à domicile. Je vous expliquerai chaque ligne directrice et son application à l'amélioration des techniques de communication, mais rappelez-vous que les huit ensemble sont importantes pour l'exercice à domicile de toutes les démarches de survie.

1. Décidez du moment et de la durée de l'exercice

Les couples qui brûlent d'améliorer leurs moyens de communication tentent d'utiliser les techniques suggérées chaque fois qu'ils sont ensemble. Ne soyez pas trop ambitieux. L'un de vous, ou les deux, risquez de devenir frustrés ou ennuyés. Commencez plutôt par plusieurs séances d'exercice de 30 minutes par semaine. Il est conseillé de planifier avec soin les moments propices pour vos séances. Cet « horaire » de séances d'exercice pourrait être réexaminé chaque semaine, noté et affiché comme aide-mémoire à un endroit en évidence.

Au cours des premières semaines d'exercice, il est habituelle-ment préférable que vous soyez seuls. Choisissez donc un mo-ment où les enfants, la famille, les amis ou les collègues ne vous dérangeront pas.

2. Commencez par des sujets faciles et non épineux

N'essayez pas d'aller trop vite. Les objectifs d'amélioration que vous vous êtes fixés risquent d'être compromis si les métho-des que vous n'avez pas encore tout à fait maîtrisées sont mises à l'épreuve avec des sujets plus exigeants.

Commencez par exercer vos capacités d'écoute dans des conversations sur des événements agréables. Ce n'est que lors-que vous aurez maîtrisé ces démarches et d'autres techniques es-sentielles de communication que vous pourrez vous aventurer dans des sujets plus difficiles.

Afin de vous aider, vous et votre partenaire, à choisir des su-jets qui ne sont pas explosifs pour vos premières séances d'exer-cice, je suggère que vous dressiez chacun une liste séparée de « cinq sujets dont nous pourrions parler » et qui faciliterait « notre exercice des méthodes de communication ». Si vous êtes à court d'idées, reportez-vous à la stratégie d'expression n° 1. Échangez ensuite vos listes et encerclez les sujets que vous considérez tous les deux comme ne prêtant pas à dispute.

Rappelez-vous que les séances d'exercice ne sont pas con-çues pour vous donner l'occasion de parler de quelque chose qui vous tracasse depuis des années, mais pour vous aider à appren-dre les méthodes de communication. Vous aurez tous les deux besoin de vous concentrer sur l'expression et l'écoute. Ne choisis-sez donc pas des sujets trop absorbants, car ils vous éloigneront de votre objectif.

3. Rappelez-vous les six démarches d'expression efficace et les quatre règles d'écoute

Considérez les séances d'exercice comme un retour à l'école. Vous trouverez utile de mémoriser les dix démarches et règles pour les avoir à l'esprit durant une discussion. Dressez la liste des six démarches d'expression et des quatre règles d'écoute pour aiguiser votre mémoire.

4. Comparez votre interprétation des démarches et des règles avec celle de votre partenaire

Ne soyez pas surpris si votre partenaire comprend l'une ou l'autre des démarches de communication d'une façon différente de la vôtre. Évitez toute confusion possible en comparant vos inter-prétations.

5. Maîtrisez une technique d'expression et une capacité d'écoute à la fois

Jetez un coup d'oeil aux listes de techniques d'expression et de règles d'écoute et choisissez celle qui vous semble la plus simple dans chaque rôle. Commencez par exercer ces deux techniques et n'hésitez pas à mettre en pratique celles que vous croyez avoir déjà maîtrisées. Vous vous rendrez compte que les habiletés de communication vous viendront plus facilement si vous avez confiance dans vos moyens dès le début.

Auto-observation des méthodes de communication du couple
SIX RÈGLES D'EXPRESSION

Faites un X à côté de la technique exercée aujourd'hui

Nombre de fois où la technique a été utilisée avec succès durant une discussion

1. Choisissez un sujet sur lequel vous pouvez échanger vos points de vue
2. Prenez la responsabilité de vos dires en utilisant le pronom « je »
3. Utilisez des messages courts
4. Encouragez votre partenaire à écouter en lui posant des questions
5. Félicitez votre partenaire pour les efforts qu'il (elle) fait pour vous comprendre
6. Lorsque vous discutez des points de mésentente, essayez de vous comprendre et non pas de convaincre l'autre

---

6. Combinez de courts exercices de discussion avec une autocritique personnelle fréquente

Les deux composantes les plus importantes du programme de changement personnel sont la *pratique* et la *rétroaction*. Faites de votre mieux pour suivre les techniques d'expression et d'écoute que vous avez choisi d'exercer. Plusieurs courtes séances d'exercices sont préférables à une longue séance ininterrompue. La durée idéale d'une séance au début d'un programme d'aide personnelle est de deux à trois minutes. Habituellement, c'est suffisamment long pour que les deux partenaires aient joué les rôles d'interlocuteur et d'auditeur plusieurs fois. Arrêtez-vous ensuite et évaluez votre propre rendement. Réunissez les deux formulaires d'auto-observation (voir ci-dessus et page suivante) pour chaque séance. Utilisez votre feuille pour enregistrer vos im-

QUATRE RÈGLES D'ÉCOUTE ACTIVE

Faites un X à côté de la technique exercée aujourd'hui	*Nombre de fois où la technique a été utilisée avec succès durant une discussion*
1. Écoutez avec votre corps et votre voix	
2. Encouragez l'interlocuteur(trice) à parler	
3. Résumez le message de votre partenaire pour vous assurer que vous le (la) comprenez et pour montrer que vous l'écoutez	
4. Lorsque vous n'avez pas saisi la signification du message de votre partenaire, posez-lui des questions	

pressions sur la façon dont vous avez réussi à suivre la règle d'écoute et la technique d'expression que vous aviez choisies pour cette séance d'exercice. L'autocritique est habituellement plus efficace que des commentaires de la part de votre partenaire. Il est préférable, surtout durant vos séances initiales, de ne pas provoquer la colère, le découragement ou la rivalité en échangeant vos opinions sur la réussite relative de chaque partenaire.

7. Utilisez un magnétophone

De nombreux partenaires trouvent qu'il est utile d'enregistrer leurs séances d'exercice pour plusieurs raisons. Une version enregistrée de votre message vous révèlera comment vous êtes avec votre partenaire, et vous indiquera si vos paroles et le ton de votre voix ont bien communiqué le message voulu.

8. Amusez-vous et soyez patient !

Faites tout ce que vous pouvez pour animer vos séances d'exercice. Faites des blagues ou choisissez un endroit intéressant : la baignoire, la plage, un parc. La plupart des couples estiment qu'il faut des mois d'exercice pour que les démarches aient un effet durable. Rappelez-vous qu'il est beaucoup plus important d'avoir une ou deux séances d'exercice encourageantes par semaine, durant plusieurs mois, que de condenser quatre heures lors de la première semaine et avoir l'impression que vous n'avez pas progressé et abandonner ensuite votre programme de changement personnel.

CHAPITRE 5

Comment rehausser l'amour

Il nous faut apprendre à aimer. En effet, tout comme il existe certaines convictions ou émotions qui font obstacle à l'amour et des associations de partenaires qui inhibent la croissance de l'amour, deux êtres peuvent faire grandir leur amour s'ils ont, ou apprennent, certaines démarches. De nombreux partenaires préfèrent ne pas savoir pourquoi ou comment ils aiment, persuadés qu'ils sont que plus l'amour est mystérieux, plus il est romantique. Mais l'amour est un processus créatif, qui ressemble beaucoup plus à l'art de peindre un tableau ou de jouer une symphonie que l'exécution d'une tâche mécanique telle que la construction d'une maison ou la réparation d'une voiture. Rappelez-vous toutefois que la plupart des artistes acceptent l'idée qu'ils doivent consacrer un certain temps à l'exercice des méthodes rudimentaires nécessaires à l'exécution de leur art s'ils veulent atteindre leur plein potentiel.

La plupart des couples croient que le maintien de leur amour et de leur attachement est à la base de la survie de leur liaison. Nombre de partenaires sont donc prêts à sacrifier certains aspects mystérieux de leur amour si une compréhension mutuelle accrue et des méthodes nouvelles peuvent être acquises pour vraiment rehausser leurs échanges d'affection.

Les moyens qui peuvent accroître l'amour entre partenaires sont aussi infinis que complexes, mais de nombreuses personnes ont constaté que les douze étapes suivantes recommandées dans le cadre du cours sur les démarches de survie constituent un bon départ vers le développement de ces méthodes.

Douze étapes pour accroître l'amour entre partenaires

1. Prenez le temps, seul, d'identifier, ce dont chacun de vous a besoin pour se sentir aimé.
2. Décidez lesquels de vos propres désirs sont raisonnables.
3. Acceptez que vos besoins et ceux de votre partenaire ne soient pas identiques.
4. Exprimez et écoutez à tour de rôle vos désirs respectifs, en essayant tout simplement de les comprendre, non pas de les changer.
5. Identifiez les désirs que chacun de vous est disposé et apte à satisfaire pleinement.
6. Décidez qui de vous deux fera la première tentative de satisfaire le désir de l'autre.
7. Sachez donner: soyez conséquent et juste.
8. Apprenez à exprimer de vive voix votre amour et votre affection.
9. Trouvez de nouvelles façons d'exprimer votre affection par des actes.
10. Sachez recevoir favorablement l'affection ou l'attention que vous donne votre partenaire.
11. Variez constamment vos échanges d'amour.
12. Modifiez les attitudes qui peuvent entraver l'exercice de vos nouvelles méthodes à échanger des manifestations d'amour.

ÉTAPE 1
Prenez le temps, seul, d'identifier ce dont chacun de vous a besoin pour se sentir aimé

La première étape exige que les deux partenaires parviennent à se connaître eux-mêmes suffisamment pour être capables de comprendre les expériences qui leur sont agréables. Une concentration sur soi est nécessaire. De nombreuses personnes croient que seule une combinaison de deux personnes non égoïstes peut produire un amour profond. En réalité, il faut un dosage délicat de capacité à donner et de capacité à recevoir. Plusieurs d'entre nous ont vécu la frustration d'essayer de satisfaire sans succès un amoureux. Souvent, en fait, c'est l'amoureux qui n'a pas réussi à identifier ce qui lui était nécessaire pour être satisfait. La première étape vers la mise en valeur d'une relation amoureuse exige donc que les deux partenaires se connaissent eux-mêmes et sachent ce qu'ils attendent de leur relation.

Posez-vous cette question: «Qu'est-ce que mon partenaire pourrait dire ou faire pour que je me sente bien? Que pourrions-nous dire ou faire ensemble qui me ferait plaisir?» Certains trouveront facilement réponses à ces questions; d'autres auront beaucoup de difficulté. La conversation suivante entre deux membres d'un couple qui a participé à notre cours sur les démarches de survie illustre cette étape et démontre certains problèmes que pose l'identification des besoins.

Robert et Catherine ont trouvé ces questions difficiles au début. Pour vous placer dans le contexte, Robert travaillait au magasin de vêtements, très prospère, de son père et Catherine étudiait en vue d'être programmatrice en informatique. Ils avaient un fils de huit ans d'un mariage précédent de Catherine et un fils de deux ans, né de leur union. Ils avaient décidé de participer à nos cours de survie du couple principalement comme mesure de prévention. «Pour augmenter nos chances», expliquait Catherine. Durant l'exercice en couple, au cours duquel ils ont essayé de préciser leurs désirs et de suggérer des façons de les satisfaire, leur dialogue s'est déroulé comme suit:

ROBERT : Comme ça, John (l'auteur), vous me suggérez d'essayer d'écrire ce que Catherine pourrait faire pour me plaire?

JOHN : Oui.

ROBERT : Ça me surprend un peu que nous ayons à faire ça maintenant. Nous sommes mariés depuis trois ans et nous nous sommes fréquentés pendant un an avant cela. Au début de notre relation, Catherine semblait connaître mes besoins sans que j'aie à les lui dire. Je ne vois pas pourquoi cela aurait changé.

JOHN : Souvent les partenaires trouvent qu'à l'étape romantique initiale de leur relation, les deux s'ingénient tellement à se plaire l'un l'autre qu'ils n'ont pas besoin de se demander quoi que ce soit. Vous ressentiez probablement tous deux l'ardeur des amants. Il est probable que presque tout ce que vous donnait Catherine vous semblait amplement suffisant. Mais vous entrez maintenant dans une nouvelle phase. Une part de romantisme a disparu et si vous ne le remplacez pas par quelque chose de plus durable, l'un de vous ou vous deux pourriez ne plus avoir le sentiment d'être satisfaits.

ROBERT : Bon, je vais essayer, mais je dois dire que ça me fait drôle d'écrire ces choses. J'espère que vous ne nous demanderez pas de lire cela à haute voix devant le groupe. Je me sentirais assez stupide.

JOHN : La plupart d'entre nous se sentiraient embarrassés de dire devant un groupe : « Si tu veux vraiment me gâter, chérie, voici ce que tu pourrais faire... » Non. Nous ne demanderons pas aux couples de lire cela à haute voix. Ceci est entre vous et vous-même d'abord. Plus tard, vous et Catherine en discuterez ensemble.

CATHERINE : Je veux bien l'essayer parce que vous nous avez assurés que cela nous aiderait, même si je pense que si Robert s'y intéressait un peu il saurait ce que j'aime. *(Pause)* Franchement, s'il ne l'a pas encore découvert, ce doit être parce que cela lui est égal.

JOHN : Catherine, vous connaissez sans doute une partie des besoins et des plaisirs de Robert, et peut-être Robert connaît une partie des vôtres. Cela dépend si tous les deux avez déjà échangé vos conceptions sur l'amour jusqu'à maintenant. Cependant, vous seriez surprise d'apprendre jusqu'à quel point vos rêves sur ce que Robert pourrait faire ou sur ce que tous les deux pourriez faire ensemble pour être heureux sont compliqués.

CATHERINE : Vous avez peut-être raison. Enfin, je l'espère. J'ai remarqué qu'au cours de la dernière année, nous avons commencé à nous enfoncer dans la routine. Nous ne sommes mariés que depuis trois ans et nous avons déjà tendance à vivre le même train-train semaine après semaine. Parfois, je revois ma mère et mon père qui restaient assis là à ne rien dire et à ne rien faire ensemble après trente ans de mariage.

JOHN : C'est ce qu'on appelle glisser dans la routine. De nombreux couples, si ce n'est la plupart, connaissent cela tôt ou tard dans leur relation. Il est possible qu'une partie de l'ennui provienne de ce que les gens dépendent trop des mêmes plaisirs d'une semaine à l'autre. Le but de l'exercice « Connais-toi toi-même » est de découvrir une plus grande variété d'expériences qui puissent vous satisfaire.

La réticence de Robert à écrire ce qu'il désire provient de sa conclusion quelque peu irrationnelle : « Ce n'était pas nécessaire durant notre amour romantique. Pourquoi cela le serait-il maintenant ? » La crainte de se sentir embarrassé bloquait également son effort pour identifier ses besoins. Par contre, Catherine demandait, déraisonnablement, que Robert lise sa pensée. Elle hésitait à définir exactement ce qu'elle voulait de lui parce qu'elle sentait qu'il avait déjà rejeté des demandes qui lui semblaient pourtant claires. Les deux croyaient que ce qui avait été à l'origine de leur satisfaction trois années auparavant devrait encore les satisfaire. Ni l'un ni l'autre ne semblaient conscients que le temps et l'habitude aient pu diminuer le pouvoir d'événements auparavant plaisants.

Essayez de suivre les mêmes étapes que celles suivies par Robert et Catherine. Dressez d'abord la liste des désirs que vous aimeriez voir satisfaits par votre partenaire. À mesure que vous les écrivez, prenez conscience des pensées qui vous passent par la tête. Remarquez si vous avez certaines des conceptions erronées mentionnées par Robert et Catherine ou d'autres conceptions décrites antérieurement. Vous sentez-vous embarrassé(e)? Craignez-vous que toutes vos demandes ne soient rejetées?

ÉTAPE 2
Décidez lesquels de vos propres désirs sont raisonnables

Pendant que vous êtes seul, parcourez votre liste de désirs en inscrivant un « R » à côté de ceux qui vous semblent réalistes, un « P » à côté de ceux qui valent peut-être la peine d'être discutés avec votre partenaire et un « N » à côté de ceux que vous savez non réalistes. Un examen de la réalité de vos désirs vous sera utile pour plusieurs raisons. Lorsque vous aurez pris le temps d'exprimer vos désirs, vous vous rendrez compte que certains sont des rêves que vous caressez depuis longtemps ; ils peuvent remonter à votre enfance et ne plus être réalistes. Ainsi, vous voulez peut-être que votre partenaire soit toujours fort, jamais malade, et ne vieillisse pas. Il est possible aussi que d'autres de vos souhaits soient réalisables, pourvu que vous ne demandiez pas que plus de deux de ceux-ci soient concrétisés en même temps.

Robert a écrit : « J'aimerais que Catherine me consacre plus de temps. » En même temps, il souhaitait toutefois qu'elle « développe plus d'intérêts personnels ». Cependant, je leur ai souligné que ces deux désirs manifestés par Robert n'étaient pas nécessairement incompatibles. Mais le couple avait besoin de parler de ces deux désirs pour s'assurer que Catherine ne se retrouve pas avec un couteau à deux tranchants (une double contrainte): si Catherine développait des intérêts plus indépendants, Robert risquerait de moins la voir. En revanche, si elle accordait plus de temps à Robert, elle en aurait évidemment moins à consacrer à ses intérêts personnels. J'ai suggéré que Robert place un « P » à côté de ces deux désirs sur sa liste et que ces derniers fassent l'objet de discussions ultérieures.

Plusieurs de nos désirs sont probablement légitimes et il est possible que notre partenaire veuille satisfaire nos besoins mais qu'il n'en soit pas capable pour le moment. Catherine écrivait: « J'aimerais que Robert puisse retarder son éjaculation. Maintenant, il éjacule dix secondes après la pénétration. » D'après leur discussion sur la sexualité de leur couple, il était évident que Robert désirait énormément plaire à Catherine en retardant son éjaculation mais, comme c'est souvent le cas, plus il essayait, moins il réussissait. Catherine et Robert ont discuté de cette situation avec moi et ont accepté que le désir de Catherine ne serait satisfait que si les deux s'engageaient dans des démarches visant à changer leur fonctionnement sexuel. Il ne s'agissait pas non plus d'une demande que Catherine pouvait voir satisfaite à court terme.

Certains de nos désirs ne sont réalisables que si notre partenaire change sa façon habituelle d'agir. Nous contrôlons volontairement certaines de nos habitudes : si nous le voulons, nous pouvons facilement les changer. Par contre, d'autres aspects de notre comportement sont inextricablement reliés à notre tempérament émotionnel et à nos concepts sociaux et ne peuvent être changés que par des efforts constants et à long terme.

ÉTAPE 3
Acceptez que vos besoins et ceux de votre partenaire ne soient probablement pas identiques

Avant d'essayer d'exprimer mutuellement vos désirs, préparez-vous au fait inévitable que vos désirs et ceux de votre partenaire ne soient pas identiques. Ainsi, vous voulez peut-être plus de moments sensuels ensemble dans votre vie de tous les jours, alors que votre partenaire désire entreprendre un voyage avec vous. Le fait que vous vouliez tous les deux des choses différentes ne signifie pas nécessairement que vous aurez une vie moins satisfaisante ensemble.

Il est essentiel que nous nous rappelions que les différences en amour sont inévitables, mais pas nécessairement destructrices. N'oubliez pas cela lorsque nous passerons à la prochaine étape, qui porte sur la communication des désirs que chaque partenaire a notés sur sa liste. Cette communication sera productive pourvu que les différences soient considérées comme saines et non pas menaçantes pour la relation.

ÉTAPE 4
Exprimez et écoutez à tour de rôle vos désirs respectifs en essayant tout simplement de les comprendre, non pas de les changer

Rappelez-vous des techniques décrites au chapitre 4. Les désirs que vous venez d'énumérer sont des thèmes idéaux pour vous exercer à la révélation de soi et à l'écoute active.

Les deux partenaires doivent se rappeler que le but de leur séance de communication est de discuter à tour de rôle des désirs de chacun. *L'objectif est de comprendre les désirs de l'autre, non pas de les changer.* Durant cette séance, l'auditeur(trice) ne devrait pas se sentir contraint(e) d'accepter ou de rejeter ce que l'interlocuteur(trice) lui dit et celui-ci(celle-ci) ne devrait pas non plus se sentir obligé(e) de justifier ses désirs.

Catherine et Robert ont eu la discussion suivante, qui vous donnera sans doute matière à réflexion, lorsqu'ils ont essayé pour la première fois d'échanger des éléments de leur liste respective.

ROBERT: Bon. Qui commence ? Toi ou moi ?

CATHERINE: Peu importe, c'est chacun notre tour.

ROBERT: De toute manière, tu auras plus de possibilités de parler que d'écouter parce que ma liste est courte. Alors, pourquoi ne commencerais-tu pas?

CATHERINE: Ça va. J'aimerais que tu prépares parfois nos repas romantiques.

ROBERT: Maintenant, je suis censé faire l'auditeur actif. D'accord, tu aimerais que je prépare nos soupers romantiques du vendredi soir. Quel effet cela te ferait-il?

CATHERINE: Cela me mettrait plus dans l'ambiance romantique parce que je n'aurais pas eu à passer une heure à cuisiner.

Remarquez que, jusqu'à présent, ils ont tous les deux employé assez facilement les méthodes de révélation de soi et d'écoute qu'ils ont apprises auparavant. Cependant, les deux partenaires ont trouvé le sujet suivant un peu plus difficile.

CATHERINE: C'est à ton tour maintenant.

ROBERT: D'accord. Je me sens un peu stupide de te demander ça, mais j'aimerais que tu ne sois pas aussi froide avec moi quand je reviens du travail.

CATHERINE: Tu voudrais que je te demande quelle sorte de journée tu as passée? *(Sur la défensive)* Pourquoi?

ROBERT *(accusateur)*: Oui. Je travaille très fort et je ne suis même pas certain que tu t'en rendes compte.

CATHERINE *(sarcastique)*: Je n'ai pas besoin de te le demander. Quand tu as eu une mauvaise journée, ça se voit à ta figure.

Il est évident que la demande de Robert a fait vibrer la corde sensible des deux partenaires. Comment auraient-ils pu éviter que leur discussion ne tourne en un échange d'accusations? D'abord, si Robert avait donné des exemples concrets de comportements qu'il aurait souhaité voir chez Catherine, leur discussion aurait pu être plus précise et positive. S'il avait décrit en quoi ce changement lui aurait plu ou l'effet heureux qu'il aurait eu sur leur relation, il aurait été plus facile à Catherine d'écouter activement. Enfin, en demandant à Robert d'être plus précis dans sa demande, Catherine aurait pu lui dire: « Quel effet cela te ferait-il? » ou « Qu'est-ce que je pourrais faire? » au lieu de « Pourquoi? » Après que je leur eus fait ces suggestions, ils ont eu la discussion suivante:

ROBERT *(décrivant calmement son désir et la raison de sa*

demande): Lorsque je rentre à la maison après le travail, ça me ferait du bien si tu commençais une conversation au sujet de ma journée.

CATHERINE *(résumant d'une voix forte mais non agressive son interprétation de la demande de Robert et posant ensuite une bonne question directe)*: Tu aimerais que je discute de ta journée avec toi avant le souper. Quel effet crois-tu que cela te ferait?

ROBERT *(continuant à expliquer calmement la raison de sa demande)*: Eh bien! Quand j'ai eu une dure journée, si nous en parlions un peu, cela m'aiderait à faire sortir ce que j'ai sur le coeur. Je pense que je serais un meilleur père, et un meilleur mari, pour le reste de la soirée.

CATHERINE *(toujours calmement)*: Comme ça, tu penses que je peux t'aider à te détendre après une dure journée.

J'ai interrompu la discussion à ce point pour signaler à Catherine et à Robert qu'ils avaient bien suivi les règles de communication constructive. Je leur ai suggéré de revenir à ce sujet après qu'ils auraient attaqué l'étape suivante.

ÉTAPE 5
Identifiez les désirs que chacun est disposé et apte à satisfaire

Une fois que vous avez pris connaissance de la liste de vos désirs respectifs, essayez de classer les demandes formulées par votre partenaire selon les quatre rubriques suivantes: (1) celles que vous êtes disposé(e) et apte à satisfaire maintenant; (2) celles que vous aimeriez satisfaire mais que vous pensez ne pas savoir encore comment satisfaire; (3) celles auxquelles vous *pouvez* répondre mais que vous ne *voulez* pas satisfaire; et (4) celles qui sont tout simplement non réalistes. Chacun votre tour, donnez vos impressions et classez vos demandes.

Les couples peuvent avoir de nombreuses réactions différentes lors de cette étape. Ceux qui ont l'habitude de faire des efforts pour plaire à l'autre aimeront cet exercice. Vous pouvez maintenant donner libre cours à votre imagination pour trouver des façons de plaire à votre partenaire.

Par contre, les couples qui échangent rarement leur affection par la parole ou les actes risquent de trouver cette étape très difficile.

Ne brûlez pas cette étape. Vous avez besoin d'une occasion pour discuter ensemble ouvertement et calmement de vos demandes respectives.

Trop souvent, ce type de question est mis de côté jusqu'à ce que des circonstances le fassent surgir par nécessité. À ce moment-là, il arrive fréquemment que peu de progrès soit accompli, car déjà la discussion a dégénéré en dispute.

Jetons maintenant un bref regard sur les quatre types de demande.

1. *Les demandes que vous êtes disposé et apte à satisfaire maintenant.*

Une fois que vous avez écouté les demandes de votre partenaire, identifiez le ou les désirs que vous pensez vouloir et pouvoir satisfaire. En disant que vous êtes intéressé à satisfaire un désir particulier, cela ne signifie pas nécessairement que vous allez commencer dès demain. Avant de préparer tout plan d'action spécifique, étudiez toutes les étapes recommandées pour améliorer vos chances de succès.

2. *Les désirs que vous aimeriez satisfaire mais que vous pensez ne pas savoir encore comment satisfaire.*

Comme la discussion entre Catherine et Robert au sujet de leur problème sexuel l'a révélé, certaines demandes nécessitent qu'un ou souvent les deux partenaires changent certains aspects de leur comportement habituel. Les demandes relatives à la sensualité et à la sexualité, aux techniques de communication ou à l'échange de compliments ou de marques d'affection peuvent toutes se regrouper dans cette catégorie. Des projets d'amélioration de chacune de ces techniques sont présentés à différents moments dans ce livre. Lorsqu'un partenaire répond avec la volonté de plaire, le premier pas en avant a déjà été franchi. À ce moment-là, ne vous sentez pas obligé de vous mettre d'accord sur un but visant à enseigner au partenaire qui donne toute nouvelle technique requise pour satisfaire les besoins de l'autre. Les deux partenaires peuvent simplement apprécier le fait qu'une première décision ait été prise pour commencer un projet qui finira probablement par accroître de beaucoup les échanges agréables.

3. *Désirs auxquels vous pouvez répondre mais que vous ne voulez pas satisfaire.*

Acceptez que votre partenaire puisse ne pas vouloir satisfaire certaines de vos demandes, même si vous pensez qu'elles sont tout ce qu'il y a de plus raisonnable. Le refus d'admettre qu'un partenaire puisse satisfaire les désirs de l'autre à contrecoeur peut à la longue assombrir la relation, surtout si cette «générosité» engendre des sentiments de ressentiment, d'humiliation, de colère ou d'anxiété chez le donneur. Soyez très conscient(e) des demandes que vous faites à votre partenaire dans cette partie de votre discussion et soyez attentif(ve) à son hésitation.

4. Les désirs non réalistes.

Vous avez peut-être exprimé des désirs qui ne peuvent être satisfaits, même avec la collaboration de votre partenaire. Certains participants au cours de démarches de survie ont fait des demandes telles que : « Quittons tous les deux notre emploi et faisons un voyage autour du monde », « Déménageons à Hawaii », « J'aimerais que tu deviennes médecin » ou « J'aimerais faire l'amour toute la journée » ou « Ne t'occupe pas des enfants et ne passe ton temps qu'avec moi». Ces demandes s'avéraient irréalistes en raison de la situation particulière du couple.

ÉTAPE 6
Décidez qui de vous deux fera la première tentative de satisfaire le désir de l'autre

Les couples qui se sentent déjà relativement satisfaits auront probablement du plaisir à découvrir des façons nouvelles de répondre aux besoins de l'un et l'autre. Chaque membre a probablement déjà l'habitude d'essayer délibérément de rendre l'autre heureux. Les couples moins satisfaits trouveront peut-être cet exercice un peu plus exigeant. Ainsi, ils peuvent penser :

« Pourquoi serais-je affectueux(se) si mon(ma) partenaire ne m'a pas démontré de tendresse ?»

« Pourquoi ferais-je des efforts quand mon(ma) partenaire n'en a fait aucun. »

« J'ai déjà l'impression d'en avoir fait plus que lui(elle). »

« Je veux que mon(ma) partenaire montre sa bonne foi en commençant d'abord. »

Ce petit jeu de « Vas-y le premier » peut aboutir à une impasse et, selon toute probabilité, une « guerre ouverte » ou une « guerre froide » se poursuivra jusqu'à ce que les partenaires adoptent une solution de rechange. L'attitude recommandée est que « Les deux partenaires y aillent d'abord » de sorte que chacun puisse dire « Je vais commencer à faire ce que mon(ma) partenaire m'a demandé parce que je sais qu'il(elle) essaiera de son côté de répondre à mes demandes ». La révélation de soi et les capacités d'écoute faciliteront leur discussion au sujet des changements projetés et de leur équité pour chaque partenaire.

ÉTAPE 7
Sachez donner : soyez conséquent et juste

Maintenant, vous êtes presque prêt à passer à l'action. Rappelez-vous que votre objectif est d'être plus aimant et plus affectueux durant toute votre vie ensemble. Ne vous emballez pas dès les quelques premiers jours. Maintenant que vous êtes plus conscient des désirs de votre partenaire, résistez à la tentation de les satisfaire tous dans la prochaine semaine. Un(e) partenaire qui donne trop généreusement peut aller au-delà de ses forces et s'épuiser ainsi dès les premières semaines ou les quelques premiers mois. Ensuite, à moins que vous ne soyez en vacances lorsque vous commencez votre projet d'échange d'amour, vous aurez besoin de partager votre temps entre les demandes de votre partenaire et les autres exigences de votre vie. Enfin, si l'un de vous est trop zélé, l'autre risque de ne pas trouver de place pour exprimer son affection.

Essayez de faire approximativement les mêmes efforts pour vous plaire l'un l'autre. Si tous les deux avez manifesté le désir de prendre le petit déjeuner au lit, il serait malavisé que l'un de vous l'apporte six jours d'affilée alors que l'autre ne prépare qu'un seul repas. Ou encore, si l'un de vous a demandé plus de temps de conversation à deux et que l'autre partenaire demande plus de temps pour réaliser un projet ensemble, un projet de 15 heures suivi d'une conversation d'une heure risque de provoquer du ressentiment. Cependant, la plupart des partenaires heureux rapportent que pour chaque marque d'affection qu'ils donnent, ils ne sentent pas le besoin de recevoir une marque d'intensité égale dans une réponse immédiate. Les couples heureux aiment plutôt un échange d'affection qui s'équilibre durant un certain temps.

ÉTAPE 8
Apprenez à exprimer de vive voix votre amour et votre affection

Nous avons à notre disposition un vaste éventail de façons d'exprimer notre amour qui n'impliquent même pas de contact physique. Des mots affectueux, des compliments, des marques d'appréciation et un échange de sentiments exaltants peuvent tous représenter des façons riches et satisfaisantes d'échanger de l'affection. Cependant, nous ne sommes pas nés avec la capacité d'exprimer nos sentiments de vive voix. Celle-ci se développe avec l'apprentissage. Si nos parents exprimaient oralement leur affection, il est probable que nous en fassions autant. Nombreux sont les couples qui vivent des tensions parce qu'il est naturel pour un partenaire d'exprimer son affection de vive voix alors que l'autre ressent de la gêne à le faire. Cependant, si les partenaires sont disposés à être flexibles et patients, il n'est jamais trop tard pour apprendre.

Roxanne, 51 ans, et Simon, 53 ans, ont décidé d'examiner longuement et intensivement leur vie amoureuse au moyen de l'un de nos cours sur les démarches de survie. Le dernier de leurs quatre enfants devant quitter bientôt la maison pour entrer au collège, Roxanne sentait que les échanges émotionnels d'affection avec Simon, généralement centrés sur les activités familiales, devenaient de moins en moins fréquents à mesure que leurs enfants vieillissaient et devenaient plus indépendants. Elle avait l'impression que Simon, un homme d'affaires, se consacrait davantage à sa carrière fructueuse et qu'il avait moins de temps à partager avec elle. Elle espérait fermement qu'il apprenne à être plus démonstratif. En fait, Roxanne demandait spécifiquement que Simon essaie de montrer son estime par des paroles tendres et des compliments. Roxanne venait d'une famille où les parents manifestaient oralement leur affection entre eux. Simon, cependant, n'avait pas connu ce type d'échange : son père était mort lorsqu'il avait cinq ans et sa mère ne s'était jamais remariée. Alors que Roxanne apprenait à exprimer son affection au sein de sa propre famille, Simon n'avait pas cette opportunité. Même si Simon aimait profondément Roxanne, donner et recevoir des compliments le rendaient très nerveux. L'école privée qu'il avait fréquentée étant enfant avait clairement ancré en lui le mythe selon lequel un homme qui manifeste son affection est une mauviette.

Au cours d'une séance de démarches de survie, lorsque j'ai suggéré à Roxanne et à Simon de prendre quelques moments ensemble pour réfléchir sur des façons d'exprimer leur appréciation réciproque, leur discussion s'est déroulée comme suit :

ROXANNE : Je vais commencer.

SIMON : Tu fais bien. Je ne suis pas bon dans ce genre de choses.

ROXANNE : J'aime ça quand tu te blottis contre moi le matin au lit. Je me sens si près de toi et c'est tellement une façon agréable de se faire réveiller !

SIMON : Je suis surpris. Je craignais que tu n'aimes pas nos caresses du matin.

ROXANNE : Vraiment ?

SIMON : Parce que je pensais que tu croyais que je voulais faire l'amour et je sais que tu n'aimes pas faire l'amour le matin.

ROXANNE : Ce n'est pas cela du tout ! C'est seulement parce que je sais qu'en général, nous n'avons pas le temps.

Roxanne et Simon, qui n'avaient jamais discuté de cette habitude commune, ont été agréablement surpris. La découverte d'un plaisir commun peut être l'un des avantages les plus importants de l'expression de l'appréciation mutuelle entre partenaires. Notez qu'avec l'aide des capacités d'écoute, la communication entre Roxanne et Simon a été simple et directe.

· Le dialogue suivant entre le couple a toutefois fait vibrer une corde plus sensible lorsque Simon a tenté de faire un compliment à Roxanne.

SIMON : J'aime ça quand tu portes un déshabillé transparent. Ça m'excite.

ROXANNE : Je sais que tu aimes les déshabillés transparents mais ça me dérange. J'ai l'impression que c'est eux que tu aimes et non pas moi.

Ici, il y avait un léger paradoxe. En effet, Roxanne a manifesté le désir que Simon soit plus élogieux. Simon était hésitant, mais il a quand même fait un effort parce qu'il voulait réellement faire plaisir à Roxanne. Mais Roxanne, au lieu de l'encourager à faire des compliments, a immédiatement répondu à sa révélation de soi en le désapprouvant. Si cet échange avait eu lieu à la maison, Simon en aurait sans doute conclu que « les moyens d'appréciation verbale ne valent pas la peine ». Cependant, en situation de cours, j'étais là pour suggérer :

JOHN : Bon, arrêtons-nous un instant et revenons en arrière. Votre but était d'échanger des impressions positives sur le comportement de chacun de vous. Qu'est-ce que tous les deux auriez pu faire pour éviter la frustration ? Simon, si vous aviez dit : « J'aime ça quand tu portes un déshabillé, *tu* m'excites », vous auriez réussi davantage à faire sentir Roxanne plus confiante envers elle-même et envers vous. Roxanne, lorsque vous ou Simon courez le risque de faire un compliment ou d'exprimer de l'affection, il incombe au receveur de retourner et d'apprécier le message.

ROXANNE : Je comprends. Sinon, nous nous décourageons mutuellement de nous dire ce que nous ressentons.

JOHN : C'est ça. Une fois que vous avez vraiment compris ce que Simon ressent, vous pouvez discuter de la façon dont ce sentiment qui lui plaît vous touche personnellement. Simon, en tant qu'émetteur, peut vous demander directement « Quel effet cela te fait-il ? »

Simon et Roxanne ont donc repris leur discussion et ont mené leur dialogue plus facilement la deuxième fois.

SIMON : Alors, quel effet te font mes compliments ?

ROXANNE : Eh bien ! je ne suis pas sûre. Je pense que je suis contente de voir que je t'excite encore et j'aimerais être plus active au lit. Mais je sens que je me sentirais plus près de toi si nous parlions davantage.

SIMON : Alors, tu aimes en partie mes compliments et tu penses que nous devrions parler plus pour avoir davantage de plaisir au lit.

ROXANNE : Oui. Est-ce que cela te blesse que j'aie des senti-ments partagés au sujet de tes compliments?

SIMON : Non. Je suis content que tu m'en aies parlé et j'ai l'impression que nous sommes dans la bonne voie. J'ai déjà parlé plus de ce que je ressens à l'égard de la sexualité que je ne l'ai fait en bien des années.

D'autres couples qui ont participé à nos cours sur les démar-ches de survie ont manifesté une réticence similaire lorsque nous leur suggérions d'essayer d'échanger de vive voix plus d'affection ou d'appréciation. Les objections suivantes révèlent la façon dont ces réserves étaient exprimées.

« Pourquoi ferais-je un compliment si je sens que mon parte-naire sait déjà ce que je vais lui dire? »

Ne supposez jamais que votre partenaire sait ce que vous pen-sez ou ressentez à moins que vous ne le lui ayez dit. L'une des principales causes de la diminution graduelle de la satisfaction des couples est que les deux partenaires se tiennent mutuellement pour acquis: « Elle fait toujours la vaisselle », « Il se lève toujours pour s'occuper des enfants le matin » ou « Il / elle se rappelle toujours de payer les assurances ». Chacune de ces prérogatives rend la vie de l'autre plus facile. Mais un type de comportement ne doit pas continuer uniquement parce qu'il est devenu une habitu-de. Il est probable qu'un partenaire se sente plus positif à l'idée de poursuivre un effort généreux s'il sait que cela fait plaisir à l'autre.

« Si je fais un effort pour faire un compliment, ce ne sera pas naturel. Mon partenaire ne l'appréciera pas parce que cela ne vient pas du fond du coeur. »

Dites quelque chose de gentil au sujet du comportement ou d'une caractéristique de votre partenaire seulement si cela vous fait du bien. Ne faites pas semblant! La question de spontanéité est délicate, surtout pour les couples qui verbalisent rarement leurs vrais sentiments entre eux. Si un partenaire ou, encore mieux, les deux, commencent à exprimer leur estime comme ja-mais auparavant, le donneur et le receveur risquent de se sentir maladroits et empruntés, comme s'ils étaient programmés. Il est préférable que les couples se sentent étranges durant une courte période parce qu'ils font des efforts pour verbaliser davantage leurs vrais sentiments que de continuer à se sentir éloignés parce qu'ils n'échangent que quelques marques d'appréciation. Cette gêne initiale est habituellement remplacée par des sentiments plus naturels à mesure que chaque partenaire s'habitue à faire des compliments. Graduellement, chaque partenaire finit par trouver ses propres mots.

« Je n'arrive pas à penser à une seule chose positive à dire au sujet de mon partenaire, ni à un sentiment agréable à partager. Je suis vraiment à court d'idées. »

Certaines personnes deviennent tellement prises dans la routine quotidienne de leur vie commune, en gagnant leur vie et en élevant les enfants, que, littéralement, elles ne distinguent plus les événements plaisants des mondanités. Aux couples qui arrivent les mains vides à cette étape, nous proposons une liste d'échanges de vue fructueux qui ont eu lieu entre des couples durant nos séances de démarches de survie.

Cette liste peut offrir quelques suggestions pour aider les partenaires à se concentrer sur des aspects concrets dont ils ne sont peut-être pas conscients.

Je me sens sexy quand tu m'embrasses de cette façon.

J'aime la façon dont tu mets les enfants au lit : tu leur donnes le sentiment d'être bien protégés et en sécurité.

Lorsque tu prépares le souper, j'ai l'impression que tu as fait un gros effort pour me faire plaisir.

Je suis toujours impressionné(e) lorsque je regarde les chèques de paye que nous apportons à la maison. Nous en avons fait du chemin !

Les efforts que tu as faits pour être en forme physique sont vraiment remarquables. Tu es magnifique.

J'ai vraiment apprécié ta patience et ton affection durant ma maladie. Je me suis senti(e) aidé(e).

Je suis content(e) que tu ne te sois pas fâché(e) contre moi hier soir. Même si je me suis comporté(e) de façon ridicule, tu as été très patient(e).

J'apprécie que tu t'occupes des enfants le samedi matin. Cela me donne la possibilité de m'absorber dans ma lecture.

J'aime quand tu me poses des questions sur mon travail. Je sens que tu es intéressé(e).

Je me suis senti(e) bien quand tu m'as appelé(e) au travail ce matin juste pour savoir comment j'allais.

Je suis content(e) que tu aies décidé de suivre le cours sur les démarches de survie avec moi. Je me sens aimé(e) quand tu te soucies de cette façon de notre relation.

Le chandail que tu m'as tricoté me rappelle ce que j'ai ressenti étant petit lorsque maman nous a offert à tous des chandails pour Noël.

Merci d'avoir fait vérifier l'auto. Ce voilement des roues m'énervait et tu t'y connais mieux que moi en autos.

J'aime vraiment ça quand nous nous habillons bien pour une sortie au restaurant. J'ai l'impression que nous ne nous tenons pas pour acquis.

Je sais que c'est une corvée pour toi que d'aller chez mes parents. Je trouve que c'est généreux de ta part de venir parce qu'ils t'aiment beaucoup et je suis content(e) quand nous sommes tous ensemble.

C'est une excellente idée que tu as eue de suivre ce cours. Tu reviens à la maison tout(e) enthousiaste et nous avons de bonnes conversations ensemble.

J'apprécie vraiment que tu gardes ton travail. Je sais que ce n'est pas facile, mais ton salaire nous a permis de cesser de nous serrer la ceinture et de respirer un peu mieux.

J'aime la façon dont tu m'écoutes même quand j'ai l'esprit embrouillé. Je me sens près de toi et cela m'aide à comprendre la situation.

« Je lui accorde certaines qualités, mais je me sens tellement en colère à cause de ce que mon(ma) partenaire a fait que je n'ai pas envie de dire quoi que ce soit de conciliant. »

Cette attitude est souvent celle des partenaires qui ressentent énormément de frustration l'un envers l'autre : « Si mon (ma) partenaire a fait quelque chose qui me *déplaît*, je refuse de mentionner quelque chose qui me *fait plaisir*. » Comme vous le verrez au chapitre 9, qui porte sur l'affrontement loyal, l'expression de la colère occupe une place importante dans une relation. Certains partenaires attendent que leurs sentiments de frustration soient dissipés avant de se décider à exprimer leur affection ou leur appréciation. Ils ont ce genre d'attitude : « Tant que je ressens de la colère ou de la déception, je ne peux ressentir de l'amour. » Habituellement, ceci est tout simplement faux. La plupart d'entre nous peuvent ressentir de l'amour et de la colère en même temps. En exprimant notre colère à l'exclusion de sentiments plus harmonieux, nous risquons d'éloigner notre partenaire. La plupart des partenaires peuvent obtenir des résultats positifs si les deux membres du couple font certains efforts. Lorsque l'un de vous deux pense: «Je ne dirai rien de conciliant tant qu'il(elle) n'aura pas changé son attitude pour apaiser ma colère», l'autre partenaire risque d'oublier que l'effort requis en vaut la peine.

Les compliments ou les paroles d'affection comptent parmi les meilleures aides d'un couple qui vit des périodes difficiles. Lorsque les deux se sentent blessés après une querelle et se demandent «Est-ce que cela vaut la peine d'être gentil(le) avec quel-

qu'un qui m'a mis(e) en colère? », la réponse devrait toujours être
« oui ».

Suite du projet de manifestation de l'affection par la parole

Simon et Roxane se sont exercés aux échanges d'affection
verbaux entre leurs séances de démarches de survie et ont poursuivi leurs efforts après la fin du cours. Voici leurs commentaires
durant une réunion de contrôle, six mois après le cours.

SIMON : Eh bien! pour être franc, je n'aurais jamais pensé que
je pouvais être plus affectueux. Je me disais qu'à 53 ans, et
étant de famille britannique, il était trop tard pour devenir le
type de mari affectueux que Roxanne désirait. Je me disais
que Roxanne était raisonnable d'espérer me voir plus démonstratif, mais je craignais qu'elle n'ait choisi la mauvaise
personne. Lorsque vous nous avez expliqué comment nous
pouvions *apprendre* à être plus affectueux, j'étais encore
sceptique. Lorsque nous avons commencé les exercices, je
pensais que nous allions nous quereller parce que nous
n'aurions jamais été capables de tomber d'accord dans une
situation comme celle-là. Nous nous sommes parfois heurtés l'un à l'autre, mais nous nous sommes armés de patience. Je me suis rendu compte bien vite que nous nous amu-
sions. Une chose qui m'a réellement surpris est que
Roxanne était aussi un peu gênée parfois. J'ai même réussi
à la faire rougir avec quelques-uns de mes compliments.

ROXANNE : Je savais qu'il pourrait apprendre s'il voulait s'y
mettre. Si vous saviez tous les problèmes que Simon a eus
durant sa vie et combien il est fort, vous ne seriez pas surpris de voir comment il a réussi à surmonter cet obstacle et
à vaincre rapidement sa timidité. Maintenant, il m'impres-
sionne régulièrement.

Mais il n'est pas le seul qui a eu des choses à apprendre. Je
me suis rendu compte que parfois il était difficile pour qui
que ce soit de me faire un compliment à cause de mon
attitude. Je riais nerveusement ou je désapprouvais. Cela
m'a toujours été naturel de me montrer affectueuse, mais je
me suis aperçue que je n'étais pas à l'aise quand c'est à
moi qu'on témoignait de l'affection.

Je suis beaucoup plus satisfaite de notre relation maintenant. Je n'ai plus l'impression que Simon me tient pour acquise et je sais combien je suis importante pour lui.

ÉTAPE 9
Trouvez de nouvelles façons d'exprimer votre affection par des actes

Les partenaires qui apprennent à échanger de vive voix leur affection peuvent se sentir davantage aimés et estimés. Mais ne nous arrêtons pas ici. Les personnes intimes ont toute une variété de solutions de rechange qui leur sont offertes pour manifester leur amour par des actes, que ce soit participer à une activité ensemble, ou faire quelque chose pour l'autre partenaire.

Les couples qui repassent leur semaine, ou examinent leur relation et qui se rendent compte qu'ils ont eu peu d'échanges d'affection verbaux, ont quelquefois de la difficulté à trouver de nouveaux modes d'expression. Voici une liste d'activités qui, selon les participants aux cours sur les démarches de survie, les ont fait se rapprocher l'un de l'autre. Elles varient des activités simples d'une soirée aux grands projets et entreprises d'une vie entière.

Donner un cadeau à son partenaire

Pratiquer un sport ensemble

Faire un voyage ensemble, une simple excursion d'une heure ou des vacances complètes

Partager un souper romantique ensemble

Écouter de la musique ensemble

Avoir un enfant

Redécorer une chambre; faire des projets pour une nouvelle maison

Faire l'amour

S'étreindre

Jardiner ensemble

Partager une blague

Porter un vêtement qui vous rend attirant(e) et qui plaît à votre partenaire

Suivre un cours ensemble

Lire un livre ou un poème ensemble

Aller au cinéma ou au théâtre

Passer un moment avec des amis intéressants

Présenter votre partenaire à l'une de vos nouvelles connaissances

Partager des activités avec vos enfants

Gâter votre partenaire lorsqu'il (elle) est mélancolique

Abandonner une mauvaise habitude qui irrite votre partenaire, dont les aliments riches, la cigarette ou l'alcool

Faire une marche ensemble

Jouer aux cartes

Visiter un musée ou une galerie d'art

Écrire une lettre ensemble à un(e) ami(e)

Cuisiner un repas ensemble

Regarder des photos ensemble

Aller à l'église ou à la synagogue ensemble

Faire une balade à la campagne ensemble

Se donner rendez-vous pour aller prendre un verre ou un lunch comme si c'était avec une simple connaissance

Faire semblant de courtiser son partenaire comme autrefois

Désigner l'un des partenaires comme le bénéficiaire d'un traitement spécial durant une heure, une soirée ou une journée

Se réconcilier après une querelle

Réconforter votre partenaire lorsqu'il (elle) a du chagrin

Discuter d'un problème auquel vous vous heurtez en tant que parents et chercher une solution ensemble

Inviter à souper la famille de votre partenaire

Tolérer une faiblesse que votre partenaire ne peut changer

ÉTAPE 10
Sachez recevoir favorablement l'affection ou l'attention de votre partenaire

A mesure que les deux partenaires essaient d'être plus affectueux et de répondre aux demandes, il est très important que chacun d'eux soit particulièrement sensible durant le moment qui suit une tentative de rapprochement.

Suivez la discussion que Robert et Catherine ont eue la semaine après que Robert eut accepté de laisser Catherine dormir les samedis matin. Elle, à son tour, a consenti à lui consacrer plus de temps pour écouter de la musique et échanger des caresses.

ROBERT : Alors, comment a été ton samedi matin ?

CATHERINE : Bien. J'avais vraiment besoin de dormir. Nous aurions dû faire cette entente des années auparavant.

A cette remarque, Robert ne répondit rien mais parut vexé.

A un autre moment au cours de la même semaine, après que le couple eut écouté de la musique, blottis l'un contre l'autre sur le sofa, l'échange suivant a eu lieu :

ROBERT : Si on faisait l'amour ?

CATHERINE (*blessée parce que Robert ne semble pas avoir remarqué qu'elle a fait un effort de lui plaire en écoutant de la musique avec lui)*: Je n'en ai pas envie ce soir. Je m'inquiète à cause de mon examen de demain.

Remarquez ce qui s'est passé. Les deux époux ont fait des efforts pour satisfaire les désirs exprimés par l'autre: Catherine a écouté de la musique avec Robert et il s'est occupé des deux enfants afin que Catherine puisse dormir tard les samedis matin. Chaque partenaire, dans le rôle de receveur d'affection, a raté une occasion splendide de montrer son appréciation des nouveaux efforts effectués par le donneur. Au lieu de dire «Merci» ou «Ça me fait plaisir», les deux se sont empressés de demander davantage, Catherine en disant: «J'aurais aimé que cela se produise avant» et Robert en lui demandant de faire l'amour. En elle-même, chaque demande (plus de sommeil pour Catherine et plus de relations sexuelles pour Robert) était justifiable. Cependant, dans chaque cas, le mauvais choix du moment a anéanti toute possibilité de résultats. Si le couple avait poursuivi dans cette veine, et n'avait pas appris que chaque partenaire doit donner un encouragement immédiat pour les nouveaux efforts de l'autre, ils n'auraient eu aucune possibilité de poursuivre leur progrès.

Il est important de montrer immédiatement notre appréciation des efforts effectués par notre partenaire pour nous plaire. Il faut souvent beaucoup de patience pour suivre ce principe. La plupart d'entre nous peuvent changer leurs façons de se conduire avec les autres, mais seulement en une étape à la fois. Si nous ne recevons pas une reconnaissance concrète pour les petites réussites, le changement devient difficile, voire impossible. C'est pourquoi les partenaires qui ont laissé tomber leur échange de renforcement à des niveaux dangereusement bas seront particulièrement frustrés.

Ils peuvent se dire en eux-mêmes: «Ce que mon (ma) partenaire vient de faire pour moi n'est rien comparativement à ce que je crois mériter» et porter des arguments très convaincants pour appuyer leur opinion. Cependant, s'ils veulent que leurs désirs soient satisfaits à la longue, les partenaires doivent être prêts à encourager les petites étapes vers la bonne voie. Si les efforts du donneur ne sont pas remarqués, ou ne récoltent que des remarques du genre «il est à peu près temps» ou «oui, mais ce n'est pas assez», le donneur risque de penser: «Je ferais mieux de ne pas me décarcasser. En guise de réponse à mes meilleurs efforts, je n'ai reçu que des critiques au lieu de louanges.»

Pouvez-vous voir les façons dont Robert et Catherine auraient pu montrer leur appréciation de ce que chacun avait fait, au lieu de montrer leur déception envers ce qui n''avait pas été fait? Après avoir écouté quelques-unes de mes suggestions, Robert et Catherine sont revenus aux échanges décrits ici et ont fait les commentaires suivants:

ROBERT : Je suis content que nous ayons trouvé du temps pour écouter de la musique. Ça me rappelle comment c'était quand nous avons commencé à sortir ensemble. Nous avions l'habitude de nous asseoir et d'écouter des disques pendant des heures.

CATHERINE : Cela m'a fait beaucoup de bien à moi aussi. Juste être seule avec toi, et ne rien faire d'autre. Et samedi, je me suis sentie tellement mieux après avoir dormi jusqu'à dix heures du matin. J'ai vraiment aimé que tu t'occupes des enfants.

ROBERT : Ils voulaient te réveiller, mais une fois que nous nous sommes mis à jouer ensemble, nous nous sommes bien amusés !

ÉTAPE 11
Variez constamment vos échanges d'amour

Comme nous en avons discuté au chapitre 3 (Comprendre l'amour), l'une des raisons pour lesquelles les couples peuvent devenir de moins en moins satisfaits de leur mariage est le problème de la routine. Si un événement, plaisant à l'origine, est présenté trop souvent, il perd graduellement son pouvoir d'attrait. Trop de crème glacée, trop de sexe ou trop souvent le même compliment, et l'appétence diminue lentement. Cette érosion du pouvoir du plaisir n'est apparemment pas sous contrôle volontaire ; elle est probablement régie par notre constitution physiologique et neurologique. Pour qu'un événement conserve ses effets agréables, il doit soit ne pas se produire trop souvent, soit varier considérablement en qualité chaque fois qu'il se produit.

Malheureusement, nombre d'entre nous ne semblent pas conscients de cette partie fondamentale de notre nature. Nous nous attendons que chaque fois que nous faisons l'amour ou formulons un compliment ou que nous donnons une marque d'affection, la même réponse se produira semaine après semaine. Si les couples avaient la possibilité d'évaluer annuellement leur satisfaction globale à l'égard de leur mariage, il ne serait pas surprenant de voir les cotes baisser année après année, si des mesures n'étaient pas entreprises pour trouver de nouvelles sources de plaisir. Cette lente érosion de la satisfaction conjugale peut passer inaperçue jusqu'à ce que des comparaisons, soit avec l'étape romantique de la relation ou le plaisir anticipé à l'idée d'un nouveau partenaire, rendent cette insatisfaction évidente.

Plusieurs options sont offertes aux partenaires qui arrivent à ce point tournant de leur relation. L'option de la séparation, soit la fin d'une relation intime qui a dégénéré avec le temps, est examinée au chapitre 13. Le chapitre 12 porte sur l'option du mariage ouvert, c'est-à-dire aviver une relation originale en la conservant mais en accroissant les sources de plaisir sexuel et émotionnel avec d'autres amants. Enfin, les partenaires peuvent se résigner à l'idée que «la vie est censée être plus ennuyante à mesure que l'on vieillit, que le plaisir intense est pour les jeunes».

Il est possible d'augmenter à dessein le plaisir que vous partagez avec votre partenaire. J'ai montré dans ce chapitre que les partenaires peuvent apprendre certaines techniques qui rehaussent considérablement leur plaisir. Mais rappelez-vous que lorsque vous commencez à échanger plus de marques d'affection de vive voix, ou à aviver votre expression sensuelle ou encore à multiplier les activités que vous partagez, il faut éviter le piège des «mêmes vieilles habitudes». Il faut constamment du changement pour «conserver le piquant» dans la plupart des relations intimes. Il est difficile de savoir si un tel compliment, un certain comportement sexuel ou des activités partagées sont devenus trop routiniers. En fait, la personne la plus apte à juger de l'effet d'un geste visant à plaire est le receveur.

Vous avez peut-être constaté que vous êtes «fatigué des mêmes vieilles habitudes» pensant que «si mon (ma) partenaire m'aimait vraiment, il (elle) remarquerait que ce compliment, ce baiser et ce cadeau ne me plaisent plus du tout». Rappelez-vous que la lecture de pensée est une méthode inefficace pour évaluer si les gestes que nous voulions affectueux ont visé juste. «Mais comment?» demanderez-vous. «Si je dis que ma liaison m'ennuie, je vais faire beaucoup trop de mal à mon (ma) partenaire. A part cela, je ne sais pas vraiment ce qui me plairait.» C'est dans de tels moments qu'il vaut la peine de répéter les douze étapes décrites dans ce chapitre et de remettre à jour la liste en ajoutant ce qui vous ferait plaisir *maintenant*.

«Mais c'est tellement de travail», protesterez-vous sans doute. Une heure ou deux par mois passées à discuter de nouveaux plaisirs peuvent sembler longues, surtout si un couple n'a pas l'habitude d'avoir de telles discussions. Cependant, le temps ainsi utilisé est une bonne chose. Si vous ne prenez pas ce temps, deux conséquences sont inévitables: d'abord, le plaisir diminue, puis, éventuellement, la douleur, l'aliénation et l'hostilité augmentent. Une ou deux heures par semaine ou par mois représentent souvent moins de temps que celui passé à regarder la télévision!

ÉTAPE 12
Modifiez les attitudes qui peuvent entraver l'exercice de vos nouvelles méthodes à échanger des manifestations d'amour

J'ai découvert deux attitudes en particulier qui empêchent certains couples de mettre en pratique leurs techniques nouvellement acquises.

« Agir en amoureux ne me fera pas sentir plus aimant(e) »

Les couples heureux, ceux qui jouissent déjà de profonds sentiments d'amour mutuel, savent qu'un comportement amoureux et des mots d'amour engendrent des sentiments amoureux. Les partenaires qui ne sont pas satisfaits de leur relation peuvent penser : « Je ne me sens pas très amoureux(se) de mon (ma) partenaire actuellement. Je vais attendre de me sentir plus amoureux *avant* de commencer à parler ou à me comporter de façon amoureuse. » Autrement dit, « Change d'abord mes sentiments et je changerai ensuite mon comportement. » Ce type de couple risque de ne pas accueillir les premières onze étapes de ce chapitre avec enthousiasme parce qu'il croira simplement que le chapitre a commencé au mauvais endroit. Cependant, le jeu de « Change mes sentiments d'abord et je changerai ensuite mon comportement », tout comme le jeu de « Vas-y d'abord », aboutit à une impasse et à une perte aussi bien pour les partenaires que pour la vie commune.

La meilleure façon d'évaluer les recommandations de ce chapitre est de les essayer.

« Si nous sommes en amour maintenant, nous le serons toujours »

Les partenaires qui ont été très satisfaits de l'un et l'autre et qui vivent fréquemment des échanges d'amour peuvent avoir une certaine complaisance à l'égard de leur relation amoureuse. Ils peuvent croire que l'amour qu'ils reçoivent et qu'ils ressentent représente quelque chose de si fort qu'il ne changera jamais.

Les partenaires qui tiennent leur amour pour acquis seront inattentifs aux changements subtils qui se produisent dans leur liaison. Ils peuvent également être moins tentés d'adopter les démarches de mise en valeur de l'amour décrites ci-dessus parce que « Nous n'en avons pas besoin ». Je n'ai pas l'intention ici de créer des problèmes là où il n'y en a pas et les couples qui sont très en amour auront beaucoup plus de plaisir à profiter du moment présent qu'à s'inquiéter du lendemain. Mais même les couples très amoureux devraient être conscients des changements subtils dans leur relation amoureuse. Au lieu de tenir leur amour pour acquis, ils pourraient prendre la peine d'examiner quelques-unes des étapes décrites ci-dessus.

« L'amour en vaut-il la peine ? »

Notre culture nous a habitués à montrer de la persévérance, que ce soit en travaillant de neuf à cinq, en élevant des enfants exigeants, en étudiant pour réussir ou en faisant de l'exercice pour garder la santé. Nous estimons le bonheur en amour plus important que la santé, la carrière ou même les enfants; mais l'idée qu'il faille de la réflexion, de l'apprentissage, de la persévérance, de la créativité et du savoir-faire pour conserver l'amour entre partenaires n'est acceptée qu'avec réticence. A moins que les couples n'acceptent d'affronter la réalité qu'un amour heureux et sain est le résultat d'efforts et d'engagement de la part des partenaires, le taux actuel de divorces risque de continuer à monter en flèche.

CHAPITRE 6

L'intimité sexuelle

Bernard et Danièle sont tous deux âgés de 29 ans. Il est chauffeur d'autobus et elle est enseignante au niveau élémentaire. Ils sont mariés depuis cinq ans et ont une fille de deux ans ainsi qu'un garçon de quatre ans. Un samedi soir qu'ils étaient à la maison et que les enfants dormaient, ils ont entamé la conversation suivante sur le sofa du salon.

BERNARD *(plaçant doucement sa main sur le genou de Danièle et la regardant dans les yeux)*: Est-ce que ça te tente?

DANIÈLE *(soudainement tendue)*: Je n'en suis pas sûre; je me sens assez fatiguée.

BERNARD *(commençant à craindre qu'elle ne refuse)*: C'est drôle, je pensais que tu avais bien dormi hier soir.

DANIÈLE *(rougissant)*: Eh bien! je pense que je suis trop fatiguée pour ça.

BERNARD *(insistant)*: Tu es de moins en moins intéressée ces jours-ci *(pause)*. Est-ce que c'est parce que je n'ai pas maintenu mon érection la dernière fois?

DANIÈLE *(se sentant coupable de n'avoir pas accepté immédiatement son invitation)*: Pourquoi faire une histoire de ce qui s'est passé la dernière fois? J'avais envie de dormir de toute façon.

BERNARD *(se sentant repoussé, incertain de sa virilité et légèrement mécontent de ce que Danièle ait besoin d'être convaincue)*: Bon, je vais me coucher. A tantôt.

DANIÈLE *(le suivant dans la chambre et se déshabillant)*: Je veux bien essayer si tu en as envie.

(Bernard l'embrasse et l'attire contre lui. Danièle lui retourne son baiser et lui caresse les cheveux et le visage. Bernard, sentant une érection ferme, s'allonge sur Danièle, qui arrête immédiatement ses caresses. Celle-ci, tendue et perdant toute envie de faire l'amour, se laisse faire passivement. Bernard tente une pénétration mais Danièle n'est pas détendue, ni lubrifiée. Bernard, qui commence à craindre de perdre son érection s'il n'arrive pas à réaliser la pénétration tout de suite, pousse davantage. Danièle pousse un faible cri de douleur et resserre fermement ses jambes.)

BERNARD *(perdant considérablement son érection)*: Voilà que ça recommence.

DANIÈLE *(nullement intéressée et quelque peu soulagée)*: Je suis désolée, chéri, mais je pense que je suis frigide.

BERNARD *(se sentant hors de lui, impuissant, frustré et en colère)*: Bon, je ne suis évidemment pas un bon amant, autrement tu serais plus excitée et je ne serais pas impuissant aussi souvent.

Bernard et Danièle m'ont été référés par leur médecin généraliste, que Danièle avait consulté en raison de ce qu'elle appelait sa « frigidité ». L'histoire de leurs difficultés est racontée ici afin de présenter une description de problèmes sexuels dans le mariage et d'en illustrer les causes et le traitement.

Problèmes sexuels courants

Il existe trois types de problèmes sexuels assez courants chez les femmes et trois types de difficultés sexuelles fréquentes chez les hommes.

Problèmes sexuels de la femme

Difficulté orgasmique:

Il s'agit d'un état caractérisé par une absence d'orgasme. Nombre de femmes s'inquiètent outre mesure de leur incapacité à parvenir à l'orgasme *durant l'union physique* seulement. La plupart des experts en sexualité s'accordent pour dire qu'il est tout à fait naturel que certaines femmes nécessitent une stimulation manuelle du clitoris pendant le coït avant de pouvoir atteindre l'orgasme.

Une femme qui n'a jamais ressenti d'orgasme souffre de difficulté orgasmique primaire. Par contre, une femme qui a déjà été orgasmique, mais qui est maintenant incapable de parvenir à l'orgasme, a une *dysfonction orgasmique secondaire*.

Dyspareunie:

Une femme qui ressent de la douleur lors de la pénétration souffre de dyspareunie. La douleur peut se produire au moment de l'intromission ou lorsque le pénis pénètre plus profondément.

Vaginisme:

Le vaginisme est une contraction involontaire ou spasme des muscles du vagin dus à une anxiété extrême. Cet état rend la pénétration impossible sans entraîner des conséquences graves, tant sur le plan physique que psychologique.

Problèmes sexuels de l'homme

Trouble d'érection:

Une perte totale ou partielle de l'érection avant ou pendant la relation sexuelle est considérée comme une difficulté érectile. Les hommes qui n'ont jamais eu de relations sexuelles complètes en raison de trouble d'érection souffrent de *difficulté érectile primaire*. Enfin, ceux qui ont déjà eu des coïts normaux pendant un certain temps mais qui, maintenant, n'y parviennent pas à l'occasion souffrent de *difficulté érectile secondaire*.

Éjaculation précoce:

Un homme qui est incapable de retarder l'éjaculation jusqu'à ce que sa partenaire soit satisfaite au moins une fois sur deux souffre d'éjaculation précoce.

Éjaculation tardive:

Un homme qui réussit la pénétration mais ne peut éjaculer malgré une stimulation prolongée souffre d'éjaculation tardive.

Fréquence des dysfonctions sexuelles

Jusqu'aux années 60, les problèmes sexuels étaient souvent considérés comme des maladies d'ordre médical et l'on croyait qu'ils n'affectaient qu'une petite portion de la population. Les recherches plus approfondies sur le fonctionnement sexuel normal et perburbé[3] ont démontré que les difficultés sexuelles sont en fait très fréquentes. On estime que plus de 90% des hommes ont une perte d'érection ou une éjaculation précoce à l'occasion. La plupart des femmes rapportent avoir eu des moments d'anorgasmie ou de douleur durant le coït au cours de leur vie. La recherche scientifique contrôlée nous a permis de découvrir qu'une personne normale éprouve un certain type de difficultés sexuelles à un moment ou l'autre de sa vie adulte. Alors que certaines n'engendrent qu'une frustration passagère, une variété de facteurs peuvent faire prendre des proportions considérables à un problème mineur.

Pour de plus amples renseignements sur la réponse sexuelle de l'être humain, le lecteur intéressé pourra consulter une variété de documents populaires[5,6] ou scientifiques[3,4] offerts dans les bibliothèques ou les librairies.

Causes des problèmes sexuels de l'être humain

Il existe onze facteurs fréquemment reliés au développement de difficultés sexuelles. Chaque cause est examinée séparément dans ce chapitre, mais rappelez-vous que la plupart des troubles sont engendrés par une combinaison de facteurs.

CAUSE 1

Manque d'information adéquate sur les réponses sexuelles normales de l'être humain

Jusqu'à récemment, en partie à cause de nos ancêtres, plutôt conservateurs, la sexualité de l'être humain était gardée secrète. Par conséquent, le public, les professionnels et les scientifiques avaient peu d'information sur la réponse sexuelle de l'être humain, ou pis encore, utilisaient une conception basée sur une fausse information à ce sujet.[3] Sans une connaissance relativement complète des réponses sexuelles typiques de l'homme et de la femme à différents âges, les couples peuvent s'inquiéter de ce qui est « normal » et tenter des approches sexuelles inefficaces en raison d'une mauvaise information. Quelques corrections de l'information erronée qui conduit souvent les couples à adopter des comportements sexuels frustrants et inefficaces sont présentées ci-dessous.

Les réponses sexuelles de l'homme et de la femme ne sont pas identiques

Des problèmes surgissent lorsqu'un partenaire suppose par erreur que l'autre devrait répondre de la même façon. L'excitation ou la réponse érotique de la femme est généralement plus longue à se développer que celle de l'homme; les couples essaient souvent d'accélérer l'activité sexuelle, surtout la pénétration, avant le moment optimal pour la femme.

Une autre différence importante est que la plupart des hommes qui entrent dans leur première relation intime ont déjà ressenti l'orgasme par la masturbation et ont développé une connaissance du type de stimulation qui mène à l'orgasme. A cause des tabous de notre société envers l'auto-exploration, nombre de femmes n'ont pas encore appris à parvenir à l'orgasme lorsqu'elles ont leur première relation sexuelle et ce n'est qu'à ce moment qu'elles peuvent commencer à apprendre les types de caresse sensuelle qui les mènent à l'orgasme.

Une différence additionnelle, à l'origine d'une multitude de tensions, est que les hommes ressentent généralement un orgasme durant le coït, la pénétration du vagin étant une source de stimulation d'intensité maximale; la majorité des femmes rapportent que les sensations les plus agréables qui déclenchent l'orgasme proviennent de caresses directes du clitoris et des régions avoisinantes.

De nombreux couples ne se rendent pas compte que la pénétration et les mouvements du pénis peuvent provoquer ou non un plaisir intense à la région clitoridienne selon la constitution biologique de la femme et la façon dont les deux corps s'épousent. En ce qui concerne Bernard et Danièle, ils ont dû apprendre, après cinq ans de mariage, que la pénétration seule déclenchait rarement un orgasme chez Danièle.

2. L'excitation sexuelle ne peut être contrôlée consciemment

De nombreuses personnes croient que leur réponse sexuelle peut être contrôlée à volonté. Lorsque, à son embarras et au mécontentement de sa partenaire, un homme éjacule quelques secondes après la pénétration, les deux partenaires peuvent se demander: « L'a-t-il fait exprès? » Lorsqu'une femme ne réussit pas à atteindre l'orgasme aussi rapidement qu'elle le voudrait, ou que son partenaire perd son érection juste avant l'intromission, ils peuvent se dire: « Je dois me concentrer davantage » ou « Je ne m'efforce pas assez ». La réponse sexuelle de l'être humain ne se contrôle toutefois pas volontairement. Nous pouvons agir volontairement lorsqu'il est « temps d'aller au lit », mais le « temps d'avoir une érection » ou « d'être excité » ou « d'avoir un orgasme » ne peut induire une réponse physique. En fait, l'un des secrets du plaisir sexuel est de n'accorder qu'un rôle très mineur à la pensée.

3. Le sexe et le vieillissement

Beaucoup de gens supposent qu'après un certain âge, nous cessons de désirer les rapports sexuels. Nombreux aussi sont ceux qui estiment que les vieillards sont en fait incapables d'avoir une activité sexuelle régulière. En réalité, les recherches ont révélé que les couples peuvent être actifs jusqu'à 80 et 90 ans pourvu qu'ils soient conscients de la manière dont leur réponse sexuelle change avec le temps. Les femmes, même après la ménopause, conservent leur capacité de lubrification et leur capacité d'atteindre l'orgasme si elles ne tombent pas dans l'inactivité sexuelle totale. En vieillissant, les hommes ne perdent pas leur capacité de ressentir le plaisir sexuel, bien qu'une stimulation directe et intense du pénis soit généralement nécessaire chez les hommes plus âgés pour provoquer une érection ferme. Avec l'âge, un homme doit également attendre plus longtemps entre deux rapports sexuels.

CAUSE 2
Les mythes destructeurs

Notre culture a véhiculé une grande quantité d'informations erronées sur la réponse sexuelle de l'être humain, perpétuant ainsi une variété de croyances et d'attitudes qui peuvent déclencher ou aggraver des problèmes sexuels. Certains auteurs ont identifié une centaine de mythes dont un échantillon seulement est examiné ci-dessous.

« *Nous sommes nés avec la capacité d'avoir des relations sexuelles satisfaisantes* »

En fait, nous sommes nés avec la capacité de ressentir certaines réponses sexuelles mais une activité sexuelle des plus satisfaisantes nécessite deux partenaires qui ont vécu une variété d'expériences d'apprentissage social et émotionnel. Un individu qui a appris un comportement sexuel satisfaisant seul n'obtiendra pas automatiquement de plaisir avec un partenaire. Les couples doivent apprendre à avoir des relations sexuelles satisfaisantes *ensemble*.

« *Un homme qui ne maintient pas une érection est impuissant et une femme qui ne parvient pas à l'orgasme est frigide : Les deux problèmes ont habituellement des causes biologiques ou psychologiques profondes.* »

De nombreux individus et, malheureusement, de nombreux médecins et autres professionnels de la santé continuent à qualifier « d'impuissance » le trouble d'érection et les difficultés orgasmiques d'une femme de « frigidité ». Les experts dans le domaine suggèrent maintenant que ces deux termes soient mis au rancart : ils sont incorrects et comportent des connotations négatives et injustifiées. Ce n'est que dans une minorité des cas que les difficultés sexuelles d'un homme ou d'une femme sont causées par des problèmes biologiques ou psychologiques profonds. La plupart de ces troubles de fonctionnement sexuel sont temporaires et proviennent de la façon dont les partenaires abordent leur relation.

« *Si tu m'aimes tu sauras ce qui me plaît* »

Plusieurs d'entre nous supposent que notre partenaire sait intuitivement quel type de comportement sexuel nous sera agréable. En pratique, la plupart des couples qui éprouvent régulièrement du plaisir ensemble s'informent continuellement l'un l'autre de leurs désirs et de leurs réponses. La lecture de pensée ne fonctionne tout simplement pas, ni au lit, ni ailleurs.

« *Les femmes mûres ressentent l'orgasme vaginal* »

Durant des siècles, le public et les « experts » ont supposé que l'orgasme naturel chez une femme est obtenu par les poussées du pénis dans le vagin et que le « meilleur » orgasme d'une femme se produit dans le vagin. En outre, les recherches effectuées depuis les années 60 ont corroboré la découverte que l'orgasme féminin est ressenti dans le vagin : une femme rapportera la sensation d'orgasme lorsque les muscles des parois vaginales se contractent avec rythmicité. Cependant, ce n'est que la minorité des femmes qui obtiennent un orgasme par pénétration du pénis. En effet, la plupart nécessitent une stimulation directe ou indirecte du clitoris pour atteindre l'orgasme.

La masturbation est inutile, « malsaine », « immorale », « un signe de maladie mentale », etc.

Il existe maintenant des preuves convaincantes que les hommes et les femmes qui n'ont pas découvert leur propre réponse sexuelle au moyen de l'auto-exploration auront de plus grandes difficultés à créer une vie sexuelle riche avec leur partenaire. Comme nous l'avons déjà expliqué, la pleine réponse sexuelle de l'être humain ne peut être développée que par une variété d'expériences d'apprentissage.

CAUSE 3
Un spectateur, non pas un participant

Bernard et Danièle sont tous deux tombés dans ce qu'on appelle le « rôle du spectateur ». Essentiellement, le rôle du spectateur conduit chaque partenaire à perdre la sensibilité aux sensations agréables provenant d'un moment romantique, d'une chaude étreinte, d'une caresse. Bernard et Danièle essayaient de donner et de recevoir des satisfactions érotiques ; leurs efforts étant toutefois non synchronisés, les deux ressentaient de la frustration. Depuis longtemps, Danièle devenait tendue quand il s'agissait de relations sexuelles. Ce n'est qu'après au moins 30 minutes de caresses romantiques qu'elle se sentait détendue et excitée. Elle s'en voulait, croyant qu'il n'était ni normal ni juste que cela lui « prenne tant de temps ». Par conséquent, elle se précipitait afin de suivre le rythme de Bernard. Sauf en de rares occasions, elle n'était pas lubrifiée avant la pénétration. Alors, au lieu d'essayer de se détendre, elle se détachait mentalement de la situation en se disant : « Oh ! voilà que ça recommence, je ne suis pas prête. Ça va me faire mal. »

Après plusieurs séances de thérapie, Danièle a appris à se laisser suffisamment exciter pour approcher l'orgasme, mais avait encore besoin d'apprendre à se laisser aller. Au lieu de s'abandonner au plaisir du moment et de demander à Bernard de continuer à la caresser, elle se détachait comme auparavant, en observant sa propre réponse et en s'attendant au pire. Elle se disait en elle-même « je n'aurai pas d'orgasme » ou « si seulement je pouvais avoir un orgasme vaginal ». Quant à Bernard, il jouait le « rôle de spectateur » juste avant la pénétration. Au lieu de s'appliquer à caresser Danièle, il devenait préoccupé par sa propre réponse sexuelle et se disait: « Je me demande si mon érection sera assez ferme? »

CAUSE 4
L'anxiété inhibe la réponse sexuelle

Les petits garçons ont régulièrement des érections dès les premières semaines de leur vie, tout comme les petites filles ressentent la tumescence vaginale et clitoridienne. L'excitation sexuelle est naturelle et un enfant sera à l'aise avec cette sensation tant que sa maman ou son papa ne lui adresseront pas une réprimande telle que « ce n'est pas beau », ou ne lui donnera pas une tape sur la main. Par la suite, lorsque l'enfant est sur le point de toucher ses organes génitaux, une réponse d'anxiété, caractérisée par une accélération du rythme cardiaque et une tension musculaire, risque d'être déclenchée. Nous ne naissons pas avec des anxiétés, nous les apprenons à mesure que nous vieillissons, par nos interactions avec les autres.

Bernard craignait de n'être pas « assez viril pour réussir la pénétration » ou pour « procurer un orgasme à Danièle ». Il était gêné de toucher, surtout avec la bouche, les organes génitaux de Danièle. De son côté, Danièle avait peur, presque à chaque fois, que la pénétration soit douloureuse. Elle craignait qu'elle ne puisse procurer suffisamment de plaisir à Bernard. Elle sentait qu'elle aurait dû atteindre un orgasme plus souvent, mais elle était embarrassée d'exprimer ses sentiments à l'égard de la sexualité. L'idée de demander à Bernard une caresse désirée la rendait particulièrement anxieuse.

D'autres peuvent éprouver diverses anxiétés dans des situations intimes, dont la peur de n'être pas bien physiquement, d'être dédaignés, d'avoir une relation sexuelle orale, d'essayer certaines positions, de refuser ou de faire des avances sexuelles.

CAUSE 5
La culpabilité aussi entrave le plaisir sexuel

La punition de la curiosité enfantine naturelle à l'égard du sexe et nos propres réponses nous apprennent à être anxieux dans des moments érotiques. Nous pouvons apprendre à nous sentir très coupables de nos désirs et de notre comportement sexuel. La culpabilité est le remords que nous éprouvons lorsque nous avons un comportement ou un fantasme que nous avons appris à croire inacceptable moralement. De nombreux parents, le clergé et les professeurs nous convainquent que le but principal du sexe est la reproduction, non pas le plaisir. Cette notion plutôt dépassée de la sexualité empêche plusieurs d'entre nous de se laisser aller avec un partenaire. Les pensées culpabilisantes apparaissent sous de nombreuses formes mais appartiennent habituellement à une longue liste de « je ne devrais pas », « je ne devrais pas te désirer », « je ne devrais pas aimer les relations sexuelles orales », « je ne devrais pas me masturber », « je ne devrais pas avoir de fantasmes sur d'autres partenaires », « je ne devrais pas perdre la tête », « je ne devrais pas faire trop de bruit », « je ne devrais pas trop bouger ».

CAUSE 6
La satisfaction sexuelle et la communication efficace vont de pair

S'ils veulent trouver régulièrement du plaisir ensemble, les partenaires doivent développer un système de signaux pour se communiquer leurs préférences : comment, quand, jusqu'à quel point et à quel endroit ? Une variété infinie de touchers, de sons, d'odeurs et d'images peuvent exciter un individu, mais nous ne sommes pas tous excités par les mêmes stimuli. L'art d'atteindre la satisfaction sexuelle ensemble dépend largement de ce que chaque partenaire indique sans critiquer, de vive voix ou non, ce qu'il (elle) aime.

Bernard et Danièle n'avaient pas développé de moyens de communication au sujet de questions telles que : le moment où l'un ou l'autre était ouvert au contact sensuel ; les types d'activités précoïtales désirées ainsi que leur durée ; le moment où Danièle était prête à faire l'amour ; la façon dont Danièle pouvait réduire la pression exercée sur Bernard et éliminer sa propre douleur ; ou les types de caresses qui augmenteraient les possibilités que Danièle atteigne un orgasme.

CAUSE 7
La maladie physique et les effets de la drogue

Certains problèmes sexuels ont souvent été associés à des maladies physiques et à l'usage de drogues. Chez les hommes, l'insuffisance ou la perte de l'érection peuvent être reliées au diabète, à des troubles de la circulation ou à toute autre maladie affectant la santé globale et l'équilibre hormonal de l'individu. Les médicaments contre l'hypertension et certains antidépresseurs figurent dans la liste des drogues qui peuvent causer des difficultés érectiles. Habituellement, si un homme a de la difficulté à obtenir une érection complète avant de faire l'amour mais qu'il réussit à en avoir une par des caresses, pendant qu'il se masturbe ou le matin au réveil, la possibilité que son trouble soit d'origine biologique est réduite. Les hommes préoccupés par cette question devraient consulter un médecin qualifié. Il est rare que l'éjaculation précoce, l'autre dysfonction masculine la plus importante, soit reliée à des causes biologiques.

Chez les femmes, la difficulté la plus fréquente résultant de causes biologiques est la dyspareunie (relation sexuelle doulou-reuse). Des infections ou, à l'occasion, des anomalies physiques rares peuvent provoquer une irritation des lèvres, qui rend la péné-tration difficile. Selon l'angle que forme l'utérus et les dimensions du pénis, la pénétration profonde peut causer une douleur physi-que. Toute maladie qui affecte la santé physique générale, certai-nes drogues et un déséquilibre hormonal peuvent réduire l'excita-bilité sexuelle de la femme, limitant sa capacité de lubrification ainsi que sa capacité de ressentir un orgasme. En général, le vagi-nisme est rarement causé directement par un problème biologique. Même si le vaginisme peut entraîner des spasmes musculaires plu-tôt inquiétants, il est généralement causé par une crainte excessi-ve de la pénétration. Les femmes qui ont des relations sexuelles douloureuses ou souffrent de vaginisme feraient mieux de consul-ter un médecin compétent.

CAUSE 8
La discorde conjugale

Il peut sembler évident pour plusieurs d'entre nous qu'il est difficile, sinon impossible, d'avoir des rapports sexuels satisfai-sants avec une personne dont nous ne nous sentons pas particu-lièrement près ou que nous n'affectionnons pas vraiment. Cepen-dant, les partenaires aux prises avec des conflits, qu'ils soient en guerre ouverte ou en guerre froide, sont souvent surpris lorsque leur désir sexuel chute radicalement. Beaucoup se rendent compte alors que lorsqu'ils se sentent hostiles ou distants, ils ont de la difficulté à atteindre l'orgasme. Faire l'amour peut être une bonne façon de réduire l'hostilité entre les partenaires, mais pas si les sentiments ambivalents sont trop forts. La communication délicate et la collaboration qu'exige l'union sexuelle sont dérangées, voire détruites, par la colère et l'indifférence. Les relations sexuelles sont vulnérables au sabotage qu'un partenaire en colère ou blessé peut faire. La plupart d'entre nous ont une idée assez précise des sons, mouvements ou caresses qui peuvent rebuter notre partenai-re. Cependant, les intimes qui descendent dans l'arène de la sexualité pour se venger ou marquer des points au cours d'une querelle s'aventurent sur un territoire dangereux.

CAUSE 9
Le style de vie

La sexualité est une forme de jeu des plus intimes et des plus complexes; mais ceux d'entre nous qui travaillent sans relâche peuvent perdre leur capacité à jouer. Pour faire l'amour à l'aise, la plupart des couples ont besoin d'être détendus, pas trop fatigués, libres des contraintes de temps et jouir d'une ambiance favorable. En cette ère ultra-rapide, de nombreux couples développent des problèmes sexuels qui sont clairement reliés à un style de vie excessivement chargé. Avec les demandes qu'imposent deux carrières, les enfants, les beaux-parents, les activités sportives, les réparations à la maison, les problèmes financiers, les cours du soir, les heures de travail différentes et avec le peu de temps qui reste pour se détendre et converser, il devient difficile, sinon impossible, de créer une intimité sexuelle satisfaisante, tant en qualité qu'en fréquence.

CAUSE 10
Les difficultés psychologiques

Les premières théories sur les causes des troubles sexuels soulignaient les problèmes psychologiques profonds, remontant souvent à un traumatisme vécu durant l'enfance, comme la principale cause de dysfonction sexuelle. Selon la théorie de Freud et de ses disciples, un homme souffrait de difficulté érectile parce qu'il considérait sa femme comme sa mère et craignait la punition de son père s'il essayait de « séduire sa mère ». De même, une femme avait de la difficulté à se détendre sexuellement avec son mari parce qu'elle l'associait inconsciemment à son père et se sentait coupable de faire l'amour avec lui. Je pense que cette théorie freudienne ne s'applique qu'à une minorité de couples qui éprouvent des difficultés d'ordre sexuel.

Pour arriver à nous détendre durant une relation sexuelle avec un partenaire, nous devons nous sentir en sécurité et partager une certaine confiance. Quiconque a vécu un traumatisme psychologique grave durant sa croissance aura de la difficulté à s'accepter lui-même, et encore plus à accepter un autre. Une anxiété généralisée, une dépression aiguë ou un désordre de la pensée peuvent entraver considérablement la réponse sexuelle et rendre une relation intime avec une autre personne extrêmement difficile. Un partenaire qui souffre d'un trouble psychologique grave ferait mieux de régler d'abord son désordre personnel avant que le couple n'essaie d'améliorer son fonctionnement sexuel.

CAUSE 11
Le changement des relations sexuelles avec le temps

La plupart des couples qui sont ensemble depuis plusieurs années rapportent que leurs relations sexuelles ne sont pas aussi « extravagantes » que durant les phases initiales de leur relation. Ceci est naturel et inévitable. Les variations dans les types de réponse sexuelle de même que dans leur intensité vont dans le même sens que les changements dans la réponse amoureuse décrite aux chapitres 3 et 5. Un déclin de la fréquence et de l'intensité des relations d'un couple risque de l'alarmer et de soulever des questions telles que: «Est-ce normal?», «Sommes-nous encore en amour?» Les ouvrages populaires et théoriques ont, à plusieurs reprises, encouragé la conception erronée que les couples normaux et heureux font l'amour en moyenne trois fois par semaine. En fait, des études, récentes et rigoureusement contrôlées, ont démontré que le succès d'une relation ne dépend pas du nombre de fois qu'un couple fait l'amour. Bref, des partenaires qui ont des relations six fois par semaine ne sont pas nécessairement plus heureux que ceux qui font l'amour une fois toutes les deux semaines.

Des études complètes sur les couples de tout âge ont révélé que la fréquence des relations sexuelles dépend considérablement des autres activités que le couple effectue ensemble et des voies ouvertes à l'échange d'affection. Les partenaires qui partagent des projets, rient ensemble, aiment leurs enfants ensemble, résolvent leurs problèmes efficacement et s'écoutent activement vivent plusieurs formes d'union. Aussi, pour être comprises en profondeur, les relations sexuelles doivent être examinées dans le contexte de la relation globale.

L'amélioration des relations sexuelles

Grâce aux découvertes de Masters et Johnson[4], pionniers en ce domaine, l'amélioration des relations sexuelles au moyen de méthodes pédagogiques directes est devenue pratique courante. Cette technique utilise une variété de méthodes d'intervention, qui ne nécessitent nullement une investigation approfondie des expériences vécues durant l'enfance. Elles aident plutôt les partenaires à désapprendre les diverses réponses destructrices d'anxiété et de culpabilité et à apprendre un comportement sexuel plus efficace à mesure qu'ils reçoivent une information plus complète sur leurs réponses sexuelles, à éliminer leurs conceptions erronées inefficaces, et à développer des attentes plus réalistes vis-à-vis de chacun et de la relation.

Je vais maintenant vous décrire quelques-unes des procédures les plus directes conçues pour remédier aux problèmes sexuels. Même les couples qui n'ont pas vécu de frustration sexuelle persistante trouveront peut-être que ce chapitre et autre information dans ce domaine les aideront à améliorer leurs relations sexuelles. Ces procédures ont une fonction préventive, en offrant des suggestions qu'un couple peut mettre en pratique pour améliorer son répertoire actuel de relations sexuelles.

L'auto-exploration

Pour pouvoir jouir d'une relation sexuelle satisfaisante avec un partenaire, nous devons d'abord nous sentir à l'aise avec notre corps, être assez détendu et ne pas avoir honte du plaisir érotique. Chaque satisfaction dépend dans une large mesure de la connaissance que nous avons de notre propre corps. Nous pouvons apprendre davantage sur notre constitution physique par la lecture ou, mieux encore, par l'auto-exploration.

Deux excellents livres destinés aux femmes[5] et aux hommes[6] sont offerts actuellement sur le marché; ils décrivent l'auto-exploration en étapes claires et progressives. Les deux programmes se fondent sur la notion avérée que de nombreuses femmes et, de fait, de nombreux hommes aussi se sentent mal à l'aise avec leur corps et sont même étrangers à celui-ci. Diverses étapes dans l'auto-exploration graduelle sont recommandées. Ces programmes sont conçus pour éliminer autant que possible l'anxiété. Ainsi, pour réduire l'anxiété et la culpabilité au minimum, il est recommandé qu'une personne essaie une ou deux nouvelles étapes par séance. Chaque activité de la liste est un peu plus « osée » que la dernière. La crainte et l'anxiété ne peuvent être surmontées que par petites étapes graduelles, non pas en une seule séance. Voici un résumé des procédures qui sont habituellement incluses dans les programmes d'auto-exploration recommandés pour les femmes[5].

1. Réservez-vous de 30 minutes à une heure, deux ou trois fois par semaine, pour suivre le programme. Assurez-vous d'être seule et de ne pas être dérangée. Déshabillez-vous complètement. Prenez un long bain chaud en utilisant votre savon et votre huile favoris.

2. Lorsque vous êtes dans la baignoire, explorez doucement votre corps avec la main. Remarquez la sensation que vous procure votre peau et familiarisez-vous avec les régions les plus sensibles, le visage, le cou, les oreilles, les mamelons et les fesses.

3. Lavez et caressez vos organes génitaux, en explorant les diverses régions.

4. Sortez de la baignoire et essuyez-vous sensuellement. A l'aide d'une illustration tirée d'un des nombreux livres sur la sexualité de la femme et d'un miroir, identifiez les diverses régions de vos parties génitales. Remarquez les lèvres extérieures du vagin (les grandes lèvres) et les lèvres internes (visibles en écartant les lèvres extérieures). Remarquez la couverture ou le « prépuce » du clitoris juste au-dessus de la rencontre des lèvres internes. Tirez délicatement vers l'arrière le prépuce pour bien voir le clitoris.

5. Enduisez votre corps de poudre ou d'huile et concentrez-vous encore sur vos parties génitales. Remarquez la différence dans la texture de la peau et comment certains types de pressions et de mouvements sont plus agréables que d'autres.

6. Introduisez votre doigt dans le vagin et explorez-le doucement pour découvrir les mouvements qui vous sont agréables. Retirez votre doigt et remarquez l'odeur naturelle du vagin.

7. Manipulez doucement vos seins, vos fesses, votre région anale, votre abdomen et vos parties génitales. Appliquez un lubrifiant ou de la salive sur la région clitoridienne et le vagin. Essayez différents types de mouvements. Répétez les mouvements les plus agréables de façon rythmée. Pendant qu'une main caresse les parties génitales, essayez d'utiliser l'autre pour caresser d'autres parties de votre corps. N'essayez pas d'atteindre l'orgasme ; goûtez seulement le plaisir d'explorer votre corps.

8. La prochaine fois, suivez toutes ces étapes en continuant les caresses rythmées de vos organes génitaux, en particulier la région clitoridienne, aussi longtemps que vous les trouverez agréables. Ne vous étonnez pas de ce que plus vous devenez excitée, plus vous respirez fort. Vous ressentirez probablement aussi des contractions à l'estomac, aux cuisses et aux fesses. Ce sont des réactions physiques naturelles aux stimulations et elles augmenteront probablement votre plaisir et vous rapprocheront de l'orgasme. A mesure que vous devenez plus excitée, soyez consciente que les mouvements que vous préférez autour du clitoris changent. De nombreuses femmes se rendent compte que juste avant l'orgasme, le clitoris est tellement sensible qu'elles désirent éviter une stimulation directe et préfèrent jouir de caresses légères et rythmées dans la région avoisinante. Au seuil de l'orgasme, ne soyez pas surprise si vous sentez une perte de contrôle ou un désir de crier. Laissez-vous aller. Ces expériences sont aussi naturelles que belles.

Danièle et Bernard

Plusieurs entrevues avec Bernard et Danièle ont révélé que ni l'un ni l'autre ne connaissaient les stimulations sexuelles agréables pour Danièle ; cependant, tous les deux en savaient considérablement sur ce qui plaisait à Bernard. Au cours du programme de traitement, je leur ai suggéré de lire J. Lopiccolo et L. Lopiccolo[5] Après avoir discuté des suggestions de l'auteur durant les séances, le couple était d'accord pour commencer le programme d'auto-exploration de Danièle. Celle-ci a donc suivi les étapes résumées dans les pages précédentes et, en l'espace de trois semaines, a découvert qu'elle pouvait régulièrement atteindre un orgasme.

Sa prochaine étape a été de montrer à Bernard ce qu'elle avait appris. Les deux étaient enthousiastes et je leur ai suggéré de commencer l'étape de l'éveil de la sensualité, une méthode d'apprentissage élaborée par Masters et Johnson[4].

L'éveil de la sensualité

La frustration d'un couple sur le plan de ses relations sexuelles est souvent due au fait que les partenaires deviennent «trop orientés vers la région génitale». Les mots tendres, les caresses, la séduction et les taquineries échangés lors de l'étape romantique de leur relation amoureuse sont souvent mis de côté lorsque les rapports sexuels deviennent une habitude. Le couple a tendance à immédiatement «en arriver au fait», soit l'union physique et l'orgasme. En étant conscients que les plaisirs de l'interaction sexuelle sont régulièrement inhibés en raison de leur concentration sur le «moment ultime», les deux partenaires risquent de devenir graduellement de moins en moins excités. Les femmes en particulier peuvent se sentir frustrées par une façon excessivement génitale d'aborder la sexualité parce que souvent elles préfèrent des expériences sexuelles plus lentes et plus complètes. En étant préoccupés exclusivement par la pénétration et/ou l'orgasme, les partenaires risquent de tomber dans le rôle du spectateur, comme l'ont fait Danièle et Bernard.

L'éveil de la sensualité est une façon de rompre cette habitude. Cet exercice vise à déconcentrer l'accent mis sur la pénétration et l'orgasme et à diriger plutôt l'attention vers la sensation. Voici un résumé des suggestions que j'ai adressées à Bernard et à Danièle:

«La semaine prochaine, appliquez-vous à vous familiariser avec les contacts physiques qui vous excitent et à les distinguer de ceux qui vous déplaisent. Choisissez deux ou trois moments durant la semaine, préférablement lorsque vous êtes assez reposés, détendus et sobres. Déshabillez-vous lentement l'un l'autre comme vous le faisiez peut-être pendant l'étape romantique de votre relation. Essayez de mettre de l'ambiance, de la musique et des lumières tamisées. L'un de vous assume le rôle de donneur, celui qui caresse, et l'autre est le receveur. Le donneur explore lentement les cuisses, les mollets, le dos, le visage, le cou, les fesses et l'abdomen, pendant que le receveur se laisse faire et jouit du moment. Celui-ci ou celle-ci doit indiquer par des mots ou par des gestes les caresses qui lui procurent du plaisir et suggérer les variations dans l'intensité des pressions qui lui seraient agréables. Après 10 ou 15 minutes, changez de rôle. Lorsque vous avez tous les deux expérimenté chaque rôle, et avant de faire l'amour, parlez tranquillement de ce que chacun a découvert au sujet de son corps.»

Bernard et Danièle ont suivi ces recommandations pendant deux semaines et ont constaté que des suggestions ont engendré de nombreuses discussions.

Lors d'une séance subséquente, je leur ai fait les recommandations suivantes: «Chacun de vous a donné et a reçu à tour de rôle des caresses non génitales. C'est maintenant un bon moment de vous enseigner mutuellement les stimulations agréables des organes génitaux. Bernard, la prochaine fois, essayez de soulever votre dos contre le bord du lit avec plusieurs oreillers. A ce moment, Danièle, placez-vous contre Bernard, votre dos sur son ventre, et allongez vos jambes entre les siennes. Bernard, caressez lentement le corps de Danièle avec sa main posée sur la vôtre. Danièle, lorsque vous vous sentirez prête, guidez la main de Bernard jusqu'à vos organes génitaux et montrez-lui lentement le type de mouvements que vous avez trouvés agréables lors de votre auto-exploration. Ne précipitez rien.

« Rappelez-vous, lors des essais initiaux de cet exercice, que le but n'est pas de procurer un orgasme à Danièle, mais que celle-ci enseigne à Bernard les types de stimulation qui lui sont agréables. Danièle, lorsque cela sera suffisant, dites à Bernard que vous êtes prête à changer de place. »

Ces recommandations ont été formulées durant une séance d'une heure, et ont été suivies d'une discussion ouverte sur la façon dont Danièle et Bernard prévoyaient adapter ces principes à leur propre style.

Difficultés de pénétration et d'érection

Quelques semaines plus tard, j'ai fait plusieurs nouvelles recommandations à Danièle et à Bernard.

« Maintenant que chacun de vous est plus familier avec son propre corps et que vous savez communiquer vos plaisirs respectifs, nous pouvons maintenant discuter du coït. Pendant que vous travaillerez cet aspect de votre relation, rappelez-vous qu'idéalement, vos échanges sexuels doivent débuter avec l'éveil de la sensualité. N'entreprenez pas la pénétration trop rapidement. Vous pouvez essayer une position que de nombreux couples aiment. Bernard, étendez-vous sur le dos et Danièle, allongez-vous sur le corps de Bernard, les jambes écartées de façon à pouvoir introduire le pénis dans votre vagin.

« Habituellement, jusqu'à présent, Bernard avait le contrôle de la pénétration en adoptant la position supérieure. Un avantage de la femme en position supérieure, que je suggère, est qu'une fois que vous vous sentez tous les deux excités, Danièle peut contrôler la pénétration et introduire lentement le pénis de Bernard entre les lèvres du vagin, en gardant une main sur le pénis et l'autre sur son vagin. Cette position permet à Danièle de contrôler la vitesse, l'angle et la profondeur de la pénétration, et éviter ainsi tout mouvement prématuré ou douloureux. Bernard, de votre côté, au lieu de vous demander : « Est-ce que je vais être capable de pénétrer ? » ou « Est-elle prête ? », vous pouvez vous détendre et jouir des sensations, pendant que Danièle assume le rôle actif. Il vous serait peut-être agréable d'utiliser des crèmes non parfumées pour réduire la friction lors de la pénétration.»

Après une discussion animée, Danièle et Bernard se sont entendus sur des façons de mettre ces suggestions en pratique.

Éjaculation précoce: apprendre à augmenter le seuil d'excitation érotique

Comme je l'ai déjà mentionné, les statistiques révèlent que plus de 50% des Occidentaux souffrent d'incapacité à retarder l'éjaculation. Rappelez-vous du cas de Catherine et Robert, au chapitre 5. Catherine espérait que Robert puisse retarder l'éjaculation. Robert, à son grand découragement, éjaculait habituellement quelques secondes après la pénétration. Je leur ai fait les suggestions suivantes après que le couple eut complété les étapes de l'éveil de la sensualité et de l'exploration des organes génitaux:

«Maintenant que vous avez une bien meilleure idée de ce qui vous excite et de la façon de communiquer vos désirs, essayez ceci. Catherine, après l'étape de l'éveil de la sensualité, commencez à caresser manuellement le pénis de Robert. Robert, votre responsabilité est de remarquer attentivement jusqu'à quel point vous êtes excité. Juste avant l'éjaculation, vous ressentirez des sensations très agréables vous indiquant que vous êtes au seuil de l'orgasme. A mesure que les caresses de Catherine vous rapprochent de plus en plus de l'orgasme, indiquez-lui de cesser avant que vous ne sentiez que l'éjaculation est inévitable. Vous pouvez tous deux vous entendre sur ce que sera le signal d'arrêt. Certains couples emploient des mots tels que « arrête » ou « attend »; d'autres utilisent une simple pression de la main. Catherine, en attendant que Robert soit moins excité, caressez-le doucement, mais ne lui faites pas de caresses génitales tant qu'il ne se sent plus sur le point d'éjaculer. Il est préférable de répéter cette approche trois ou quatre fois avant de lui laisser atteindre l'orgasme.

«Une fois que vous êtes à l'aise avec cette méthode, probablement après trois ou quatre séances, essayez-la à nouveau durant la pénétration. Adoptez une position coïtale qui vous permet à tous les deux d'arrêter les mouvements qui mènent Robert au seuil de l'éjaculation inévitable. Certains couples préfèrent la femme en position supérieure, d'autres se sentent plus à l'aise lorsque l'homme est étendu à côté de la femme. La plupart des hommes estiment que plus ils sont détendus, plus ils peuvent retarder longtemps l'éjaculation. Robert, si vous choisissez de vous étendre le long de Catherine, utilisez un oreiller pour supporter votre corps afin que vous puissiez vous concentrer librement sur la sensation qui précède une éjaculation inévitable. Catherine, vous pouvez faire des mouvements génitaux pour exciter Robert, mais il doit vous signaler quand arrêter. Attendez que Robert soit moins excité, puis reprenez les mouvements. Laissez Robert frôler le seuil de l'orgasme trois ou quatre fois, en arrêtant assez tôt pour éviter l'éjaculation, avant d'effectuer les mouvements décisifs qui déclencheront l'orgasme. »

Mes recommandations ont été entremêlées de nombreuses discussions animées, de questions et d'échanges d'impressions. Vers la fin de la séance, Catherine et Robert avaient élaboré un plan d'action pour adapter ces suggestions à leur propre style et à leur situation.

L'orgasme de la femme

Une fois que Danièle et Bernard ont chacun appris à amener l'autre à l'orgasme par des stimulations manuelles, ils étaient tous deux désireux d'effectuer des efforts pour que Danièle atteigne l'orgasme durant le coït, ce qu'elle n'avait jamais ressenti auparavant. Voici ce que je leur ai suggéré :

« Je vais vous décrire quelques moyens qui ont réussi avec d'autres couples. Rappelez-vous que beaucoup de femmes trouvent difficile, sinon impossible, d'atteindre l'orgasme par la seule stimulation provoquée par le pénis. Danièle, vous pouvez maintenant parvenir à l'orgasme au moyen d'excitation manuelle ou orale, mais vous trouvez peut-être qu'il ne vous est pas encore possible d'y arriver par la pénétration seulement. Vous craignez peut-être ne jamais atteindre l'orgasme lors du coït. Cela dépend dans une grande mesure de votre constitution physique et de celle de Robert, et de la façon dont vos corps s'épousent. Je peux vous suggérer quelques nouvelles façons agréables d'aborder la sensualité. Ne les considérez surtout pas comme un effort ultime et désespéré pour faire parvenir Danièle à l'orgasme lors du coït.

« Toutes les positions dans lesquelles Bernard peut exciter manuellement le clitoris de Danièle durant le coït valent la peine d'être essayées. (Avec l'aide du livre de Lopiccolo[5], le couple a identifié diverses positions.) Vous découvrirez peut-être qu'en adoptant la position supérieure, Danièle est capable d'expérimenter différents mouvements pendant que Bernard lui caressera la région clitoridienne. Certains couples estiment que d'autres positions permettent de libérer plus facilement la zone clitoridienne pour la rendre accessible aux stimulations tactiles. Il peut être plus excitant pour Danièle de guider les caresses digitales de Bernard ou de se caresser avec sa propre main. Si Danièle n'atteint pas l'orgasme durant le coït, n'hésitez pas à reprendre les caresses manuelles ou orales vers la fin de votre rencontre érotique. »

La collaboration et chacun son tour

La sensualité à deux est un exercice d'apprentissage à donner et à recevoir. Certains partenaires trouvent plus facile de donner et d'autres, de recevoir. Les exercices décrits dans ce chapitre ont été conçus pour aider les deux partenaires à devenir à l'aise et efficaces dans les deux rôles. Les programmes qui visent à aider les femmes à obtenir régulièrement un orgasme et les hommes, à réduire leurs troubles d'érection ou à augmenter le contrôle de l'éjaculation, exigent que le couple laisse de côté ses anciens comportements sexuels. La tentation de terminer chaque rencontre érotique par la pénétration doit être réprimée aux fins de ces exercices. L'un des partenaires ne doit se concentrer que sur *donner,* alors que l'autre ne doit penser qu'à *recevoir.* Le succès de tout projet d'amélioration des relations sexuelles nécessite une rupture totale et permanente avec les vieilles habitudes, sinon les anciennes sources de difficultés vont refaire surface. Ainsi, si vous précipitez l'auto-exploration ou l'éveil de la sensualité, vous risquez de créer peu de changement. De même, tant que la pénétration et l'orgasme ne seront pas temporairement délaissés, peu de choses peuvent changer. C'est pourquoi la collaboration et l'appui complet de chaque partenaire sont indispensables lors de leurs efforts pour améliorer leur sexualité; par exemple, lorsqu'une femme anorgasmique effectue ses exercices d'auto-exploration ou encore lorsqu'un homme ayant une dysfonction érectile adopte la position inférieure ou, enfin, quand une femme anorgasmique ou un homme souffrant d'éjaculation précoce tente d'avoir un coït. Sans une collaboration totale du ou de la partenaire de chacune de ces personnes, les étapes recommandées pour faciliter l'orgasme, l'érection ou le contrôle de l'éjaculation ne seront d'aucune aide.

Comment convaincre un partenaire réticent à collaborer

Au cours de ma pratique clinique, j'ai découvert qu'un partenaire est souvent plus motivé à améliorer ses relations sensuelles et sexuelles que l'autre. Ainsi, il ne serait pas surprenant qu'un partenaire qui lise ce livre soit enclin à essayer d'améliorer ses relations sensuelles alors que l'autre est très réticent. Le partenaire enthousiaste a le choix entre de nombreuses options. J'ai connu des partenaires qui ont tenté une variété de stratagèmes pour inciter leur compagnon (compagne) réticent(e) à joindre ses efforts pour améliorer leur relation sexuelle: « le traitement du pôle Nord » (priver l'autre de rapports sexuels jusqu'à ce que le (la) partenaire hésitant(e) se décide à collaborer); « la méthode des agaceries » (exciter le (la) partenaire mais arrêter avant qu'il (elle) n'atteigne la satisfaction); «la méthode des allusions» («Cela pourrait être mieux» ou «J'ai connu de meilleur(e)s amant(e)s»); les présents suggestifs, un abonnement à une revue érotique favorite; un livre sur l'amélioration sensuelle-sexuelle, ou des sous-vêtements suggestifs; «le (la) rendre fou (folle) de jalousie» (un flirt au moment opportun peut convaincre un(e) partenaire réticent(e) à modifier son attitude); retirer les ressources essentielles (cesser de cuisiner, d'apporter la paye), pour n'en citer que quelques-uns.

Chaque méthode comporte certains inconvénients qui ne doivent pas être dédaignés. Bien qu'à première vue ces comportements paraissent amusants, ils peuvent toutefois être menaçants pour un partenaire ou une relation. La question de savoir comment inciter un partenaire hésitant à la collaboration est pertinente aux huit démarches de survie et sera examinée plus sérieusement dans le dernier chapitre.

A quel moment aller en thérapie sexuelle?

J'espère que les recommandations formulées dans ce chapitre aideront certains couples à améliorer leurs relations sexuelles. En ce qui concerne certains troubles (dyspareunie, vaginisme, troubles érectiles persistants), n'hésitez pas à consulter un professionnel compétent pour découvrir les causes de votre frustration sexuelle et les meilleures solutions. Certaines méthodes suggérées dans ce livre peuvent être appropriées, mais commencez d'abord par le diagnostic d'un professionnel. Avec les progrès récents dans les techniques de diagnostic et de traitement[7], la plupart des couples n'ont plus à se contenter d'apprendre à vivre avec leur problème comme le faisaient leurs parents. Avant ces progrès récents dans le domaine, de nombreux couples étaient condamnés à avoir des relations sexuelles rares et frustrantes, une perte regrettable puisque les rapports sexuels constituent une façon fantastique de partager l'amour.

CHAPITRE 7

La résolution efficace de problèmes

DAVID *(achevant de régler quelques comptes impayés)*: Chérie, il va falloir surveiller notre budget.

JEANNE: Penses-tu que je ne le sais pas? Chaque fois que je vais au marché, j'économise sur tout ce que je peux.

DAVID: Oui, mais tu achètes ensuite une plante de 25 dollars à ta mère et quelques jouets qui ne dureront pas plus d'une semaine aux enfants.

JEANNE: Et combien *ton* golf et *ton* tennis nous coûtent par semaine?

DAVID: Les deux sont déductibles d'impôt. A part ça, tu sais que le médecin m'a dit de me détendre et de faire plus d'exercice.

JEANNE: Oui, mais cela n'a pas besoin de coûter si cher et il ne t'a certainement pas dit de rentrer ivre à la maison trois nuits sur quatre.

Cela vous rappelle-t-il quelque chose? Ce couple, comme vous pouvez le constater, est aux prises avec des difficultés que tous les couples connaissent: le budget familial, les loisirs, les cadeaux à la famille et aux êtres chers, etc. Tant que deux personnes vivent ensemble, elles doivent prendre des décisions et effectuer des choix qui touchent les deux partenaires. Les conflits sont une composante inévitable de l'intimité, même chez les couples très heureux. Ce qui distingue les couples heureux des couples perturbés n'est pas tant le nombre de problèmes auxquels ils se heurtent que la façon dont ils les résolvent.

Dans ce chapitre, je vais vous présenter les huit étapes essentielles à la résolution efficace de problèmes. Chaque étape prise séparément peut sembler facile. Cependant, vous trouverez probablement que l'enchaînement des huit étapes successives est difficile à effectuer au début, surtout si l'exercice est effectué en couple. Rappelez-vous toutefois que la plupart des couples, même au milieu d'une crise, peuvent apprendre à résoudre plus efficacement leurs problèmes.

Les dangers d'une résolution de problèmes inefficace

Les couples d'aujourd'hui ont nettement beaucoup plus de décisions à prendre que les couples des générations précédentes : « Devrait-elle travailler ? » « Devrions-nous avoir un autre enfant ? » « Pourquoi ne faisons-nous pas l'amour plus souvent ? » « Quel contraceptif devrions-nous utiliser ? » « Qu'allons-nous faire si nous sommes tous les deux en chômage ? » « Devrions-nous nous séparer ? » Nos vies mouvementées peuvent être très riches et satisfaisantes si nous arrivons à effectuer des choix judicieux. Malheureusement, la plupart d'entre nous n'ont pas acquis les principes de base de la résolution efficace de problèmes avant d'entrer dans une relation. Dans certains cas, un partenaire peut exceller individuellement dans la résolution de problèmes, mais ce n'est pas suffisant. En fait, deux partenaires peuvent être comparés à un couple de patineurs artistiques : la réussite de leur art dépend de la combinaison de leurs talents. Étant donné que la plupart des partenaires n'ont pas appris l' a b c de la résolution de problèmes en couple, ils ont tendance à se comporter comme David et Jeanne. Revenons brièvement à leur discussion afin de repérer les erreurs qui ont rendu celle-ci inefficace.

1. Mauvais choix du moment : David était évidemment en colère après avoir payé les comptes.

2. Jeanne s'est immédiatement empressée de répondre : « Je sais déjà » au lieu de convenir d'abord avec David que leur budget leur causait des difficultés.

3. David et Jeanne n'ont pas reconnu les efforts que l'autre avait déjà faits pour économiser et ont plutôt sauté sur cette occasion pour se mettre sous le nez les dépenses avec lesquelles ils n'étaient pas d'accord.

4. Au lieu d'essayer de résoudre un problème à la fois, ils ont tout « déballé », jetant pêle-mêle sur le tapis une multitude de sujets dès le début de leur argument : leur budget, l'achat d'un pré-

sent à la mère de Jeanne et de jouets aux enfants, le coût du golf et du tennis, son problème de santé et son habitude de boire.

Le but des étapes soulignées dans ce chapitre est d'enseigner aux couples à repérer ces déficiences dans leur façon de résoudre leurs problèmes et à adopter des stratégies plus efficaces.

Vous vous demanderez peut-être ce qui ne va pas avec la technique de résolution de problèmes utilisée par David et Jeanne si elle ne les empêche pas pour autant d'arriver à une solution pour joindre les deux bouts. Il semble toutefois improbable qu'ils arriveront à une solution avec leur style actuel. En fait, notre recherche a révélé que le type de résolution de problèmes qu'utilisent David et Jeanne est habituellement inefficace à un point tel que les solutions ainsi adoptées ne font que créer de nouveaux problèmes. (Jeanne serait malheureuse si David exigeait qu'elle ne donne plus de présents à sa mère ; David serait encore plus tendu et insatisfait si les plaintes de Jeanne le forçaient à interrompre ses activités sportives.)

Une résolution de problèmes inefficace peut devenir tellement frustrante pour un couple que les partenaires finissent par se lancer des injures ou s'enfermer dans un mutisme avant la fin de leur discussion. David et Jeanne ont commencé leur échange avec un problème central, soit leur frustration mutuelle à propos du budget. Cependant, en l'espace de quelques minutes, ils ont fait surgir deux nouveaux problèmes. D'abord, le ressentiment de Jeanne parce que David n'a pas apprécié les efforts qu'elle fait pour diminuer les dépenses. Ensuite, le dilemme de David, qui a l'impression que Jeanne veut qu'il cesse le golf et le tennis, même si elle l'encourage à prendre soin de sa santé.

Avant de passer à la description de la technique de résolution de problèmes que nous avons élaborée, je vais décrire quelques réponses négatives que cette technique a provoquées :

1. « Cette approche est trop compliquée pour être maîtrisée. » Nous avons découvert que les couples de toutes conditions sociales peuvent apprendre les étapes élaborées dans ce livre.

2. « Une « technique » de résolution de problèmes est empruntée et n'est pas naturelle. » Nous avons trouvé que tout sentiment de gêne disparaît après quelques semaines de pratique. La plupart des couples qui suivent sérieusement les huit étapes sont tout à fait disposés à se sentir mal à l'aise temporairement, dans l'intérêt d'éliminer la frustration provenant de leur ancienne façon de résoudre leurs problèmes.

3. « Toutes ces « procédures » nécessiteront trop de temps. » De fait, plusieurs séances d'une heure peuvent être nécessaires pour venir à bout du premier problème visé par cette technique. Revenez à la discussion de Jeanne et de David. Leur séance de

« résolution de problèmes » au sujet de leur budget n'a peut-être duré que cinq ou dix minutes, mais pendant combien de temps ensuite chacun d'eux a-t-il traîné des sentiments d'insécurité financière, de confusion et de ressentiment ? Combien de fois devront-ils revenir sur le même sujet parce qu'ils n'ont pas réussi à le régler lorsqu'il s'est présenté pour la première fois comme un problème ? La résolution de problèmes peut nécessiter jusqu'à deux heures la première fois. Avec la pratique, cependant, les couples peuvent écourter considérablement leurs séances. De même, une fois qu'un couple a commencé à mettre en pratique la technique de résolution de problèmes, ils en retirent immédiatement les bénéfices. Rappelez-vous que les répercussions du choix de solutions inappropriées se feront sentir durant des heures, des jours et, parfois, des années.

Huit étapes de résolution efficace de problèmes

1. Jouez dans la même équipe.
2. Choisissez le moment propice.
3. Choisissez un problème.
4. Définissez clairement le problème.
5. Proposez toutes les solutions possibles : le « brainstorming ».
6. Évaluez vos propositions de solutions.
7. Prenez une décision.
8. Mettez votre (vos) solution(s) en pratique et vérifiez son (leur) efficacité.

ÉTAPE 1
Jouez dans la même équipe

La plupart des couples, comme David et Jeanne, s'aiment sincèrement et veulent que leur relation réussisse. Cependant, lorsqu'ils abordent leurs problèmes, ils deviennent des adversaires. La recherche a révélé qu'au cours d'une séance de résolution de problèmes, même les couples heureux ont tendance à être plus sévères et plus exigeants l'un envers l'autre qu'envers des étrangers. Rappelez-vous que vous faites tous deux partie de la même équipe. Si la solution que vous adoptez blesse votre partenaire, vous serez alors tous les deux perdants. Essentiellement, le truc est de découvrir une façon d'affronter résolument le problème, de façon que vous y gagniez tous les deux.

La « résolution de problèmes » et l'« affrontement » ne sont pas la même chose. L'affrontement, où certaines règles d'équité sont respectées (voir les chapitres 9 et 10), peut être très sain pour chaque partenaire et pour leur relation amoureuse. Cependant, dans les relations réussies, les couples ont appris à séparer l'affrontement de la résolution de problèmes.

Au chapitre 9, nous allons discuter des couple qui se querellent trop (les Faucons) et de ceux qui ne se querellent pas assez (les Colombes). Les Faucons ont de la difficulté à séparer l'affrontement de la résolution de problèmes et, bien souvent, ils se chamaillent à longueur de journée à propos de leurs divergences. Les Colombes, par contre, nient l'existence de leurs problèmes. Ils tendent à réagir aux situations de conflit avec une variété de réponses toutes faites : « Oh, c'est toi qui le sais le mieux, chéri(e) », ou « Je suis sûr(e) que cela ne se reproduira plus » (évitement du problème) ou, « Oh, ce n'est pas vraiment si important » (négation du problème), « C'est la vie » (attitude fataliste) ou « C'est de ma faute » (assumer toute la responsabilité). Souvent, les Colombes doivent apprendre à connaître leurs différences et commencer à en discuter ouvertement.

Les Colombes entretiennent trois mythes typiques relatifs aux difficultés entre partenaires : « Les problèmes ne surgissent qu'entre les couples qui sont en proie à de graves difficultés. » « Il est entendu que nous nous disputions pas sur des questions insignifiantes, mais si jamais nous devions nous heurter à un vrai problème, nous saurons comment le résoudre » « Il est préférable d'ignorer les problèmes. » Chaque mythe peut inciter le couple-Colombe à tirer le rideau sur ses problèmes et à le faire passer en un temps record du « bonheur suprême » au conflit intense.

ÉTAPE 2
Choisissez le moment propice

Les Faucons tels que Jeanne et David doivent choisir leur moment pour aborder leurs problèmes. Ceci demande une certaine connaissance de soi de la part des deux partenaires. Ceux qui feront l'essai de cet exercice devront choisir un moment où les deux partenaires sont moins susceptibles de se sentir agressifs, ou lorsque vous serez capable au moins de réprimer votre colère. Choisissez un moment de la journée où vous pourrez aborder votre problème avec calme et avec les idées claires.

David a constaté que nos séances de démarches de survie du couple lui ont appris à ne pas essayer de résoudre ses problèmes avec Jeanne immédiatement après avoir payé les comptes, ni en revenant du travail, ni après quelques verres. Jeanne, de son côté, a pris conscience que ses moments les moins propices étaient lorsqu'elle était fatiguée et au retour de dures journées à l'université.

Vous aurez besoin de toute votre attention. Évitez les distractions telles que la télévision, les visiteurs, les enfants, les beaux-parents et les amis. N'essayas pas de résoudre vos problèmes pendant que vous partagez un repas ou avant d'en préparer un. Prenez tout le temps qu'il vous faut. Ainsi, vous n'aurez pas à vous presser pour que chacun ait une opportunité égale d'exprimer complètement ses sentiments au sujet du problème en question. Pour arriver à résoudre des problèmes avec efficacité, la plupart des couples ont besoin d'au moins une heure ininterrompue, surtout quand ils n'en sont qu'au début de leur apprentissage des techniques. Il serait bon de réserver un calepin pour enregistrer vos séances de résolution de problèmes.

ÉTAPE 3
Choisissez un problème

Vous êtes donc tous les deux prêts à commencer. Un problème est tout ce dont vous avez besoin. A moins que vous n'ayez vécu sous un globe de verre au cours des quelques dernières années, vous ne devriez pas avoir de difficulté à en trouver un. Mais faites attention à la façon dont vous définissez votre problème. Pour vous assurer que vous n'abordez pas un sujet trop pénible pour l'un ou l'autre, essayez ceci : prenez chacun une feuille de papier et divisez-la en trois colonnes. Puis, du côté gauche de la page, dressez une liste des problèmes dont vous aimeriez discuter avec votre partenaire. Ensuite, pensez dans quelle mesure il *vous* serait difficile de discuter et d'évaluer le problème sur une échelle de 1 à 10, 1 étant « facile » et 10, « impossible ».

Voici la liste de problèmes que David a réunis :

Liste de problèmes

Problème	Difficile pour moi (1-10)	Difficile pour mon (ma) partenaire (1-10)
Le budget	8	
Offrir des présents à ma belle-mère	6	
L'alcool	7	
La perte de mon emploi	6	

Échangez vos listes et demandez à votre partenaire d'attribuer des degrés de difficulté à vos problèmes pendant que vous faites de même pour ses propres difficultés.

Pourquoi passer par toutes ces étapes ? vous demanderez-vous sans doute. Pourquoi ne pas s'entendre mutuellement sur une question et éviter ainsi de perdre tant de temps ? Nos cours sur les démarches de survie nous ont confirmé que les couples qui ne prennent pas le temps de comprendre leurs problèmes avant d'en discuter risquent de réduire à rien leurs efforts dès le début en transformant leur séance de résolution de problèmes en séance d'affrontement. Si vous commencez avec un problème difficile, même modérément difficile (un score se situant entre 6 et 10), vous essayez de patiner avant même de savoir marcher, ou vous ressemblez à la personne qui, lors de sa première leçon de conduite, veut emprunter la voie rapide à l'heure de pointe.

Rappelez-vous que votre objectif à cette étape est d'apprendre à agir comme une équipe dynamique. Ce n'est que lorsque vous aurez appris à patiner ensemble que vous pourrez vous inscrire aux épreuves de patinage artistique.

« Nous sommes peut-être capables de faire ces « exercices », mais nous ne serons jamais capables de résoudre nos problèmes réels et urgents. » Voilà une réponse fréquente. Mais soyez certains que les techniques présentées dans ce chapitre se sont avérées applicables à des problèmes s'échelonnant sur tous les degrés de difficulté. Plus loin, je démontrerai comment elles peuvent être appliquées à des sujets de première importance. Le mariage ouvert est-il une solution viable? Devrions-nous tous les deux continuer à travailler? La séparation est-elle la meilleure solution? Plus le problème est complexe, plus vous aurez besoin de techniques efficaces de résolution de problèmes. A mesure que vous apprendrez ces techniques, vous voudrez les appliquer aux problèmes plus difficiles. Cependant, l'une des difficultés les plus urgentes à laquelle se heurtent 90% des couples, qu'ils soient heureux ou perturbés, est leur manque d'habileté à résoudre leurs problèmes de façon efficace.

ÉTAPE 4
Définissez clairement le problème

Il peut sembler surprenant que, souvent, deux personnes qui vivent ensemble depuis des mois, des années, voire des décennies, pensent qu'elles discutent de la même chose alors qu'en fait, leurs conversations tournent autour d'un malentendu. Lorsque David a commencé la discussion rapportée ci-dessus par « Il va falloir surveiller notre budget », Jeanne s'est précipitée dans le sujet, en pensant qu'elle savait exactement ce dont il parlait. Une part de la confusion et de la frustration qui se sont manifestées aurait pu être évitée s'ils avaient pris le temps de définir le problème avant de formuler leurs opinions.

Il y a certaines règles de style à observer dans la définition efficace d'un problème. Commencez par répondre à ces quelques questions pertinentes:

Quel est le problème?
David et Jeanne devaient d'abord définir exactement ce dont

ils étaient en train de parler. Était-ce du budget? Du revenu familial total? Des dépenses? Ou encore était-ce de l'usage qu'ils faisaient de leur argent?

A quel moment surgit le problème?

David est-il préoccupé par l'argent tous les jours? Ou ne l'est-il que lorsque les comptes sont dus, à la fin du mois? S'inquiète-t-il de leur situation financière actuelle, ou davantage de l'avenir? «Les choses ne vont pas très bien au travail. Qu'allons-nous faire si je perds mon emploi?» Ou «Jeanne veut continuer à étudier. Je ne sais pas si nous pouvons nous le permettre.» Ou «Noël s'en vient et nous dépensons toujours une fortune en cadeaux.» Jeanne se soucie-t-elle de leur budget mensuel, du fait que le chèque de David ne semble pas durer assez longtemps, ou simplement du coût du renouvellement de l'abonnement au club de golf?

Qui est touché par le problème?

Un partenaire, l'autre, les deux, une tierce personne? Il est rare qu'un problème et toute solution éventuelle reposent sur les épaules d'un seul partenaire. Ainsi, si votre partenaire a l'habitude de fumer, définissez la situation, selon votre point de vue, en ces termes: «Comment puis-je aider mon partenaire à cesser de fumer?»

Que ressent chaque partenaire dans cette situation?

De la colère, de la frustration, de l'abattement, de l'anxiété? Décrivez vos sentiments honnêtement et clairement mais n'abordez cet aspect que brièvement (surtout les couples-Faucons). Cette question ne vise pas à précipiter une querelle mais plutôt à permettre aux partenaires d'indiquer *dans quelle mesure* le problème est important pour chacun d'eux.

Soyez diplomate lorsque vous définissez le problème. Il est essentiel que chacun de vous sente qu'il a la possibilité de répondre à chacune des quatre questions et que votre partenaire ait compris vos réponses. Dans nos cours d'apprentissage des stratégies de survie, les couples ont trouvé utile la liste suivante de ce qu'il faut «faire» et «ne pas faire» à cette étape de leur exercice de résolution de problèmes:

À FAIRE	À NE PAS FAIRE
— Écoutez attentivement votre partenaire.	— N'interrompez pas votre partenaire.
— Lorsque votre partenaire présente un argument, résumez ce qu'il (elle) a dit et demandez-lui de rectifier vos commentaires s'il y a lieu.	— Ne supposez pas que vous avez compris son argument si vous ne l'avez pas résumé ni vérifié.

À FAIRE	À NE PAS FAIRE

— Tenez-vous-en à un problème à la fois. Si vous estimez que votre choix initial est, en fait, plusieurs problèmes, identifiez les problèmes mineurs et choisissez-en un comme sujet de la séance.

— Restez dans le présent. Parlez de ce que vous pouvez changer aujourd'hui et demain, non pas de ce que vous auriez pu faire hier.

— Rappelez-vous que *comprendre* ne signifie pas *être d'accord*. Même si vous n'êtes pas d'accord avec votre partenaire relativement aux réponses des quatre questions, vous pouvez montrer que vous le (la) respectez en écoutant et en essayant de comprendre.

— Faites des réponses courtes.

— Ne déterrez pas des sujets ou des désaccords passés.

— N'attaquez ni ne critiquez votre partenaire.

— Ne soyez pas catégoriquement en désaccord avec la définition que votre partenaire donne du problème.

— Ne vous attardez pas trop longtemps sur vos propres réponses aux questions; ne monopolisez pas le plancher.

Assurez-vous que votre dernière définition est précise. Les questions ci-dessus sont conçues pour diriger les couples vers une définition pertinente de leur problème. Voici quelques exemples de problèmes présentés par les couples qui ont participé à notre cours sur les démarches de survie ainsi que les définitions précises qu'ils ont formulées en répondant aux quatre questions.

Problème initial	Dernière définition
— Nous devons surveiller notre budget.	— Je pense que tu dépenses trop en cadeaux pour la famille et je pense que je vais perdre mon emploi. Que pouvons-nous faire?
— Ton golf et ton tennis coûtent une fortune et tu rentres saoul à la maison.	— Je crois que tu bois trop. Que pouvons-nous faire ensemble pour résoudre ce problème?
— Tu n'es pas un bon père.	— Je pense que tu pourrais discipliner davantage les enfants. Que devrions-nous faire?

— Tu ne me prépares plus de bons petits plats.	— J'aimerais que tu prépares le souper plus souvent, comme tu le faisais. Que pouvons-nous faire?
— Tu tiens mon emploi pour acquis.	— Je trouve que tu attends trop de moi à la maison alors que je travaille à plein temps. Que pouvons-nous faire?

ÉTAPE 5

**Proposez toutes les solutions possibles:
le « brainstorming »**

Décidez qui sera secrétaire. Une fois que vous avez cerné votre problème, écrivez votre définition dans le haut d'une nouvelle page de votre calepin. Demandez-vous *quelles solutions sont possibles.* Suivez les lignes directrices qui suivent lorsque vous répondez à cette question.

Donnez libre cours à votre imagination

Présentez n'importe quelle solution qui vous vient à l'esprit, même si elle vous semble ridicule. Plus vous faites preuve de créativité, meilleures sont vos chances de trouver une solution viable.

Ne critiquez aucune solution proposée à cette étape

Plus tard, vous aurez tous les deux amplement le temps d'évaluer le pour et le contre de toute solution que vous jugez valable comme sujet de discussion. A ce moment-là, évitez de dire: « Cela ne fonctionnera jamais », « Nous avons déjà essayé cela », « N'oublies-tu pas quelque chose? » ou « Ce n'est pas réaliste ».

Soyez positif(ve)

Au lieu de proposer que votre partenaire soit « moins froid(e) et distant(e) », demandez-lui plutôt d'être plus affectueux(se). Si vous voulez que votre partenaire participe davantage à la gestion de votre budget, essayez l'incitation aimable comme « Tu pourrais faire la comptabilité avec moi » plutôt que la remontrance du genre « Tu pourrais cesser de me laisser gérer le budget seul(e) ». Il est toujours plus facile pour un individu de changer en se comportant d'une façon nouvelle et positive qu'en se concentrant sur l'élimination d'une mauvaise habitude.

Mettez au clair les solutions proposées

Si vous n'êtes pas certain(e) de ce que votre partenaire veut dire, aidez-le(la) à s'expliquer plus clairement sur la solution proposée en lui posant des questions, en résumant et en vérifiant.

David et Jeanne ont soulevé le problème suivant ainsi que dressé une liste de solutions possibles lors de leur séance de « brainstorming » :

Définition du problème:

A la fin du mois nous avons immanquablement moins d'argent qu'il nous en faut pour payer nos comptes. Nous ne voulons pas effectuer encore un autre emprunt. Que pouvons-nous faire?

SOLUTIONS POSSIBLES

David abandonne le club de golf
Jeanne diminue de moitié ses dépenses en cadeaux
Nous préparons ensemble le budget mensuel
David demande une promotion
Davis prend un emploi à temps plein, qui pourrait inclure des soirs et quelques fins de semaine
Nous passons nos vacances à la maison au lieu de faire un long et coûteux voyage
David limite ses visites au club de golf

ÉTAPE 6
Évaluez vos propositions de solutions

Il est maintenant temps d'évaluer le pour et le contre de chaque solution qui vous semble valable. Au cours de la séance de résolution de problèmes avec Jeanne et David, voici ce que je leur ai suggéré:

Révisez votre liste et éliminez toute solution que tous les deux jugez complètement irréaliste.

Il est fort probable que, dans certains cas, l'un de vous juge qu'une proposition vaille la peine d'être considérée, alors que l'autre préfère éliminer cette solution sans même en discuter. Pour faire preuve de bonne volonté, consacrez du temps à une évaluation de cette proposition. Autrement, le partenaire dont l'opinion a été rejetée risque d'en garder rancune durant toute la séance. Rappelez-vous que la discussion d'une solution *ne signifie pas* que ce sera la solution que vous adopterez à la fin de votre séance de résolution de problèmes.

Discutez des solutions qui restent sur la liste, une à la fois, en répondant aux questions suivantes pour chaque solution.

(1) Quels sont les avantages selon le point de vue de Jeanne? (2) Les avantages selon l'opinion de David? (3) Les inconvénients

selon le point de vue de Jeanne? (4) Les inconvénients selon l'opinion de David? Soyez à tour de rôle interlocuteur et auditeur. Pendant que vous, David, énumérez les inconvénients de quitter le club de golf, il incombe à Jeanne d'écouter attentivement. Elle peut ensuite résumer ce qu'elle comprend de votre argument et vous demander de préciser tout aspect qui lui semble obscur. David, n'essayez pas de convaincre Jeanne que vous avez *raison* en voyant certains inconvénients à la solution et qu'elle a *tort* de ne pas envisager la situation comme vous. Jeanne, pendant que vous écoutez David, réprimez tout désir de le convaincre immédiatement qu'il doit envisager d'une façon ou d'une autre d'abandonner le club de golf. Rappelez-vous que vous êtes deux personnes distinctes, très différentes à certains égards. Il est parfaitement normal que vous ayez des préférences différentes pour des raisons

SOLUTION POSSIBLE		«Nous préparons ensemble le budget mensuel.»	
DAVID		JEANNE	
Avantages	Inconvénients	Avantages	Inconvénients
Nous saurions tous deux exactement où nous en sommes chaque mois.	Perte de temps. Une seule personne suffit pour faire la comptabilité.	Nous aurions tous deux la même information sur laquelle nous pourrions nous baser.	Il se peut fort bien que nous allions nous quereller pendant que nous préparerons le budget ensemble.
J'aurais l'impression que Jeanne m'appuie.	Je ne serais plus capable de m'illusionner avec l'argent que j'aime dépenser en bagatelles (comme boire au bar).	Nous ne nous disputerions pas tous les mois lorsque arrive le temps de payer les comptes parce que nous saurions tous deux où nous en sommes.	Il nous faudra admettre que nous devons nous passer du superflu comme les cadeaux extravagants et la boisson.
Je serais forcé de reconnaître que je n'ai pas d'argent pour les bagatelles.	Cela va prendre du temps à Jeanne pour apprendre le système de comptabilité.	J'aurais le sentiment que David me fait confiance au sujet de notre budget.	Je ne suis pas très bonne dans la comptabilité. Qui va s'occuper des enfants pendant ce temps-là?

différentes. Prenez votre calepin et dressez une liste des avantages et des inconvénients que vous voyez dans chacune des propositions choisies.

David et Jeanne ont préparé le diagramme ci-dessous pour la suggestion intitulée « Nous préparons ensemble le budget mensuel ».

Une fois que vous avez dressé la liste des avantages et des inconvénients de chaque solution, revenez à la page de votre calepin où vous avez dressé votre liste de solutions possibles. Évaluez la désirabilité de vos propositions, chacun de vous devant attribuer un numéro, de 1 (indésirable) à 10 (hautement désirable), à chaque solution proposée. Voici comment Jeanne et David ont évalué leurs solutions :

SOLUTIONS POSSIBLES	DÉSIRABILITÉ	
	DAVID	JEANNE
David abandonne le club de golf	3	6
Jeanne réduit de moitié ses dépenses en cadeaux	6	3
Nous préparons ensemble le budget mensuel	7	7
David demande une promotion	6	7
David prend un emploi à temps plein, qui pourrait inclure des soirs et quelques fins de semaine	9	1
Nous passons nos vacances à la maison au lieu de faire un long et coûteux voyage	8	7
David limites ses visites au bar du club de golf	10	10

ÉTAPE 7
Prenez une décision
Demandez-vous,
« *Pouvons-nous décider aujourd'hui de la meilleure solution à ce problème ?* » Répondez individuellement à cette question. Vérifiez si chacun a bien compris les réponses de l'autre et précisez tout aspect resté vague.

Ne vous attendez pas que chaque solution soit réalisable.

Vous pouvez, après avoir suivi les sept étapes, proposer une solution que tous les deux jugez grandement désirable. Cependant, il est plus probable que vous vous rendiez compte qu'il n'y a pas de solution précise qui vous emballe tous les deux, mais plutôt quelques solutions satisfaisantes que vous êtes tous les deux consentants à envisager.

*Trouvez une solution qui vous permette
à tous les deux de gagner.*

L'art de choisir une bonne solution est d'en découvrir une qui vous satisfasse *tous les deux*. Si vous attribuez un score de désirabilité de 8, 9 ou 10 à une solution alors que votre partenaire évalue à 1, 2 ou 3 la même possibilité, cette solution ne constitue pas en elle-même le choix idéal. Le choix d'une option qui penche nettement plus d'un côté que de l'autre indiquerait qu'un partenaire serait plus heureux, au détriment de l'autre. Rappelez-vous toutefois que, dans une relation amoureuse, si l'un perd et l'autre gagne, les deux sont inévitablement perdants avant longtemps.

Le frère de David avait déjà suggéré que celui-ci gère le magasin de souliers familial, une solution qui aurait augmenté considérablement le revenu de David mais qui aurait exigé de lui des journées, des soirées et même des fins de semaine de travail. David penchait pour cette proposition, mais Jeanne s'y opposait fermement en raison des heures trop longues. David a donc laissé tomber cette solution.

Vous constaterez peut-être que ce sont plusieurs options mises ensemble qui offrent les meilleures réponses.

David et Jeanne ont opté pour plusieurs solutions de leur liste. Tous deux se sont entendus pour que chacun exerce un certain contrôle de soi. Ainsi, David ne voulait pas renoncer à ses soirées au club de golf, mais il a proposé d'abandonner les visites au bar, à la satisfaction de Jeanne. Avec la même volonté de « faire sa part », Jeanne a offert de diminuer de moitié les cadeaux à sa mère et aux enfants. Ils désiraient également tous les deux essayer des séances de gestion de budget.

Vous découvrirez peut-être une nouvelle alternative pendant que vous discutez de votre choix original.

Pendant que David et Jeanne discutaient de la possibilité que David travaille au magasin familial, Jeanne a proposé d'aller travailler trois fois par semaine. Elle caressait depuis un certain temps l'idée de prendre un emploi à temps partiel et de ce fait elle a ajouté cette solution à sa liste. David était enchanté.

Il peut arriver que vous ne réussissiez pas à trouver une solution qui vous satisfasse tous les deux.

Un couple qui a accumulé une quantité de problèmes non résolus finit par se retrouver devant une impasse. D'où une frustration compréhensible. Mais, au lieu d'abandonner ou de laisser votre séance de résolution de problèmes dégénérer en une dispute, *cherchez un compromis.* Il est reconnu qu'un mariage réussi est fondé sur les compromis. De nos jours, un couple doit maîtriser l'art de la concertation s'il veut survivre. Malheureusement,

nombre d'entre nous n'ont pas encore appris à donner et à recevoir. Dans le prochain chapitre, je discuterai des techniques de
négociation qui favorisent grandement les compromis et de celles
qu'il faut éviter à tout prix.

ÉTAPE 8

**Mettez votre (vos) solution(s) en pratique et vérifiez son
(leur) efficacité.**

Une fois que vous avez identifié vos meilleures chances de
succès (vous aurez peut-être besoin des habiletés décrites au chapitre 8 si vous cherchez une issue à une impasse), élaborez un
plan d'action. Suivez les trois étapes suivantes:

1. Écrivez dans votre calepin la solution sur laquelle vous êtes
tombés d'accord.

2. Demandez-vous: que faut-il faire? qui le fera? où? et
quand? Vous remarquerez peut-être que vous avez oublié quelques éléments importants en suivant les étapes de résolution de
problèmes.

3. Ne soyez pas trop dur envers vous-même: il n'est pas possible de prévoir tous les détails. A mesure que vous approchez de
la mise en pratique d'une solution, certaines difficultés mineures, et même des majeures, que vous n'aviez pas prévues peuvent
surgir.

En inscrivant leurs solutions, David et Jeanne se sont rendu
compte qu'ils avaient oublié plusieurs points: Qui paierait les fac-
tures? Qui ferait la liste des dépenses futures? Qui s'occuperait
de consigner les dépenses par écrit? Quand disposeraient-ils
d'une heure ou deux, libres de toute interférence, pour gérer le
budget? Ils ont toutefois paré assez facilement à chacune de ces
questions.

Évaluez l'efficacité de votre solution

Essayez votre nouvelle solution durant un temps limité, quelques jours, une semaine ou un mois. A la fin du laps de temps
décidé, demandez-vous: « Quels sont les points forts et les points
faibles de notre solution telle qu'elle se présente maintenant? » Ne
vous étonnez pas si tout ne se passe pas comme prévu, surtout si
quelques étapes de la résolution de problèmes, ou toutes, sont
nouvelles pour vous. En utilisant vos habiletés d'écoute, discutez
des résultats de vos efforts et décidez si vous devriez ou non essayer de nouveau la même solution; dans l'affirmative, y a-t-il lieu
d'y apporter quelque modification? Si, par contre, vous décidez de
rejeter cette solution, demandez-vous si vous devriez mener ou
non une nouvelle séance de résolution de problèmes.

David et Jeanne ont mis en pratique leur décision de planifier un budget ensemble. Après une heure, leur première rencontre s'est terminée dans la frustration, peu de chiffres ont été mis sur papier et Jeanne a eu plusieurs « surprises désagréables ». Ils avaient plus de dettes qu'elle ne l'avait soupçonné et leurs dépenses mensuelles globales dépassaient leurs revenus. Une deuxième heure de discussion aurait été souhaitable, mais ils ont été interrompus par une visite impromptue d'amis. La semaine suivante, ils ont repris leur discussion où ils l'avaient laissée et ont constaté que l'exercice « n'était pas si mal une fois que les difficultés auxquelles ils se heurtaient étaient dévoilées au grand jour ». Tous les deux ont bien accueilli la perspective d'un revenu supplémentaire grâce à un emploi à temps partiel pour Jeanne.

La solution relative à l'argent dépensé au bar du club de golf a été plus difficile à mettre en pratique qu'ils ne le croyaient. Après avoir essayé à plusieurs reprises de s'en aller immédiatement après une partie de golf, David s'est rendu compte qu'il était difficile de résister à la tentation. Ses partenaires de golf lui disaient presque immanquablement de ne pas se conduire en « trouble-fête ». En outre, quelques verres après une partie le détendaient et il aimait échanger des plaisanteries au pavillon du club. David et Jeanne se sont attelés à ce problème persistant en utilisant avec plus de succès les techniques nouvellement apprises. Ils ont proposé une variété de solutions intéressantes et ont décidé finalement que David resterait au club pour y prendre un verre un jour sur deux au plus. Le jour où il quitterait le club immédiatement après sa partie, il expliquerait qu'il devait consacrer ce jour-là à ses enfants ou à sa famille. Le jour où il y resterait, il s'en tiendrait à un jus d'orange ou à une seule bière. La solution a été heureuse puisque tout a fonctionné comme prévu.

Jeanne et David ont constaté que leur projet de réduire de moitié les dépenses de Jeanne avait besoin de quelques ajustements. Elle avait fait des promesses à sa mère et à ses enfants : « Comment dire à maman et aux enfants qu'ils n'auront pas les cadeaux promis ? » Jeanne et David ont convenu que la meilleure conduite était encore l'honnêteté ; à son grand étonnement, Jeanne s'est heurtée à moins de résistance qu'elle ne le croyait lorsque les intéressés ont été mis au courant.

Il est rare que les couples résolvent leurs problèmes dès la première tentative. Une amélioration graduelle par « approximations successives » est plus probable. Trop naïvement, de nombreux couples s'attendent qu'*une seule* séance de résolution de problèmes élimine automatiquement toute discussion ultérieure. Néanmoins, si les étapes soulignées ci-dessus sont suivies, des modifications à une solution originale sont habituellement tout ce qui est nécessaire. Ainsi, plutôt que de revenir au point de départ, ils n'ont qu'à effectuer des ajustements quotidiens à la suite de brèves discussions.

Réactions des couples qui ont maîtrisé les nouvelles techniques de résolution de problèmes

David et Jeanne ont été enchantés de leurs nouvelles aptitudes. Ils ont trouvé les techniques de résolution de problèmes efficaces pour régler non seulement des difficultés financières, mais aussi des problèmes et des conflits reliés à l'emploi de David, à leurs vacances et à l'éducation des enfants. Ils ont discuté de l'emploi à temps partiel de Jeanne en suivant les mêmes règles.

Jeanne: «Avant d'avoir élaboré nos techniques de résolution de problèmes, je redoutais les discussions au sujet de nos difficultés. Nous finissions invariablement par nous disputer ou à nous éviter complètement durant des heures. Maintenant, nous pouvons régler la plupart de nos discussions sans argumenter. Je n'irais pas jusqu'à dire que nous avons résolu tous nos problèmes, mais maintenant, lorsque nous ne sommes pas d'accord, nous savons pourquoi et nous ne perdons pas un temps fou à essayer de parler de dix problèmes à la fois. »

David: «Je n'aurais jamais pensé que nous pouvions être si enclins à l'entente. Jusqu'à présent, nous laissions accumuler les difficultés jusqu'à ce qu'elles explosent. A l'aide des techniques de résolution de problèmes, nous arrivons généralement à une solution réalisable ou, au moins, à une solution temporaire pour prévenir trop de dégâts. »

A quel moment s'attaquer aux gros problèmes?

Je vous ai suggéré de commencer par les problèmes modérément difficiles afin de vous familiariser avec cette nouvelle technique. Une fois que vous avez maîtrisé les huit étapes avec des problèmes simples, vous pouvez aborder des questions plus difficiles. Les couples constatent immanquablement qu'à mesure que le sujet de discussion devient plus épineux, il leur est beaucoup plus difficile de suivre les règles. Une discussion d'abord retenue sur de tels sujets peut rapidement donner lieu à un débat digne d'une salle de tribunal. Cependant, rappelez-vous que les huit étapes deviennent d'une plus grande utilité encore à mesure que croît la difficulté. L'abandon des règles de base de la résolution de problèmes à cette étape implique un retour aux démarches inefficaces et pénibles.

Les problèmes peuvent-ils tous être résolus au moyen des techniques de résolution de problèmes?

Absolument pas. La pertinence des étapes de la résolution de problèmes dépend de la personnalité des deux êtres en cause, de leur mode d'interaction, des problèmes auxquels ils se heurtent, des solutions qui leur sont offertes, s'il y en a, pour les aider à être plus heureux ensemble.

Si un partenaire se sent perdu ou confus, une séance d'écoute active, non pas de résolution de problèmes, est requise. Dans d'autres cas, des sentiments pénibles peuvent être apaisés par un geste amoureux ou une intimité sexuelle partagée. Les solutions de certains problèmes ne peuvent être découvertes qu'au moyen de la négociation et des compromis, ce dont je discuterai au chapitre suivant. Il est parfois préférable de se disputer plutôt que d'opter pour la résolution de problèmes (voir les chapitres 9 et 10). Plus loin, je discuterai de l'application des techniques de résolution de problèmes et des questions que les couples modernes trouvent fréquemment très difficiles à aborder: comment partager le travail à l'intérieur et à l'extérieur de la maison de façon qu'aucun partenaire n'ait l'impression d'être le perdant, comment régler des questions relatives aux relations extra-conjugales et comment aborder la séparation. Cependant, la plupart des couples qui ont mis en pratique les huit étapes de résolution de problèmes décrites dans ce chapitre trouveront qu'ils sont beaucoup mieux préparés à attaquer les questions plus exigeantes.

CHAPITRE 8

L'art d'établir des compromis à l'amiable

Il faut être deux pour former un couple, deux êtres qui ne sont jamais identiques. Même s'ils partagent certaines ambitions et attentes envers la vie et qu'ils ont des goûts en commun, deux individus diffèrent nécessairement en certains points. Elle, par exemple, préfère la vie citadine, alors que lui caresse l'idée de vivre à la campagne. Il aimerait passer la soirée à un match de baseball, mais elle préférerait assister à un spectacle de ballet. Elle adore les plages de la Floride et il préfère un voyage en Europe. Il veut que ses enfants reçoivent un enseignement en français, mais elle veut qu'ils étudient en anglais. Elle pense que le mariage devrait comporter de nombreux « dialogues » alors qu'il préfère passer aux « actes ». Il aime les rapports sexuels actifs, mais elle préfère les caresses lentes. Elle désire un mariage monogame, alors qu'il a une préférence pour la formule des mariages ouverts. Il pense qu'il devrait être le partenaire dominant, mais elle préférerait une relation égalitaire.

Ces différences ne ressortent pas d'une seule et même relation. J'ai utilisé des exemples qui se sont présentés durant nos cours sur les démarches de survie. Dans chaque cas, les partenaires en question ont réussi à concilier leurs différences individuelles à leur satisfaction mutuelle. Avant de poursuivre la lecture de ce chapitre, essayez de noter sur papier dix sujets que vous et votre partenaire voyez du même oeil et dix autres à propos desquels vos opinions et préférences diffèrent.

La recherche a révélé que les couples voient leurs différences de l'une des trois façons suivantes :

Les « Autruches » ou « Il n'y a pas de différences entre nous »

Il y a des couples qui nient avoir déjà eu des préférences ou intérêts différents à propos de questions importantes. Cependant, nos recherches nous ont démontré que, à peu d'exceptions près, tous les couples présentent certaines dissemblances entre les partenaires. Autrement dit, même si deux partenaires sont très compatibles, ils ont aussi des différences d'intérêt ou d'opinion importantes. Il semblerait que les deux partenaires d'un couple « d'autruches » contournent soigneusement leurs différences comme s'ils craignaient que toute reconnaissance de divergence entre eux ne revienne à une trahison, ou à dire « Je ne t'aime pas ». Ceux qui s'enfouissent ainsi la tête dans le sable courent un risque terrible. L'un des partenaires, ou les deux, peuvent éventuellement faire surface pour découvrir que des difficultés tout d'abord insignifiantes sont devenues monumentales et peut-être irrémédiables.

« Nous devrions être semblables »

Un second type de partenaires se querellent constamment à propos de leurs différences. Aucun des deux ne peut accepter que l'autre ne soit pas fait à son image et chacun punit l'autre qui ose être différent. Ce couple du type « Faucon » est étudié plus en détail au chapitre 9.

« Comment régler nos différends ? »

Ce troisième type de partenaires reconnaissent qu'ils sont semblables en certains points mais qu'ils sont aussi différents en d'autres. Au lieu de s'enfouir la tête dans le sable ou de se déclarer la guerre, ils acceptent qu'ils ne sont pas identiques et ils essaient de concilier leurs différences d'une façon mutuellement acceptable. Je vais m'attarder ici sur les techniques de négociations et de compromis qui ont aidé efficacement des partenaires à aboutir à un accord à propos de leurs différences.

La négociation

Lorsque deux parties, dans ce cas deux partenaires d'un couple, sont dans une situation où leurs intérêts et préférences diffèrent, il peut y avoir concertation. Pour ce faire, chaque membre du couple doit admettre, soit ouvertement ou en lui-même, que chacun opte pour une solution différente. L'objectif de la concertation devient alors la découverte mutuelle d'une solution à leur divergence d'intérêt, qui soit acceptable pour les deux. Habituellement, mais pas toujours, la meilleure solution négociée provient d'un compromis.

Les compromis

Durant leur négociation, les membres du couple peuvent proposer plusieurs solutions possibles. Il y a compromis lorsque les deux personnes, qui, au départ, favorisaient des solutions différentes, parviennent à s'entendre sur une nouvelle solution par laquelle les désirs acceptés et les demandes refusées de chacun sont égaux à ceux de l'autre. Cependant, ce ne sont pas tous les compromis qui s'avèrent heureux. Un compromis sera satisfaisant et réussira à améliorer la relation du couple si les deux partenaires gagnent plus qu'ils ne perdent avec la solution qu'ils ont adoptée. Par contre, certains compromis s'avèrent une mauvaise solution si l'un des partenaires ou les deux perdent trop. Des compromis boiteux, surtout à propos de questions importantes, diminueront à la longue la qualité de la relation amoureuse.

Pourquoi de nombreux couples évitent-ils la négociation et les compromis?

De nombreuses personnes s'opposent à la négociation ou aux compromis et ce pour une multitude de raisons. Je vais discuter de cinq résistances typiques que les partenaires expriment pour expliquer leur réticence.

« Nous n'avons pas à débattre de quoi que ce soit. Nous sommes toujours d'accord. »

Deux types de couples adoptent cette attitude: les « autruches » et les partenaires très compatibles. Les « autruches » évitent la confrontation même s'ils ont des différends critiques. Malheureusement, les problèmes qu'ils ignorent prennent de l'ampleur et, éventuellement, éclatent.

Les partenaires très compatibles sont chanceux pour bien des raisons. Ils partagent des opinions et préférences identiques sur tous les aspects importants de leur relation, dont la sexualité, l'amour, l'argent, les enfants, etc. Les personnes similaires à ce point n'ont pas besoin de débattre aussi souvent que les partenaires qui sont plus « opposés », car, jusqu'à maintenant, elles n'ont tout simplement pas eu autant de conflits de préférence sur aucune des questions importantes. Cependant, les partenaires compatibles qui n'ont pas appris à débattre un différend courent un certain risque: lorsqu'un différend majeur se présente, ils peuvent être mal préparés.

« Oh, mais nous ne serons jamais en désaccord », répondront peut-être les partenaires très compatibles. Rappelez-vous toutefois qu'un optimisme aveugle n'est jamais prudent. Plusieurs événements et crises inattendus ou prévus qui se produisent au cours d'une vie peuvent entraîner des différences « nouvelles » ainsi que des conflits: le vieillissement, une maladie soudaine, le chômage, un nouvel emploi, un enfant qui quitte le foyer, un partenaire qui se fait un ami que l'autre partenaire n'aime pas, même un nouveau passe-temps. Soudain, le « couple parfait », qui semblait « si heureux ensemble », se sépare. Ils *étaient* heureux tant qu'ils n'ont pas eu à se heurter à un problème qui demandait des stratégies de concertation, qu'ils n'avaient jamais développées : leur première différence « importante » s'est avérée inconciliable.

« *La négociation convient bien aux affaires mais elle dépersonnaliserait notre relation intime.* »

Le terme négociation effraie de nombreux couples. Certains supposent que la concertation entre partenaires est identique à la négociation entre la direction et les syndicats ou entre l'employeur et les employés. Il est vrai que les principes dont s'inspirent les experts de chaque domaine pourraient leur être mutuellement profitables mais il existe de nombreuses techniques que la partie patronale et la partie syndicale utilisent au cours de leurs négociations et que les couples ne devraient jamais employer, à moins qu'ils ne prévoient se séparer. Cependant, la concertation entre partenaires partage trois caractéristiques essentielles avec les négociations entre la direction et les employés : 1) la concertation est nécessaire parce que les parties intéressées ont des divergences d'opinion importantes sur des questions cruciales ; 2) cette divergence doit être réglée au moyen d'une solution acceptable pour les deux parties ; et 3) si aucun compromis convenable n'est atteint, l'une des parties ou les deux seront lésées.

Il n'est pas nécessaire que la concertation entre partenaires soit empreinte de gravité. En fait, elle peut devenir un échange amusant, même excitant, en aidant les partenaires à se donner mutuellement chaleur et compréhension. Le succès d'une concertation entre partenaires dépend de la façon dont le couple aborde le règlement de leurs différends.

« *La concertation éliminerait la magie de notre relation.* »

Certains évitent la concertation et la résolution de problèmes parce qu'ils craignent de détruire l'aspect romantique de leur relation amoureuse. Ils ont peur que la confrontation et le marchandage à propos d'un problème les éloignent davantage de leur idéal intangible : leur prince ou leur princesse vivant dans la paix et le contentement éternels, dans une maison remplie de fleurs. Mais cet idéal est tout simplement irréaliste et, comme je l'ai déjà souligné au chapitre 3, peu de couples réussissent à perpétuer la passion qu'ils ressentent lorsqu'ils « tombent amoureux », à moins qu'ils ne se voient qu'une fois par mois. Dans la plupart des cas, si les partenaires n'apprennent pas les techniques de concertation, la « magie » va disparaître, justement parce que n'ayant pas concilié leurs différences, ils se réveillent pour constater qu'ils ne peuvent même plus se tolérer l'un l'autre.

Il est probable que vous constatiez que la concertation, lorsqu'elle est menée d'une façon sensée, peut, en fait, renouveler la « magie » de votre relation amoureuse. En effet, les problèmes qui vous détournent des aspects romantiques de votre vie commune finissent par être résolus. En fait, de nouveaux compromis peuvent vous rendre, vous et votre partenaire, plus heureux. Vous pouvez très bien vous sentir plus près l'un de l'autre lorsque vos différences sont reconnues et conciliées.

Le choix du moment est crucial pour mener une concertation efficace. Je recommande que les séances de concertation soient restreintes à certains moments et à des endroits bien définis. N'essayez pas d'entreprendre une concertation durant un jeu sexuel, un dîner romantique, une excursion avec les enfants ou lors de vacances de détente. Planifiez vos séances de concertation de sorte qu'elles n'empiètent pas sur ces précieux « moments magiques ».

« Pourquoi se concerter ? Les choses se passent comme je le désire. »

Le partenaire qui bénéficie plus que l'autre d'une entente déjà existante a souvent tendance à croire qu'il n'y a rien à gagner de la concertation. Le mari qui ne veut pas que sa femme travaille ou participe à l'élaboration d'un budget correspond à cette description, tout comme la femme qui refuse nettement de discuter d'une difficulté sexuelle ou de laisser son mari développer des liens plus étroits avec leurs enfants. Il est évident qu'il n'est pas possible de trouver une issue à toutes les impasses de ce type au moyen de la concertation, mais souvent cela vaut la peine d'essayer.

« Je suis trop fâché(e) pour envisager une concertation. »

La concertation exige que les deux partenaires maîtrisent leur colère. Une séance de concertation n'est pas une séance de lutte. Si les sentiments de colère d'un partenaire ou des deux sont tellement forts qu'ils ne peuvent pas respecter les règles de la concertation juste, alors un bon affrontement loyal peut s'avérer plus constructif. Cependant, une fois que la pression a quelque peu diminué, il est souvent plus raisonnable de discuter des différences que de se quereller à leur sujet.

Certains partenaires pensent que s'ils se sentent en colère, l'unique et meilleure façon d'exprimer leur sentiment est de faire état de leurs plaintes et de critiquer. Une séance de concertation peut débuter assez bien par la formulation d'un grief ou d'une demande de changement, mais une fois que ceux-ci sont exprimés, ces critiques doivent donner lieu à des stratégies de survie du couple telles que le « brainstorming », l'écoute, ou la suggestion de compromis. L'utilisation de techniques de concertation durant un moment de colère ou de découragement nécessite de la pratique. Les partenaires profondément frustrés ou prompts à exprimer leur colère au moyen d'attaques furieuses ou de vertes critiques peuvent trouver difficile l'exercice du contrôle de soi indispensable pour mener à bien un échange de vue. Ces personnes pourraient croire sincèrement que leur partenaire les a blessées tellement souvent et profondément que c'est à lui (elle) de faire les premières avances avant qu'elles ne le fassent. Une impasse classique de ce genre n'incite pas à la concertation : si les deux conjoints disent « Vas-y en premier », personne ne bouge. Quant à ceux qui disent « Je ne te donnerai pas ce que tu veux parce que tu ne me donnes pas ce que je veux », leur attitude produit le même effet. Les partenaires prisonniers de ce type d'impasse ne trouveront probablement pas de satisfaction dans leur liaison.

La négociation loyale

La négociation loyale se fonde sur une philosophie opposée à celle des individus qui disent « Vas-y en premier » ou « Je ne te donnerai pas ce que tu veux parce que tu ne me donnes pas ce que je veux ». La concertation loyale exige que les deux partenaires adoptent plutôt l'attitude suivante : « Je vais faire de mon mieux pour concilier notre différence de façon que nous soyons tous les deux également satisfaits. » Cette ouverture aux compromis est adoptée par des partenaires qui savent fort bien qu'une solution à un problème qui rendrait l'un heureux et l'autre mécontent, verrait leur relation amoureuse en souffrir avant longtemps.

Il est important que les partenaires reconnaissent qu'il est rarement dans l'intérêt du couple d'adopter une solution qui satisfasse un partenaire et lèse l'autre. Pour leur bien, il peut s'avérer nécessaire qu'un(e) partenaire accepte une solution qui ne soit pas son premier choix mais qui soit acceptable par l'autre. « Mais pourquoi faudrait-il que ce soit moi qui en souffre ? » dira la personne qui a l'habitude de défendre ses propres intérêts. « Mon (ma) partenaire fait rarement de sacrifices pour moi. » La *prémisse de réciprocité*, la pierre angulaire de l'élaboration de bonnes techniques de concertation à deux, offre une réponse à cette objection : « Je sais que si j'ai le souci constant de te rendre heureux(se) (en abandonnant ma solution préférée et en acceptant un compromis que tu peux aisément faire tien) et que, de ton côté, tu gardes à l'esprit de me rendre heureux(se), nous serons tous les deux gagnants à la longue. » Voilà donc l'attitude qui dénoue l'impasse créée par la réticence à faire les premiers pas.

Comment négocier équitablement

ÉTAPE 1

Commencez par une question facile.

Si vous voulez apprendre comment composer en couple et que vous ayez peu d'expérience, il est préférable de vous exercer à régler un problème assez facile. Autrement dit, commencez par une question qui ne provoque pas trop de tension. Sinon, il peut arriver que votre séance dégénère en une mauvaise querelle, ou que l'un de vous, ou vous deux, finissiez par sortir de la pièce dans un silence courroucé.

ÉTAPE 2

Faites une séance de « brainstorming » pour proposer des compromis possibles : la concertation commence là où cesse la résolution de problèmes.

Il peut arriver que vous et votre partenaire suiviez les étapes de la résolution de problèmes mentionnées au chapitre 7, en réussissant à envisager diverses solutions à un problème, pour vous rendre compte que vous n'arrivez pas toutefois à cerner une solution qui soit acceptable pour vous deux. Alors, il est maintenant temps de chercher des solutions de compromis.

Les expériences d'Alain et de Marie, qui ont participé à nos cours sur les démarches de survie, illustrent bien ces étapes.

La séance de concertation d'Alain et de Marie

DÉFINITION DU PROBLÈME : Marie estime qu'Alain passe trop de temps (de 7 à 10 heures par semaine) à faire de la course à pied avec ses amis. Alain aimerait que Marie se mette en forme. Actuellement, elle ne suit aucun programme d'exercice.

Après avoir fait un « brainstorming » durant une séance de résolution de problèmes, le couple a proposé la liste suivante de solutions possibles.

SOLUTIONS POSSIBLES	*DEGRÉ DE DÉSIRABILITÉ*	
	MARIE	ALAIN
1. Marie se joint au club de course à pied cinq soirs par semaine	1	10
2. Alain abandonne la course à pied trois fois par semaine	10	1
3. Nous jouons au tennis ensemble trois fois par semaine	5	4
4. Nous prenons des cours de danse aérobique ensemble	10	3

Comme vous pouvez le constater, aucune des solutions proposées n'était mutuellement acceptable. Dans les séances subséquentes de cours de démarches de survie, Alain et Marie ont appris les principes de négociation et de compromis suivants.

A. Il peut être possible de combiner deux solutions, ou d'en modifier une de façon qu'elle devienne acceptable pour les deux partenaires. Ainsi, après en avoir discuté, Alain a décidé qu'il était disposé à jouer au tennis deux fois par semaine, s'il pouvait courir encore au moins quatre fois par semaine. Cependant, si Alain continuait à courir au club sportif après son travail, cela pouvait encore fortement contrarier Marie. Alain a donc proposé de courir avant le petit déjeuner ou à l'heure du déjeuner de façon à être libre pour jouer au tennis avec Marie deux fois par semaine et à pouvoir passer plus de temps avec sa famille aux heures du dîner. Cette modification des premières solutions ont satisfait les deux partenaires.

B. Parfois, les discussions au sujet des avantages et des inconvénients des solutions proposées pour chaque partenaire révèlent la nécessité de trouver une solution complètement nouvelle. Ainsi, Marie pratiquait volontiers la marche et la bicyclette durant l'été mais, pour reprendre ses propres mots, avait besoin « de se faire pousser dans le dos pour rester active durant les mois plus froids ». Alain, par contre, n'aimait pas tellement courir durant l'hiver mais adorait le faire durant l'été. Étant donné que leurs préférences différaient radicalement, ils se sont entendus sur une résolution entièrement nouvelle pour en arriver à un compromis : en hiver, Alain limitera sa course à pied à deux fois par semaine ; ils joueront au tennis ensemble une fois par semaine ; un soir par semaine, ils suivront un cours de danse aérobique ensemble et un autre soir, Marie ira seule ; durant l'été, par contre, ils laisseront tomber la danse et Marie accompagnera Alain deux fois par semaine dans ses longues promenades à bicyclette.

C. Dans certaines circonstances, le meilleur compromis réunit la solution préférée par l'un des partenaires pour un aspect du problème et la solution préférée de l'autre partenaire pour un autre aspect du problème. Ce qui comptait le plus pour Marie était que sa passion de la course ne tienne pas Alain éloigné de la famille. Celui-ci a proposé de cesser de courir après le travail et de joindre plutôt un groupe qui courait à l'heure du déjeuner de façon à être présent à l'heure du dîner pour aider à préparer le repas et consacrer du temps à sa famille. En échange, Marie a consenti qu'Alain fasse une longue course avec ses camarades du club le samedi après-midi, pendant qu'elle s'occuperait des enfants. Marie ferait un peu de danse aérobique et jouerait au tennis avec une amie un soir par semaine et, à la maison, ferait de la gymnastique suédoise.

ÉTAPE 3

Plutôt que de critiquer un comportement désagréable, suggérez-en un nouveau.

Alain et Marie ont eu une divergence d'opinion que nous traitons ci-après à propos d'une question plus délicate, ce qui a fait l'objet d'une séance de résolution de problèmes.

DÉFINITION DU PROBLÈME: Marie avait le sentiment qu'Alain réprimandait trop les enfants au sujet de la propreté de leur chambre. Alain, par contre, trouvait que Marie était trop indulgente envers eux. Le couple a proposé les solutions suivantes au cours de leur séance de résolution de problèmes.

SOLUTIONS POSSIBLES	DEGRÉ DE DÉSIRABILITÉ	
	ALAIN	MARIE
1. Alain cesse de crier contre les enfants lorsque leur chambre est en désordre	5	10
2. Marie cesse d'ignorer le désordre dans la chambre des enfants	10	5
3. Alain cesse de priver les enfants de sorties lorsqu'ils laissent leur chambre en désordre	1	10
4. Marie cesse de permettre aux enfants de sortir lorsqu'ils n'ont pas rangé leur chambre	10	5

Pouvez-vous identifier les problèmes que soulève ce type de solution lorsque celle-ci est utilisée comme base de concertation? Chaque partenaire demandait que l'autre cesse un comportement irritant. Aborder la situation en demandant de «cesser de faire cela» peut produire un effet négatif sur la concertation en annulant la possibilité de changement et en décourageant le partenaire qui est l'objet de critique.

En n'oubliant pas la prémisse de réciprocité, Alain et Marie ont poursuivi leur discussion et en sont venus au compromis suivant, de concert avec leurs enfants: les deux féliciteraient leurs enfants lorsque ceux-ci laisseraient leur chambre en ordre; par contre, s'ils ne rangeaient pas leur chambre chaque jour, Marie a convenu que chaque enfant perdrait une partie de son argent de poche et que trois écarts de conduite seraient punis par une interdiction de regarder la télévision. Les enfants ont aimé la proposition et ont accepté de la mettre à l'essai.

ÉTAPE 4

Faites l'essai des ententes négociées durant une période de temps limitée et clairement définie.

De nombreux couples proposent des suggestions de compromis originales et prometteuses lors de leurs premières séances de concertation mais constatent, après un certain temps, que la solution adoptée avec tant d'enthousiasme ne fonctionne pas aussi bien qu'ils l'avaient espéré. « Cela valait-il toute cette peine ? » se demanderont-ils peut-être.

En faisant l'essai d'une entente pendant une période de temps limitée et clairement définie, les partenaires diminuent le risque de perte de motivation. Pendant ce temps, les deux partenaires conviennent de faire de leur mieux pour respecter leur entente. Cependant, lorsque le temps limite est écoulé, ils discutent du succès de leur accord et de la viabilité possible de ce dernier. Chaque entente devrait être provisoire jusqu'à ce qu'elle soit mise à l'essai. Un événement imprévu a entravé l'accord de Marie et Alain au sujet de l'exercice physique lorsque Alain a été forcé de changer ses heures de travail. Quant à l'entente avec les enfants, elle a été temporairement suspendue lorsque l'un des enfants a attrapé une pneumonie et a été confiné à la maison durant un mois. Deux forces majeures qui ont nécessité la reconsidération des premiers compromis proposés par Alain et Marie.

ÉTAPE 5

Définissez avec précision les termes du compromis.

Une entente doit être définie avec précision, sinon ses répercussions deviennent difficiles à évaluer. L'entente originale d'Alain et de Marie au sujet de la chambre des enfants prévoyait qu'Alain féliciterait les enfants lorsque ceux-ci rangeraient leur chamnbre et que Marie serait plus sévère avec eux dans le cas contraire. Mais combien de fois faut-il féliciter et comment et quand Marie devrait-elle sévir ? En ne définissant pas clairement ces termes, Alain pourrait multiplier les compliments sans que Marie trouve que ce soit suffisant. De même Alain pourrait considérer que Marie est encore trop tolérante. Après en avoir discuté davantage avec les enfants, le couple a élaboré son entente initiale en définissant ces points de façon plus précise pour éviter des difficultés d'interprétation.

Des échanges de vues difficiles à la suite d'information incomplète.

Certaines mésententes sont très difficiles à régler par la voie de la négociation parce que les partenaires ne possèdent pas les faits essentiels et, par conséquent, ne peuvent s'entendre sur les aspects de leur problème. Ainsi, au chapitre du travail, un couple ne disposait pas des données de base sur le nombre d'heures de travail de chacun, et ignorait totalement, avant d'avoir préparé un budget, jusqu'à quel point son salaire à elle était indispensable. Les partenaires ont donc reporté leur séance de concertation au sujet du travail à la maison ainsi que du travail à l'extérieur de la maison jusqu'au moment où ils auraient en main toutes les données. Au cours de l'échange de vues, de nombreuses situations pourront être réglées si les partenaires auront pris soin de réunir les détails nécessaires. Les couples qui ont participé à nos cours de démarches de survie ont découvert qu'ils pouvaient se préparer à la concertation en effectuant l'auto-observation de points tels que leur consommation d'alcool, de cigarettes et d'aliments riches, le temps passé au travail, aux loisirs ensemble, la fréquence de nettoyage de la maison, les revenus et les dépenses.

Une entente écrite est-elle nécessaire ?

Dans le cours de survie, certains couples ont trouvé utile de clore une séance de concertation par la rédaction de l'entente qu'ils ont conclue. Un avantage de consigner par écrit la décision prise est que lorsque vient le temps d'évaluer le succès de l'accord, il y a moins de risque qu'un trou de mémoire vienne embrouiller la discussion. En outre, en écrivant leur compromis, les partenaires peuvent se rendre compte qu'un élément de l'entente a été formulé trop vaguement. Une entente écrite produit également un effet motivant sur certains couples. En effet, les deux partenaires s'efforceront de respecter davantage l'entente si celle-ci est plus « officielle ».

Par contre, certains peuvent trouver que la préparation d'un contrat écrit est trop formelle et demande trop de temps. Il est évident que les couples qui n'ont pas de difficulté à se rappeler ou à respecter leurs ententes de vive voix n'ont pas besoin de perdre leur temps à les écrire s'ils ne le veulent pas. Cependant, si les trous de mémoire entraînent des désaccords du genre « Ce n'est pas ce que nous avions décidé de faire ! », une entente écrite peut s'avérer une aide précieuse pour traiter de questions délicates qui sont source de tension dans la vie commune.

Quand les partenaires ne respectent pas une entente...

Souvent, aussitôt qu'un partenaire remarque que l'autre a manqué à son engagement, il ou elle renonce immédiatement à ses propres promesses. Cependant, il est habituellement préférable de continuer à respecter l'entente, même unilatéralement, jusqu'à ce que la limite de temps convenue se soit écoulée. Les deux partenaires peuvent donner leurs opinions sur les points forts et les points faibles de leur première entente et le partenaire qui s'est senti porté à abandonner le premier peut proposer des modifications à l'entente originale de façon qu'elle soit plus facile à respecter.

De nombreuses divergences entre couples se résument à une question d'habitude et les habitudes ne peuvent être changées qu'en une étape à la fois, jamais en une soirée. La tendance qu'avait Alain de crier contre les enfants lorsque leur chambre était en désordre et la tendance qu'avait Marie de leur pardonner affectueusement pour la même faute étaient toutes deux des habitudes de longue date. Après avoir mis à l'essai pendant environ une semaine leur entente relative au rangement de la chambre par les enfants, Alain et Marie ont révisé leur compromis. Alain avait l'impression qu'il avait respecté à moitié sa part du compromis et Marie était tout aussi ambivalente à propos de son propre progrès. Ils se sentaient découragés. De nombreux couples, à ce stade, seraient tentés d'envoyer au diable la concertation. Cependant, quiconque a négocié une entente mutuellement satisfaisante et réussi à respecter ne serait-ce que la moitié du plan convenu durant la première semaine est dans la bonne voie. Dans les séances subséquentes des cours sur les démarches de survie, Marie et Alain se sont rendu compte que ce n'était que par la pratique et un effort soutenu que leurs compromis produiraient un changement durable. J'ai encouragé Alain à essayer de diminuer d'une fois ses semonces et de faire un compliment une fois de plus durant la deuxième semaine. De même, j'ai demandé à Marie de céder une fois de moins et de faire acte d'autorité une fois de plus.

Alice et Grégoire se heurtaient à des difficultés semblables à celles d'Alain et de Marie. En effet, depuis qu'Alice avait commencé à travailler à plein temps, elle fumait jusqu'à deux paquets de cigarettes par jour. Tous les deux voulaient un enfant et espéraient qu'Alice devienne enceinte au cours de l'année. Mais Grégoire, un non-fumeur, exigeait qu'Alice abandonne la cigarette avant qu'elle ne soit enceinte. Le couple est arrivé à une entente selon laquelle Alice cessait de fumer complètement et immédiatement. Leur séance de concertation s'est terminée sur une note très positive mais leur satisfaction à l'égard de cette entente n'a duré que trois jours. Alice a respecté l'entente, jusqu'au troisième soir, lorsque Grégoire lui a lancé: «Tu manges sans cesse depuis que tu as cessé de fumer et tu es à prendre avec des gants blancs. » Alice a fondu en larmes et, une demi-heure plus tard, elle sortait pour s'acheter un paquet de cigarettes, au grand chagrin de Grégoire.

Comment Alice et Grégoire auraient-ils pu éviter cette frustration? Pouvez-vous voir comment ils auraient pu améliorer les chances de succès de leur entente? L'un des défauts importants de leur entente était que celle-ci ne nécessitait un effort que de la part d'Alice. Même si les deux partenaires profitaient du fait que Alice cessât de fumer, l'entente dispensait Grégoire d'apport de quelque nature que ce soit. Ainsi, même si le couple avait convenu qu'ils iraient en vacances ensemble lorsque Alice se serait abstenue de fumer pendant un mois, Grégoire n'avait rien à faire entretemps pour faciliter la tâche à Alice. On pourrait avancer que le fait de fumer était le problème d'Alice. Mais mon expérience m'a révélé qu'une solution qui demande un effort de la part des deux partenaires a de plus grandes chances de succès. Grégoire et Alice ont réexaminé leur entente pour la modifier de la façon suivante :

ALICE : Je vais cesser de fumer, dès maintenant. Pour ne pas être obsédée par mon envie de fumer, je vais essayer de demeurer active en faisant de l'exercice et en m'occupant autour de la maison. Pendant le premier mois, je vais probablement gagner du poids mais je ne vais pas essayer de manger moins. Une chose à la fois.

GRÉGOIRE : Je vais aider Alice à cesser de fumer en l'encourageant dans ses efforts. Je vais souligner l'importance de ce qu'elle fait et éviter de mentionner la quantité de nourriture qu'elle mange. Si elle se fâche, je contiendrai ma colère et me montrerai compréhensif.

Grâce à leurs efforts conjugués, leur seconde tentative pour atteindre leur but a réussi. Alice a gagné huit livres mais les a perdues l'été suivant. Elle était très irritable durant les premiers dix jours de son abstinence mais Grégoire a trouvé de nouvelles façons de la faire rire et, au dire d'Alice : « Il m'a tellement occupée à faire des choses que, souvent, j'oubliais complètement la cigarette. »

Les différences inconciliables

Toutes les différences ne sont pas conciliables. N'importe quelle bonne association de partenaires représente un compromis délicat entre le respect des préférences individuelles et les demandes de changement effectuées par chaque partenaire. Évidemment, la réussite de toute relation intime dépend dans une large mesure du degré de compatibilité des préférences des partenaires. Une relation de partenaires qui doivent constamment débattre de compromis au sujet de plus de cinq mésententes importantes au centre de leur vie commune sera davantage soumise à des tensions qu'une relation qui ne nécessite une négociation de compromis à propos que d'un sujet ou deux. De plus, le degré de contraste entre les préférences des partenaires variera entre le conciliable et l'inconciliable. Si, par exemple, elle préfère vivre dans la nature sauvage du Grand Nord et lui en plein coeur de Montréal, il y a là un écart d'appréciation radical à combler pour concilier leurs préférences. Dans ce cas, une adhésion complète à la préférence d'un partenaire rendrait l'autre malheureux. Aussi, plusieurs types de compromis entre ces deux situations diamétralement opposées entraîneraient des pertes énormes pour chacun. En effet, ce n'est pas seulement le nombre de compromis requis de la part des deux partenaires qui déterminera le bonheur total qu'ils peuvent retirer chacun de leur relation. Il y a deux autres facteurs. Premièrement, le degré de plaisir ou de satisfaction qu'on éprouve dans chaque facette de la relation est important. Si chaque partenaire retire beaucoup de satisfaction de la communication du couple, des sentiments de respect mutuel et d'appui réciproque, des plaisirs que procurent les enfants ou les entreprises communes et du partage des responsabilités, les frustrations résultant de l'acceptation d'une solution qui n'est pas sienne sembleront relativement faibles en comparaison et, par conséquent, plus faciles à accepter. Cependant, un couple qui n'a pas développé ou maintenu une variété de sources de satisfaction mutuelle court un risque plus élevé de détresse conjugale. Dans ce type de couple, chaque individu sentira tout simplement qu'il perdra trop, quel que soit le compromis adopté.

Pour que le principe de réciprocité puisse prévaloir, il est nécessaire que les deux partenaires reçoivent déjà de leur liaison une variété d'éléments satisfaisants. Alors, chaque partenaire peut sentir intuitivement la sagesse d'un compromis dans l'intérêt de la bonne entente, car l'harmonie conjugale est suffisamment solide pour en valoir l'effort. Par contre, il n'est pas facile pour un partenaire qui ne retire aucune satisfaction de sa liaison de croire en la valeur de la concertation loyale pour son couple. Que devraient donc faire les partenaires qui sont dans cette situation? Au chapitre 13, je vais discuter du problème de la décision du moment et de la façon de se séparer.

Le rôle de la récompense et de la punition dans la négociation en couple

Certains conseillers matrimoniaux[8] d'orientation behaviorale ont recommandé que les couples adoptent des moyens d'encouragement (récompenses pour adhésion à une entente) et des moyens de dissuasion (punitions pour non-adhésion) à leurs ententes de compromis. Ces conseillers soutiennent que la réussite d'une conciliation des différences entre intimes nécessite que le couple arrive à une entente réalisable au moyen de la discussion d'abord et qu'ensuite, il mette en pratique cette entente ensemble. Ceux qui prônent l'utilisation des récompenses et des punitions allèguent que la plupart des couples réussissent assez bien la phase de discussion mais que plusieurs éprouvent des difficultés à mettre en pratique l'entente négociée. Les techniques de renforcement positif et de la punition s'appliquent bien à l'éducation des enfants, pourquoi alors ne fonctionneraient-elles pas avec les adultes? Grégoire et Alice auraient pu inclure une incitation au respect de leur entente en allouant à Alice la somme de 5$ pour chaque jour qu'elle ne fumerait pas, mais devrait faire par contre *tout* le travail de maison le jour où elle ne respecterait pas sa part des compromis en fumant une cigarette. Quant à Alice, elle récompenserait Grégoire avec un repas de gourmet cuisiné à la maison à la fin de chaque semaine au cours de laquelle il aurait respecté sa part de l'entente. Grégoire, lui, préparerait les repas de tous les jours où il critiquerait les habitudes de manger d'Alice ou son irritabilité. De même, l'entente de Marie et d'Alain, conçue pour améliorer leurs aptitudes de parents, aurait pu inclure les dispositions suivantes relativement aux récompenses et aux punitions: Marie dormirait tard le dimanche matin durant les semaines où elle aurait respecté son entente, mais il lui faudra sortir les poubelles de la semaine si elle ne la respectait pas. Alain aurait la permission de regarder le football le samedi après-midi s'il respectait sa part de l'entente, mais il laverait la vaisselle chaque soir qu'il crierait contre les enfants.

Jusqu'à présent, les résultats de la recherche visant à démontrer que ce style d'utilisation du renforcement positif et de la punition aide vraiment les couples perturbés à améliorer leur relation amoureuse ne sont pas concluants. En ce qui me concerne, j'ai découvert que la mention de récompense et de punition lors de la négociation peut en fait apporter de nouveaux problèmes au couple. Ce type d'entente est souvent difficile à mettre en pratique. En second lieu, même si les récompenses et les punitions peuvent aider certains couples à maintenir une entente, plusieurs trouvent désagréable la notion générale d'introduire des stimulants et des moyens de dissuasion dans une relation amoureuse. Enfin, l'inclusion de renforcements positifs et l'application de conséquences négatives dans une entente peut créer de nouveaux terrains de mésentente: «Ta récompense est plus grande que la mienne!» ou «Ma punition est plus radicale que la tienne!» Enfin, les partenaires peuvent ne pas s'entendre à propos de la pertinence ou de l'équité d'une récompense ou d'une punition.

J'en suis venu à la conclusion que l'utilisation de récompenses et de punitions ne devrait être effectuée que lorsque la concertation entre intimes est menée sous la supervision d'un professionnel compétent. En fait, il est souvent recommandé que les partenaires qui éprouvent énormément de difficulté à implanter les ententes acceptées mutuellement aient recours à un spécialiste du domaine conjugal (voir le chapitre 14).

Il n'est pas sage d'essayer de négocier l'amour ou le sexe

La concertation et le compromis conviennent tout à fait à la résolution de nombreux problèmes qui se posent dans la vie de couple. Cependant, la plupart des couples trouvent qu'il est préférable de laisser les principes de négociation au seuil de la porte de la chambre à coucher, loin de leur échange d'amour et d'affection. La concertation nécessite une attitude sérieuse, du sang-froid, de l'objectivité et des techniques de résolution de problèmes, alors que l'échange de plaisir sensuel dépend de la spontanéité, de la passion et de l'enjouement dans une atmosphère détendue. L'expression d'amour et d'affection dépend également de la sincérité spontanée : un partenaire a besoin de sentir qu'une caresse ou un compliment ont été offerts avec une réelle tendresse et non pas en contrepartie d'un compromis.

CHAPITRE 9

L'art du combat loyal

Notre culture a nourri de nombreuses certitudes irrationnelles à propos du sentiment de colère et de son expression. Pour cette raison, la plupart des gens ne sont pas préparés, tant sur le plan du comportement que sur celui des émotions, à composer avec la colère. Il existe presque autant de couples qui ont une peur excessive de la querelle (phobie de la querelle) que de couples qui se disputent sans cesse tout en n'en retirant aucun avantage. Bach[9] qualifie les premiers de « Colombes » et les seconds de « Faucons ». Malheureusement, notre société nous offre peu de modèles pour éviter ces deux façons extrêmes de composer avec la colère. C'est pourquoi peu de couples savent s'affronter de façon utile.

Dans ce chapitre, nous examinons la notion selon laquelle la colère est une réaction naturelle à la frustration. Nous étudions les mythes que nourrit notre société au sujet des altercations entre partenaires et nous suggérons à ceux-ci des façons d'en retirer des bénéfices. Dans le prochain chapitre, nous donnons des conseils aux couples qui présentent un risque élevé de violence physique lors de leurs échanges virulents. Nous décrivons également l'affrontement loyal. Enfin, nous vous présentons un test au moyen duquel vous pouvez évaluer dans quelle mesure votre style de querelle habituel est loyal.

Les couples qui ne se querellent jamais : les « Colombes »

Denise et Jacques, dont nous avons parlé au chapitre 4, sont venus nous consulter parce que tous deux trouvaient leur vie commune de plus en plus ennuyeuse. L'examen du couple a révélé qu'ils s'écoutaient très peu l'un l'autre et que Denise en particulier exprimait rarement ses sentiments. L'examen nous a également appris qu'au cours de leur relation, qui durait depuis cinq ans, Denise et Jacques ne s'étaient jamais querellés, ce dont ils parlaient avec fierté. Dans une entrevue ultérieure, Jacques a dévoilé qu'il avait commencé à avoir des relations sexuelles sporadiques avec des femmes qu'il rencontrait (au magasin à rayons où il travaille). Denise a répondu qu'elle n'a pas fait de scène quand Jacques le lui a appris.

Voici comment le couple a discuté de leur problème :

JACQUES *(l'air coupable)*: Cela n'a pas semblé te déranger beaucoup que je sois rentré tard jeudi soir dernier.

DENISE *(la voix ferme, l'air triste)*: Hé bien, j'ai toujours beaucoup trop de travail à faire à l'université. J'en ai profité pour me rattraper un peu.

JACQUES *(l'air surpris et peu sûr de lui)*: D'autres femmes auraient été jalouses.

DENISE *(sur la défensive et un peu sèchement)*: Je ne suis pas comme les autres femmes. Ce que tu fais les jeudis soir ne regarde que toi.

Il n'était pas facile pour l'observateur de savoir ce que chaque partenaire pensait ou ressentait réellement. Ce n'est qu'après plusieurs autres rencontres que Denise a parlé du mariage de ses parents. Elle a révélé que son père avait eu plusieurs maîtresses et que sa mère était une femme « d'intérieur et une ménagère » qui avait l'habitude de critiquer sévèrement son mari à propos de ses aventures. Son père ne répondait pas tant qu'il n'avait pas bu. Alors, non seulement il se défendait de vive voix en « accusant maman d'être frigide », mais il avait également recours à la brutalité. Autant Denise désapprouvait son père, autant elle s'était juré de ne jamais devenir comme sa mère. Elle souhaitait à tout prix ne jamais être dépendante, ni jalouse, ni recourir à un langage violent. Les aventures de Jacques la blessaient toutefois profondément et elle se demandait constamment si elles n'étaient pas dues à un certain manque dans leur propre union. Mais, comme plusieurs pacifistes ou « Colombes », elle ne voulait pas « semer la zizanie », de sorte qu'elle n'a jamais exprimé son chagrin ni sa colère.

Jacques n'a pas caché à Denise ses activités extra-conjugales, car il prétendait qu'ils avaient convenu de se le dire lorsque l'un ou l'autre aurait un amant ou une maîtresse. Il rapportait qu'il était mécontent que Denise consacrât trop de temps à son travail à l'université, ce qui l'obligeait à rester debout tard le soir et seul les fins de semaine. Cependant, il ne s'est jamais plaint de ses absences parce que, pour reprendre ses paroles, «elle aimait son emploi et avait tellement de travail à faire que je ne voulais pas l'accaparer davantage».

Ce couple de «Colombes» se heurtait à de nombreuses difficultés. Chaque partenaire avait des inquiétudes au sujet de l'autre et de leur relation amoureuse mais ne les exprimait jamais. Par conséquent, ils avaient la «paix» mais ils la payaient chèrement. Leur relation, au dire de chaque partenaire, était devenue extrêmement monotone. Sur le plan sexuel, ils avaient de moins en moins de rapports et rarement à leur satisfaction mutuelle. Ni l'un ni l'autre ne trouvaient leurs moments passés ensemble satisfaisants. Enfin, quelques mois de plus, et les escapades de Jacques l'auraient conduit à une liaison plus satisfaisante et à l'abandon de Denise. Pleinement consciente de ce risque, Denise a insisté pour qu'ils suivent tous les deux un cours de survie du couple.

Il est évident que Denise et Jacques auraient pu s'y prendre autrement pour apaiser leurs frustrations. Même si la pratique de la communication directe, soulignée au chapitre 4, les a considérablement aidés à enrichir leur vie commune, cela ne leur permettait pas d'aborder toutes les dimensions importantes de leur relation. Comment, par exemple, pouvaient-ils changer leur façon de se quereller? Avant de présenter les étapes qu'ont suivies Denise et Jacques pour apprendre l'art de l'affrontement loyal, nous allons étudier un couple dont le style de dispute était tout à fait l'opposé du leur.

Les couples qui se querellent trop, et de façon inefficace: les «Faucons»

Suzanne et Christian se sont présentés à notre clinique alors qu'ils étaient en pleine crise à la suite de l'une de leurs nombreuses querelles explosives. Leur dernière altercation s'est toutefois terminée différemment. Pour la première fois, Suzanne en est venue à lancer des assiettes sur Christian. Le visage grièvement coupé, il a riposté avec des claques qui ont poché un oeil à Suzanne. Leurs amis leur ont conseillé d'aller chercher conseil avant que quelque chose d'encore plus grave ne se produise.

Voici l'un des nombreux échanges enflammés dont nous avons été témoins au cours de notre premier entretien avec le couple:

SUZANNE (à *voix haute*): Pourquoi ne m'as-tu pas dit que tu t'attendais que j'aille chercher les enfants après l'école? Ils ont attendu au froid pendant une heure avant que le directeur ne m'appelle au travail.

CHRISTIAN *(élevant aussi la voix)*: Ne t'en prends pas à moi. Tu ne te souviens donc pas que nous avons décidé hier que *tu* irais les chercher à l'école?

SUZANNE: Mais pas le premier mercredi du mois. J'ai toujours une réunion de comité ce jour-là. Tu ne m'écoutes *jamais!* Tu penses toujours à ton travail, jamais au mien.

CHRISTIAN: C'est toi qui m'as justement dit hier soir que tu aimerais que j'aie une promotion. Tu es comme toutes les femmes de carrière. Vous voulez que *nous* nous occupions de l'éducation des enfants *et* que nous devenions des cadres supérieurs.

SUZANNE: Bon, si tu insistes, je vais laisser mon emploi, mais nous n'arriverons jamais à joindre les deux bouts avec ton salaire seulement.

Ce type de querelle avait lieu quotidiennement. Parfois, les insultes étaient différentes ou le moment variait. Quelquefois, ils se disputaient devant leurs deux enfants, d'autres fois, seuls. L'argent, l'éducation des enfants, leurs beaux-parents et la façon d'occuper leur temps libre étaient souvent à l'origine de ces querelles. Habituellement, il y avait beaucoup de cris et de larmes et les deux partenaires se sentaient invariablement aussi frustrés à la fin qu'au début de leur altercation.

La colère entre partenaires est inévitable et saine

Peu de couples ont appris comment composer avec leur agressivité de façon à éviter l'attitude extrêmement pacifique de Jacques et de Denise, ou le comportement excessivement belliqueux de Suzanne et de Christian. Mais est-il utile d'apprendre à se quereller? Ne serait-il pas plus simple de choisir le bon partenaire et de résoudre ainsi tous nos problèmes de façon que l'agressivité et la frustration soient inexistantes? Il est certain qu'une grande compatibilité des partenaires réduira le nombre de frustrations; il est certain aussi que les autres démarches de survie présentées dans ce livre diminueront la fréquence et l'intensité des accès de colère. La colère entre partenaires est toutefois une émotion inévitable et elle peut, si elle est bien canalisée, être transformée en une force très constructive.

Mais qu'est-ce que la colère? Il s'agit d'une forte réponse émotionnelle qui se déclenche naturellement face à ce qui nous affecte désagréablement. Tout le monde ressent de la colère si un désir ou un objectif est rejeté. Cependant, les formes d'expression de la colère sont variées. Ainsi, les sentiments ou les réactions qu'elle entraîne, de même que sa manifestation évidente par le biais des comportements, varient énormément d'un individu à l'autre.

Les mythes relatifs à l'expression de la colère

Notre culture encourage certaines notions irrationnelles relativement à l'expression de la colère entre intimes. Nous allons en examiner cinq :

MYTHE 1

L'amour et le choix judicieux d'un partenaire éliminent la nécessité de la colère et des affrontements

Nos parents, nos amis et les médias nous suggèrent souvent que, dans une relation idéale, les gens ne devraient jamais se mettre en colère. Il s'agit d'une notion dommageable, car même si deux personnes partagent plusieurs convictions, sentiments et comportements, elles ont nécessairement des différences à d'autres égards. En fait, on peut dire sans se tromper que, dans la journée d'un couple, les frictions sont plus fréquentes que les échanges amoureux. En effet, les partenaires ont d'innombrables petites décisions à prendre à toute heure du jour : à quel moment se lever, comment faire l'amour, à quel moment tout remettre en ordre. Il est donc tout à fait naturel qu'ils *ne voient pas toutes les choses* exactement du même oeil. Certaines différences qui en résultent sont nécessairement frustrantes parce que chaque partenaire ne peut pas toujours agir à sa guise. Ainsi, Jacques aime faire la grasse matinée et se pelotonner au lit alors que Denise préfère se lever tôt. Si Denise agissait toujours selon les volontés de Jacques, elle serait toujours frustrée, tout comme Jacques le serait s'il cédait toujours aux habitudes de Denise.

Je soutiens que même si nous choisissons bien notre partenaire et l'aimons profondément, il est sûr que nous allons avoir des différends dont certains vont nous mettre en colère.

MYTHE 2

Si vous vous sentez en colère contre votre partenaire, il est préférable que vous n'exprimiez pas votre frustration : les querelles n'apportent rien de bon.

Voici une autre notion très néfaste. Elle pousse les gens à tenter de nombreuses démarches vouées à l'échec dans leur relation intime. Ainsi, un procédé courant consiste à ravaler toutes les frustrations. Puis, un jour, un incident apparemment sans importance constitue la goutte d'eau qui fait déborder le vase. Le volcan qui explose ensuite peut provoquer des actes extrêmes tels que la brutalité envers soi-même ou le partenaire, ou une demande inattendue en divorce. L'attitude phobique adoptée par Jacques et

Denise en raison de leur désir de paix à tout prix les a conduits à accumuler sans arrêt des frustrations, avec comme conséquence de plus en plus d'aliénation et d'ennui. Un comportement de ce type peut durer une vie entière ou jusqu'à ce qu'un partenaire trouve et adopte une alternative nouvelle et meilleure. Bien que ce mythe ait un certain fond de vérité en ce sens que les affrontements malsains nuisent sérieusement à une relation amoureuse, la répression de la colère et de l'agressivité naturelle est tout aussi nuisible chez les couples qui souhaitent la « paix coûte que coûte ».

MYTHE 3

Seules les personnes qui manquent de maturité ou qui ont eu une enfance perturbée se fâchent souvent et expriment de vive voix leur colère.

Je ne suis pas du tout de cet avis. En fait, il nous faut avoir une forte personnalité et une relation très saine vis-à-vis notre partenaire pour pouvoir identifier efficacement notre colère et la lui exprimer. Les personnes qui ne manifestent aucun signe extérieur de colère sont plus susceptibles d'avoir une crainte sans raison de leurs propres sentiments agressifs (ou de ceux de leur partenaire) ou elles sont tellement distantes et leur engagement dans leur relation si superficiel qu'elles ne s'en soucient guère. Il est vrai que *certains individus* à la personnalité troublée et d'autres provenant de milieu perturbé se lancent dans une guerre verbale et physique avec leur partenaire à la moindre occasion. Habituellement, cependant, ces individus expriment leurs sentiments de façon maladroite. Nous ne devons pas toutefois tout mettre dans le même sac : ce n'est pas parce que certaines personnes expriment leurs sentiments de colère de façon maladroite que toute manifestation d'agressivité est nécessairement inefficace et injustifiée.

MYTHE 4

Les querelles fréquentes entre partenaires révèlent une insatisfaction profonde envers la relation existante et présagent d'une séparation imminente.

Ce n'est pas *le fait* qu'un couple se dispute ou non, mais le *déroulement*, la *raison* et le *moment* de la querelle qui déterminent si le couple est en difficulté. Les affrontements, lorsqu'ils se déroulent selon certaines règles, peuvent produire des résultats appréciables tels qu'une meilleure connaissance de soi et des autres, la libération de la tension à l'intérieur de chaque individu et entre les individus, une communication plus honnête et plus efficace, une amélioration de la résolution de problèmes, la mise en pratique de compromis, l'établissement entre partenaires de leur place res-

158

pective dans leur liaison, un partage équitable du pouvoir et du contrôle, l'occasion à chaque partenaire de délimiter son territoire et d'affirmer son individualité et, enfin, une appréciation renouvelée des buts et des sentiments de l'autre.

MYTHE 5
Si je me mets en colère, mon partenaire verra mon mauvais côté et me rejettera.

Plusieurs croient que l'expression de leur colère incitera leur partenaire à les rejeter. Cette crainte peut être justifiée mais cela dépend de: (1) la façon dont vous exprimez votre colère; (2) la cause de votre colère; et (3) la personnalité de votre partenaire.

Les lignes directrices qui suivent vous feront comprendre le comment et le pourquoi de l'expression de la colère. La troisième composante, le partenaire lui-même, est de loin la plus complexe. Plusieurs couples qui participent à nos cours sur les démarches de survie sont composés d'un partenaire qui désire apprendre à affronter l'autre loyalement et d'un autre du genre pacifique à outrance. L'énoncé des raisons invoquées ci-après s'applique sans aucun doute à ces couples: « J'aimerais bien exprimer ma frustration de façon constructive, mais je crains que mon partenaire ne... » (Complétez avec « me frappe », « pleure » « me rejette », ou « me haïsse ».)

Un grand nombre d'entre nous appréhendent trop l'effet malheureux que la colère peut produire sur notre partenaire. Denise, par exemple, a constaté qu'en fait Jacques la désirait et la respectait davantage une fois qu'elle a été capable de se quereller de façon directe. Elle avait toujours évité les disputes parce qu'elle n'avait jamais appris les habiletés du combat loyal. Influencée par son enfance et les modèles présentés par les médias, elle considérait plutôt les affrontements comme une pluie d'injures, de coups et de menaces. Pour elle, les échanges hostiles étaient toujours le signal de la détérioration d'une relation amoureuse. Elle n'avait jamais vu l'utilité d'une querelle.

Pour pouvoir s'affronter de façon constructive, les couples peuvent mettre en pratique trois séries de principes. La première série englobe le moment, l'endroit et la cause du conflit; la deuxième définit les procédés à éviter à tout prix et le comportement à adopter durant le « feu de la bataille » pour assurer un affrontement loyal; la dernière série propose des façons précieuses de terminer ces querelles et de se réconcilier.

L'affrontement loyal : quand, où, pourquoi ?

RÈGLE 1

Sachez quand et où vous quereller

Il y a un temps et un lieu pour faire l'amour et pour faire la guerre ! Ainsi, pour favoriser l'échange de sentiments intenses, qu'ils soient amoureux ou hostiles, il faut savoir où et quand les exprimer. Les personnes du type Colombes ont tendance à avoir des exigences trop restrictives relativement au moment et à l'endroit. Ainsi, en ce qui concerne les conditions propices aux gestes d'amour, elles disent : « Pas devant les enfants », « Pas devant les invités », « Pas devant ta mère », « Pas quand je me lève », « Pas si tu veux faire l'amour ce soir », « Pas pendant le repas », « Pas pendant cette émission » ou « Pas après la journée que j'ai eue ». Nous leur recommandons de discuter également d'un horaire régulier de séances de « formulation des griefs ». Les couples qui se sont rarement querellés au cours de leur vie à deux peuvent souvent tirer profit d'une séance hebdomadaire d'affrontement.

Les couples qui se querellent *trop* souvent ou de façon trop dommageable ont tendance à dédaigner totalement les règles simples de temps et de lieu. Le but de l'affrontement loyal est de communiquer à l'autre ce qui a provoqué notre colère ou ce que l'autre a fait pour que nous nous sentions blessés, en colère ou frustrés. Si nous voulons réellement que notre partenaire nous entende et nous comprenne, il est indispensable de choisir un moment où nous sommes suffisamment maîtres de nous-mêmes pour communiquer de façon intelligible. Nous devons également prévoir un moment où notre partenaire est relativement détendu pour qu'il puisse recevoir avec calme et comprendre le message en question.

Les couples qui se disputent trop souvent ou de façon malsaine bénéficieront aussi d'une discussion au sujet du « moment propice à la querelle ». Les préférences sont rarement identiques. L'objectif est d'en arriver à un moment raisonnablement acceptable pour les deux partenaires. Les couples du type Faucons que nous avons eus en consultation ont souvent conclu qu'il est préférable d'éviter les disputes dans quatre situations distinctes : a) lorsque l'un ou l'autre, ou les deux, reviennent du travail ; b) à la fin de la soirée lorsque l'un d'eux veut aller se coucher ; c) lorsque l'un ou l'autre est en train de conduire (les accidents fatals sont de deux à trois fois plus élevés chez les couples en crise) ; ou d) lorsque l'un ou l'autre boit de l'alcool (si l'absorption de boissons alcooliques rend un partenaire ou les deux plus entêtés ou plus agressifs).

Les Faucons tendent à s'affronter beaucoup trop souvent ou à des moments tout à fait inappropriés. Nous suggérons trois questions que les individus prêts à tirer pour un rien doivent se poser avant de sortir de leurs gonds : Si je me fâche maintenant, est-ce que cela changera vraiment quelque chose à la situation ? Y a-t-il un meilleur moment pour se quereller ? Y a-t-il une meilleure façon de composer avec ma frustration ? Certains partenaires excessivement agressifs ont constaté qu'une variété d'options, dont l'exercice physique, le travail manuel, la consignation par écrit de leurs sentiments et de leurs pensées, peuvent réduire leur frustration de façon plus satisfaisante que l'expression verbale de *chaque* sentiment de colère envers le partenaire.

RÈGLE 2

Sachez pourquoi vous êtes en colère avant de vous engager dans une dispute

Les deux objectifs principaux des affrontements dans une relation amoureuse sont de réduire la frustration et d'y apporter des améliorations. Dès le début, les partenaires doivent connaître la raison de leur colère.

Avant d'ouvrir le feu avec les mêmes arguments qui vous ont conduit antérieurement à des mésententes, *arrêtez-vous* et prenez quelques minutes pour vous poser quelques questions : Quelle est la cause de ma colère ? Est-ce une chose que mon partenaire a dite ? a faite ? a pensée ? Est-ce à cause de ce que mon (ma) partenaire ressent ? Ou de ce qu'il (elle) a l'air ? Mon (ma) partenaire a posé un geste qui me dérange, est-ce ce qu'il (elle) a fait ou la raison qui l'a incité(e) à le faire qui me met tant en colère ? Ai-je suffisamment de précisions sur les motifs ou les intentions de mon (ma) partenaire ou devrais-je simplement lui poser des questions au lieu d'attaquer ? Si je me fâche, cela va-t-il changer quelque chose ? Mon partenaire peut-il vraiment effectuer un changement à cet effet ? Ou est-ce au-delà de ses forces ? Si je me mets en colère, est-ce pour redresser la situation ou tout simplement dans le but d'offenser mon (ma) partenaire ? Au lieu de le (la) blesser, que puis-je faire d'autre pour *me* sentir mieux et améliorer notre situation ? Je suis peut-être fâché(e) pour plusieurs raisons mais laquelle vais-je invoquer maintenant ? Est-ce une plainte à laquelle il est possible de donner réponse ? Si je soulève cette question, suis-je disposé(e) à la maintenir ? Je suis peut-être fâché(e) contre mon époux(se) pour telle ou telle raison, mais quelle est ma part de responsabilité dans nos difficultés ? Si j'expose ouvertement un grief, est-ce que je peux envisager ce que mon (ma) partenaire ou moi pourrions faire de différent pour améliorer l'état des choses ?

A ces questions, il est plus facile de répondre pour les Colombes que pour les Faucons qui, lorsque cette longue liste leur est présentée, répondent souvent de cette façon : « Je n'ai *jamais* pu analyser mes motifs, je suis déjà hors de moi lorsque je me rends compte que je suis en colère. » Cependant, de nombreux Faucons qui participent à notre programme, lorsqu'ils prennent un certain recul et examinent l'histoire de chaque querelle, reconnaissent qu'il y avait certains signaux d'alarme. Ils auraient pu gagner du temps au lieu de se précipiter dans la bataille. Quand les couples prennent de courtes notes au sujet de leurs querelles, ils se rendent compte qu'il y a des moments où la probabilité des frictions est plus élevée. La prochaine fois que ces moments critiques se présenteront (« demain soir lorsque les enfants ne seront pas au lit à l'heure » ou « demain lorsqu'il ne ramassera pas ses vêtements sales », ou « la prochaine fois que nous allons essayer de faire l'amour »), chaque partenaire devrait être préparé. Comment ? Chacun devrait avoir essayé de répondre aux questions énumérées ci-dessus.

Que se passe-t-il si, malgré leur bonne volonté, un couple n'arrive pas à se faire une idée des réponses à envisager ? Admettons d'abord que s'ils se querellent, ils le feront pour rien : ils n'apaiseront pas leur frustration, ni n'amélioreront leur vie commune. Plusieurs constatent qu'une remise à plus tard de la dispute permet de l'aborder plus sagement. Ainsi, un partenaire peut dire : « Je suis très en colère contre toi mais je ne sais pas pourquoi exactement. Nous pourrions peut-être nous en parler plus tard ? » ou « Je suis tellement fâché(e) en ce moment que je ferais mieux de me calmer et de me retirer pour lire un peu. » Si votre partenaire commence une querelle en ressassant des arguments qui, dans le passé, vous ont conduits invariablement à un affrontement déloyal, essayez cette réponse : « Ce que tu m'as dit me tracasse beaucoup, mais je ne désire pas en parler maintenant. Nous en reparlerons plus tard. D'accord ? » Puis, levez-vous et sortez.

RÈGLE 3
Querellez-vous au sujet de problèmes qui peuvent être résolus

Suzanne et Christian se disputaient quotidiennement. Comme nous le demandons à la plupart des couples qui doivent changer leur façon de s'affronter, ils ont commencé à noter la cause de leurs disputes. Un fait intéressant en est ressorti : ils n'entraient en conflit à propos de sujets « valables », soit des problèmes concrets qu'ils auraient *pu* vraiment parvenir à résoudre, que dans 50 % des cas. Ils n'avaient pas suivi une règle essentielle : si vous voulez vous disputer pour libérer votre frustration ou changer un état de choses pénible, abordez toujours un problème pour lequel vous et votre partenaire avez des moyens d'action concrets ou, si vous voulez, des difficultés que vous êtes en mesure de régler.

Après qu'ils eurent rédigé leur « journal de combat » de la semaine, nous avons demandé à Suzanne et à Christian de répondre à deux questions relativement à leur querelle. D'abord, s'agissait-il d'un problème passé ou actuel? Ensuite, était-ce à propos d'une question à laquelle on pourrait faire face ou d'une question sans issue? Si le point en litige était « la maison que nous n'aurions pas dû vendre », « l'emploi qu'il (elle) n'aurait pas dû laisser », « des vacances manquées », « de la fois où il a fait de la peine à ma mère », « de la fois où il a insulté mon ami(e) », alors, évidemment, le couple poursuit un sujet qui ne fait qu'encourager les reproches mutuels. Christian, par exemple, de constater: « Nous n'aurions jamais dû vendre notre maison de campagne. » Et Suzanne de rétorquer: « C'était *ton* idée. » Christian: « Oui, mais c'est toi qui as appelé l'agent d'immeubles. » Suzanne: « C'est parce que tu te *plaignais* et te lamentais trop. »

Évidemment, il n'est pas facile d'oublier les blessures antérieures. Cependant, une querelle sur les histoires du passé n'est profitable que si les couples se concentrent sur les conséquences qui peuvent être modifiées à l'heure actuelle. Ainsi, lorsque nous avons demandé à Christian et à Suzanne: « Qu'avez-vous retiré de la vente de votre maison à la campagne? Et qu'avez-vous perdu en la vendant? », les deux ont convenu que c'était un endroit où le quotidien était laissé de côté, où ils prenaient le temps de vivre, de lire, où ils faisaient des marches ensemble et jouaient avec les enfants. Les deux soupiraient après ces activités, qui avaient presque complètement cessé depuis la vente de la maison deux ans auparavant. Ainsi, il n'est bon de ramener les problèmes passés dans une querelle que lorsque les partenaires sont en mesure d'en résoudre les conséquences dans le présent. Nous avons donc recommandé à Christian et à Suzanne de se quereller, si besoin était, non pas au sujet de la vente de la maison de campagne, mais bien à propos de leur frustration de ne pas partager suffisamment de temps ensemble.

Non seulement le souvenir d'événements passés peut déclencher notre colère envers notre partenaire, mais il peut arriver parfois que nous soyons fâchés à cause d'une caractéristique ou d'une circonstance essentiellement irréversible. Nous appelons ces griefs des « questions sans issue » parce qu'ils représentent des ressentiments qui n'ont plus leur raison d'être. En voici quelques exemples: « Si seulement tu étais plus grand(e) », « Si seulement tu étais plus jeune », « Si seulement tu n'étais pas en train de devenir chauve », « Si seulement tu avais de plus gros seins », « Nous serions mieux si tu n'avais pas abandonné l'école », « Pourquoi n'es-tu pas médecin plutôt que menuisier? », ou « Si seulement tu pouvais me donner plus d'enfants ». Essentiellement, avant de se plaindre, toute personne devrait plutôt se demander: « Est-ce une question sans issue, ou est-ce que mon (ma) partenaire ou moi pouvons faire quelque chose à propos de l'objet de ma frustration ? »

Il y a plusieurs dangers à soulever des questions sans issue, dont les plus graves sont la perte de l'estime de soi et du bonheur de votre partenaire et le déclin de sa motivation à améliorer un comportement qui pourrait être modifié. En outre, ces questions sans issue sont généralement contagieuses: si un partenaire exprime ce type de grief, il est fort probable que l'autre répondra de la même façon.

RÈGLE 4
N'exposez qu'un grief à la fois

De nombreux propriétaires d'une voiture, lorsque vient le moment d'une mise au point, ne font que remettre les clés au gérant de service ainsi qu'une longue liste plus ou moins cohérente des réparations à effectuer. Les essuie-glace ne fonctionnent peut-être pas, ou l'antenne de la radio est brisée, le frein est coincé et le niveau d'huile baisse imprévisiblement. Il est possible que le mécanicien ne puisse y travailler que deux heures le lendemain, et une journée complète quinze jours plus tard. Étant donné que le propriétaire n'a pas indiqué les travaux devant être effectués en premier, il risque de constater, le lendemain matin, quand il ira chercher sa voiture, que seules les réparations mineures ont été faites, et qu'il devra attendre deux semaines avant que les troubles majeurs ne soient réglés. Une dispute sans issue peut être tout aussi frustrante et vaine. En ne plaçant pas les doléances en ordre de priorité, et en en exprimant plusieurs à la fois, les couples aggravent leurs difficultés plutôt que de les résoudre.

Les querelles de Suzanne et de Christian révèlent que chacun a exposé au moins trois griefs simultanément. Ceux de Suzanne étaient: va chercher les enfants, pense à ma carrière, gagne plus d'argent. Ceux de Christian: respecte notre horaire original, cesse de me critiquer à propos de mon avancement et cesse de me harceler pour que je passe plus de temps avec les enfants. Afin d'apaiser leurs frustrations lors de leurs querelles, ils ont dû apprendre d'abord à ne *pas* se lancer mutuellement toutes les plaintes en une seule séance d'affrontement, mais à les attaquer une à la fois.

RÈGLE 5
Concentrez-vous sur le point en litige seulement, non pas sur des questions secondaires

Plusieurs personnes ont des confrontations qui semblent être à propos d'un certain sujet mais qui, en fait, tournent autour d'un autre point de litige. Sans s'en rendre compte, Catherine (dont nous avons parlé au chapitre 6) se mettait souvent en colère contre Robert au moment où elle croyait qu'il voulait faire l'amour. Cependant, l'objet de leurs disputes n'était jamais le sexe, mais plutôt l'argent, le travail ou la maison. Lorsque David entrait en conflit avec Jeanne au sujet des cadeaux qu'elle offrait à sa mère (chapitre 7), il a reconnu ultérieurement que ce qui le fâchait vraiment était le fait que Jeanne n'apportait aucun revenu au foyer. Le danger de ne pas préciser la vraie source de frustration est que le (la) partenaire qui reçoit les critiques peut de bonne foi essayer de changer mais qu'il (elle) ne sait pas vraiment ce qu'il (elle) doit changer, ni comment le faire.

Sept règles d'équité à observer dans le feu de la bataille

Une fois que les couples connaissent le moment et la cause de l'affrontement loyal, ils ont déjà parcouru la moitié du chemin vers une saine querelle. Il leur reste à maîtriser les manières d'agir durant le feu de la dispute. Les participants à nos cours ont trouvé utiles les règles suivantes pour assainir leurs altercations.

RÈGLE 1
Utilisez le pronom personnel « je » et prenez la responsabilité de vos dires et de vos pensées

Comme nous en avons discuté au chapitre 4, la communication est grandement améliorée si un individu s'exprime à la première personne. « J'aimerais que tu sortes les ordures » au lieu de « Sors les ordures » ou « Je suis déçu(e) que tu ne sois pas entré(e) à temps pour souper » plutôt que « Tu n'es pas entré(e) à temps pour souper ».

L'utilisation du « je » dans une querelle est avantageuse pour les deux partenaires. Lorsque le partenaire en colère dit « je » plutôt que « nous les femmes » ou « notre famille », il (elle) assume un rôle adulte et responsable au sein de la relation. Les partenaires qui se dissimulent derrière des noms collectifs suppriment leur propre identité. En présentant leurs opinions comme celles d'un groupe, ils placent également le destinataire de leurs plaintes dans une position injustement désavantageuse. Comment peut-il (elle) donner une réponse valable à la colère des hommes ou des femmes en général? Si les deux partenaires utilisent le « je » pour exprimer leurs pensées et leurs sentiments, ils s'aident mutuellement à s'en tenir aux vraies questions et aux problèmes auxquels ils peuvent apporter une solution.

RÈGLE 2

Appelez votre partenaire par son nom. N'utilisez pas de termes injurieux ni de pronoms indéfinis

Souvent, dans le feu de la bataille, nous sommes tentés d'insulter notre partenaire avec des noms que nous croyons blessants. Même si notre désir de nous venger lorsque nous sommes insultés ou frustrés est naturel, les injures ne sont pas une façon très efficace de riposter.

Si nous utilisons des termes tels que « chauvin », « prétentieuse », « idiote », « grossier », « ivrogne » et « vaurien », nous ne faisons qu'enrager davantage notre partenaire. En outre, les injures engendrent les injures. Les Faucons se spécialisent souvent dans les invectives originales mais insultantes. Les Colombes, par contre, recourent aux mots vagues et impersonnels ; lorsqu'ils essaient d'exposer leurs griefs, l'objet exact de leur doléance ou la définition précise de leur problème sont souvent peu évidents. Ainsi, lorsque Jacques et Denise ont discuté des aventures régulières de Jacques les jeudis soir, voici comment s'est déroulé leur échange :

JACQUES *(utilisant un pronom indéfini)*: *On* dit que les gens qui pratiquent le mariage ouvert restent plus longtemps ensemble parce qu'ils n'en viennent jamais à se trouver ennuyeux l'un l'autre.

DENISE *(s'exprimant aussi en termes impersonnels)*: *Il* est difficile de savoir quand *une personne* peut découvrir que l'herbe est plus verte dans le pré du voisin.

JACQUES *(toujours impersonnel et d'un ton anodin)*: Pourquoi quelqu'un déserterait-il un nid où *il* peut jouir à la fois de la sécurité et de l'aventure ?

Nous leur avons suggéré de changer les pronoms indéfinis « on » et « quelqu'un » pour les pronoms personnels « je » et « tu ». Nous leur avons également recommandé de ne discuter que de leurs propres sentiments envers leur mariage plutôt qu'à l'égard des mariage en général. Après quelques séances d'exercice, ils ont eu la discussion suivante :

DENISE *(la voix tremblante)*: J'ai peur que tu tombes amoureux d'une autre femme et que tu divorces.

JACQUES *(l'air rassurant)*: Je ne crois pas réellement qu'il y ait un risque que je trouve une femme qui puisse te remplacer.

DENISE *(la voix de plus en plus tremblante)*: Ça commence toujours comme ça. Tu couches avec quelqu'un d'autre le jeudi soir. Pour l'instant, tu dis que ce n'est qu'une passade, mais j'ai peur qu'elle finisse par me remplacer éventuellement.

JACQUES *(sur la défensive)*: Je suis content que tu sois finalement parvenue à me dire cela. Je croyais que tu t'en fichais.

Avez-vous remarqué l'amélioration dans leur façon de se quereller? Jacques et Denise sont maintenant dans la bonne voie. En changeant tous les deux pour les pronoms personnels «je» et «tu», chacun a pris la responsabilité d'identifier et de révéler ses propres sentiments, une étape cruciale à franchir si les partenaires veulent que leurs querelles apportent un changement concret à leur comportement.

RÈGLE 3
Vérifiez les sentiments et les intentions de votre partenaire: ne faites pas de la lecture de pensée

Lors de leur querelle, Denise et Jacques avaient toujours un comportement qui empêchait toute résolution possible de leurs frustrations: leur continuelle erreur était qu'ils croyaient deviner les sentiments et les intentions de l'autre partenaire. Ils faisaient continuellement de la lecture de pensée. Mais, en réalité, ils interprétaient mal la pensée de l'autre. En voici un exemple typique:

JACQUES *(imaginant les sentiments de Denise)*: Étant donné que tu continuais à travailler au bureau et que tu ne disais jamais rien, je savais que ma sortie le soir ne te dérangeait pas.

DENISE *(imaginant les intentions de Jacques)*: Je me disais que tu ne coucherais à gauche et à droite que si tu cherchais une autre femme pour me remplacer.

Dans une relation intime, il est tentant de supposer que nous savons ce qui pousse notre partenaire à penser, à ressentir et à agir de certaines façons. Il est également facile de présumer que notre partenaire connaît la raison de nos actes, de nos pensées et de nos sentiments. Cependant, la lecture de pensée mène à de fausses interprétations des événements et des émotions: elle devrait toujours être remplacée par la vérification des sentiments et des émotions de notre partenaire. Durant le feu d'un échange entre deux êtres fâchés ou blessés, chacun a tendance à devenir moins rationnel: les émotions commencent alors à influer sur leur façon de percevoir la réalité. Plus ils voient rouge, moins ils sont capables de comprendre exactement ou objectivement les intentions de leur partenaire. L'un des moyens les plus simples d'éviter de sauter aux conclusions erronées est de vérifier les indications et de ne rien supposer. Jacques et Denise ont appris rapidement cette faculté.

JACQUES: Étant donné que tu n'as jamais rien dit au sujet de mes retards le jeudi soir, j'ai supposé que cela ne te dérangeait pas. Comment as-tu réagi?

DENISE *(courant plus facilement le risque de répondre grâce à la question directe de Jacques)*: Je me rends compte maintenant que cela m'a mis en colère et m'a rendue jalouse mais j'avais surtout peur de te perdre.

Les couples du type Colombes, comme Jacques et Denise, constatent souvent qu'il leur est relativement facile d'apprendre cette habileté. Étant donné qu'ils ont l'habitude de contrôler leurs émotions, ils peuvent conserver une certaine objectivité. Les Faucons tels que Christian et Suzanne, plus habitués aux affronts cinglants, ont de la difficulté à voir et à penser clairement. Notez leurs efforts de lecture de pensée dans l'exemple qui suit.

SUZANNE *(attribuant des motifs à Christian)*: Je parie que tu n'es pas allé chercher les enfants parce que tu voulais te venger de moi étant donné que j'ai refusé de faire l'amour hier soir.

CHRISTIAN *(répondant avec une pointe de sarcasme)*: Ma chère, c'est *toi* qui voulais baiser hier soir. J'étais trop fatigué. Non, je ne suis pas allé les chercher parce que je supposais que tu préférais être là mercredi. C'est le jour où ton vieil ami culturiste enseigne les classes de gymnastique à côté de la bibliothèque où tu vas chercher les enfants.

Pouvez-vous repérer la lecture de pensée effectuée par chacun d'eux? Suzanne pensait que Christian avait agi ainsi à cause de sa frustration sexuelle qui, en retour, avait suscité sa colère et ses représailles. Christian supposait que Suzanne préférait aller chercher les enfants le mercredi pour pouvoir flirter avec l'un de ses anciens amoureux. Même s'ils étaient censés résoudre ce problème, la lecture de pensée les a détournés de leur objectif. Leur querelle ne pouvait donc aboutir à un résultat favorable.

RÈGLE 4
Regardez d'un oeil plus objectif votre propre façon de vous quereller en enregistrant vos altercations et en vous disputant devant des observateurs neutres
Une démarche que de nombreux «combattants déloyaux» trouvent utile lors de l'apprentissage de l'affrontement loyal a également aidé Suzanne et Christian dans leurs efforts pour remplacer la lecture de pensée par la vérification des intentions et des sentiments de l'un et l'autre: ils ont commencé à enregistrer leurs séances de formulation de griefs à domicile et à écouter individuellement, chacun leur tour, l'enregistrement.

Durant la séance d'écoute, nous avons demandé à Christian d'analyser la façon dont *il* avait parlé. De même, nous avons demandé à Suzanne d'analyser *son* mode d'interaction. Généralement, il est beaucoup plus profitable de chercher des façons d'améliorer nos propres capacités de communication que d'évaluer celles de notre partenaire.

Après avoir écouté l'enregistrement de plusieurs de leurs disputes, Christian et Suzanne ont finalement reconnu à quel point ils faisaient chacun de la lecture de pensée et que cela les conduisait souvent à des conclusions sans fondement. Ils ont également remarqué que leurs querelles devenaient spécialement violentes lorsque l'un ou l'autre attribuait des motifs obscurs ou secrets à leurs actions. En outre, ils se sont tous deux rendu compte que leurs disputes les plus amères n'étaient presque jamais à propos de « qui a fait quoi à qui », mais du « *motif* qui a poussé l'autre à agir de la sorte ». En cessant de faire de la lecture de pensée et en vérifiant davantage leurs intentions, Christian et Suzanne ont amélioré considérablement les *résultats* de leurs querelles. Par la suite, plutôt que de toujours aboutir à une impasse, leurs altercations se terminaient par des suggestions de changement présentées par chaque partenaire.

Parfois, une querelle devant une tierce personne peut inciter les partenaires à être plus objectifs. Cependant, les couples doivent s'assurer que l'observateur reste dans la neutralité. L'un des principaux avantages d'avoir un professionnel tel qu'un conseiller conjugal comme observateur est que celui-ci ou celle-ci risque moins de prendre le parti d'un partenaire au détriment de l'autre.

RÈGLE 5

Spécifiez vos griefs

L'un des bénéfices d'un bon affrontement est qu'il permet aux couples de découvrir ce qui se passe vraiment dans la tête de l'autre. Parfois, dans le feu de l'action, le couple oublie toute discrétion et échange des paroles qui ne seraient généralement pas dites à un autre moment. Au milieu de l'altercation, nous pouvons même découvrir des aspects de nous-mêmes que nous ne connaissions pas. Cette découverte de soi à « l'école de la critique mordante » peut être particulièrement précieuse pour les couples du type Colombes tels que Denise et Jacques. Ainsi, après avoir pris l'habitude d'exprimer ce qu'ils avaient vraiment en tête, ils ont eu la discussion suivante :

JACQUES : Si tu n'étais pas si froide au lit, je ne serais pas aussi porté à aller couailler les jeudis soir.

DENISE : Si tu n'étais pas si égocentrique au lit, je ne serais pas aussi « froide » comme tu dis si bien.

Ceci est un exemple de bon échange pour deux personnes qui n'avaient pas l'habitude de se quereller. Denise et Jacques ont commencé à entrer dans le vif du sujet : ils sont prêts à admettre que tout ne va pas si bien sur l'oreiller. Maintenant, ils ont une plus grande possibilité d'améliorer leur vie sexuelle ensemble qu'au début du cours sur les démarches de survie quand ils disaient, ouvertement du moins, que tout allait bien sexuellement.

Néanmoins, Denise et Jacques devaient faire avancer d'un pas de plus leur dernier échange pour améliorer leur routine sexuelle, qui ne les excitait ni l'un ni l'autre. Chacun utilisait des termes vagues tels que « froide » et « égocentrique » pour décrire le comportement de l'autre. Il était évident que Jacques et Denise étaient sur la piste d'un sujet important pour eux. Cependant, s'ils ne parlaient pas de façon plus précise ils risquaient de laisser trop de place à la lecture de pensée. Si, une fois leur querelle terminée, ils veulent se réconcilier et que Denise décide de devenir « moins froide » et Jacques « moins égocentrique », comment peuvent-ils chacun atteindre leur objectif ? L'une des meilleures façons à adopter pourrait être la méthode « X, Y, Z » décrite par John Gottman et ses collègues[2]. Selon Gottman, lorsque votre partenaire fait quelque chose qui vous irrite, vous devriez répondre de cette façon : « Lorsque tu as un comportement X dans une situation Y, je me sens Z. » La doléance de Jacques deviendrait donc : « Lorsque nous sommes au lit (situation) et que tu ne dis pas un mot (comportement), je me sens perdu et indécis à propos de ce qui t'excite ou te laisse indifférente (répercussion). » Quant à la doléance de Denise, elle devient : « Lorsque nous faisons l'amour (situation) et que tu éjacules trop vite (comportement) je me sens frustrée sexuellement et en colère (répercussion). »

Les couples du type Faucons comme Christian et Suzanne pourraient également profiter grandement de la méthode X, Y, Z pour exprimer leurs doléances. Voici une altercation fréquente qu'ils poursuivaient au sujet de leurs enfants :

SUZANNE : Je t'ai dit maintes et maintes fois de cesser d'être mou avec les enfants lorsqu'il est temps d'aller au lit.

CHRISTIAN : Moi, un mou ? C'est toi qui te fais toujours avoir quand il s'agit de leur donner leur argent de poche.

Il est évident que cette façon d'échanger des doléances ne résoudra pas leurs problèmes et ne produira que des colères enflammées et de la frustration. Leurs deux garçons, âgés de 7 et 9 ans, commençaient à avoir des ennuis de discipline à l'école. A la maison, ils obéissaient rarement à leurs parents à l'heure du coucher et au moment de faire leurs devoirs. Par conséquent, même si les garçons étaient évidemment brillants et adorables en d'autres temps, leur désobéissance ébranlait l'autorité de Christian et de

Suzanne. Voici comment ils auraient pu reformuler leurs griefs à l'aide de la méthode X, Y, Z.

SUZANNE : Lorsque c'est le temps d'aller coucher les garçons (situation), tu les laisses veiller trop longtemps (comportement) et j'ai le sentiment que tu manques à ta responsabilité de père (répercussion).

CHRISTIAN : Lorsque les enfants demandent de l'argent (situation), tu leur en donnes souvent trop (comportement) et j'ai le sentiment que tu les gâtes (répercussion).

RÈGLE 6
Faites suivre votre grief d'une demande de changement positif

Dans toutes les disputes entre Denise et Jacques et entre Suzanne et Christian, chaque partenaire a demandé que l'autre *cesse* de faire ce qui l'irritait. En arrêtant leur querelle à ce point, les deux couples n'ont toutefois pas exploité à fond leurs échanges. Après avoir identifié ce qu'ils n'aimaient pas, ils auraient dû souligner ce qui leur aurait plu. Ainsi, chaque couple aurait eu une meilleure occasion d'apporter des améliorations nouvelles, pratiques et durables à leur relation.

Denise, par exemple, aurait pu dire: « Lorsque nous faisons l'amour (situation), si tu retardais ton éjaculation un peu plus longtemps (changement de comportement positif), je ressentirais plus de plaisir (répercussion favorable). » Et Jacques aurait pu lui répondre : « Si, lorsque nous sommes au lit (situation), tu me disais ce qui t'excite (nouveau comportement désiré), je me sentirais plus à l'aise et capable de te procurer davantage de plaisir (répercussion favorable nouvelle). » Dans le cas de Christian et de Suzanne, Christian aurait pu dire : « Si, lorsque les enfants demandent de l'argent (situation), tu ne leur donnais que le montant hebdomadaire convenu (comportement positif nouveau), je pense que cela leur enseignerait mieux la valeur de l'argent (répercussion favorable nouvelle). » A son tour, Suzanne aurait pu lui répondre : « Si tu rappelais une fois aux garçons qu'il est l'heure d'aller au lit (situation) et que tu les envoyais ensuite se coucher dans les cinq minutes qui suivent (nouveau comportement), je pense que cela serait plus normal, meilleur pour leur santé et leur enseignerait un peu de discipline (répercussion favorable nouvelle). »

Tous les couples ont avantage à se rappeler de terminer la séance de formulation de griefs par la présentation d'une proposition concrète de comportement favorable nouveau. Si nous ne faisons que demander à notre partenaire de *cesser* de faire ce qui nous dérange, il ou elle peut s'en tenir à sa promesse pendant un certain temps. Si les gratifications qui en découlent sont suffisam-

ment grandes, si lui ou elle ne remplace pas l'ancien comportement par une solution nouvelle, la suppression risque, au mieux,
d'être temporaire. Le changement sera évidemment plus facile et
plus durable si, au lieu de condamner d'anciens comportements,
les partenaires se concentrent sur l'adoption de comportements
nouveaux qui seront immédiatement appréciés. La demande de
comportements souhaités nouveaux est la meilleure démarche
pour maintenir les querelles à un niveau loyal et fructueux. La querelle peut révéler à votre partenaire des choses très importantes à
votre sujet, surtout chez les couples qui veulent « la paix à tout
prix ». Cependant, certaines doléances sont simplement le produit
de la colère du moment et, une fois qu'elle est apaisée, vous vous
rendrez compte qu'elles ne résistent pas à un examen de conscience de soi décrit précédemment. L'une des meilleures façons
de vérifier si un grief est une question sans issue est de lui faire
passer le test X, Y, Z. Demandez-vous : « Est-ce que je peux formuler une demande positive nouvelle sous la forme X, Y, Z ? » Si la
réponse est non, alors l'individu frustré ferait mieux de trouver une
autre façon d'apaiser sa colère.

RÈGLE 7

**Reconnaissez votre part de responsabilité dans l'origine du
problème et dans le choix d'une solution. Ne rejetez pas
tous les blâmes sur un partenaire**

Lorsque nous demandons aux couples ce qui est à la source
de l'hostilité, de la frustration, du silence ou de la dysfonction
sexuelle dans leur relation, ils répondent invariablement qu'une
seule personne est principalement à blâmer. Chez les couples qui
ont une phobie de la querelle, l'un des deux partenaires ou les
deux ensemble s'attribuent presque tous les blâmes. Denise, par
exemple, disait : « C'est de ma faute parce que je suis trop froide et
repliée sur moi-même. » Dans les relations de Faucons, par contre,
les deux partenaires ont l'habitude d'exprimer leur frustration par
de l'agressivité, et chacun donne la même réponse : « Ce n'est pas
de *ma* faute, c'est celle de mon époux(se). » Pour une variété de
raisons, ce type de partenaires en conflit a une tendance remar-
quable à jeter *tout* le blâme sur les épaules de l'autre et à se
décharger de *toute* culpabilité. En outre, lorsqu'ils se querellent,
les Faucons essaient souvent d'inciter les témoins (que ce soit le
conseiller des cours de démarches de survie, les amis, les parents,
les enfants ou d'innocents spectateurs) à se rallier du seul et bon
côté de l'argument, c'est-à-dire le leur.

Cependant, il est rare qu'une seule personne soit à blâmer
dans une relation malheureuse ou tourmentée. L'une des façons
les plus convaincantes de le démontrer est de regarder sur bandes
vidéo le déroulement des affrontements entre partenaires. Notre

propre laboratoire et d'autres ont découvert que les couples qui vivent ensemble développent une structure d'interaction complexe, une sorte de pantomime, au cours de laquelle ils « s'enseignent » mutuellement la façon de se comporter. Ainsi, ses bâillements à lui sont suivis de son froncement de sourcils à elle qui, en retour, le met sur la défensive et le pousse à s'en prendre à elle de vive voix. Ceci l'amène, elle, à croire qu'il n'aime pas son apparence, alors qu'en fait, il se sent frustré à cause de son travail. Les deux partenaires sont tout simplement en train d'effectuer une série de manoeuvres mais aucun ne communique vraiment ses craintes, ses doutes et ses frustrations. Les deux, cependant, sont à blâmer également pour leur manque de communication.

Pourquoi donc tant de conjoints pensent-ils que *l'autre* est à blâmer alors qu'en fait, ils sont tous les deux également responsables de leurs difficultés et qu'ils ont aussi la responsabilité de trouver tous les deux une solution ? Notre culture en est partiellement coupable. Nous restons encore attachés aux notions naïves et dépassées sur les relations intimes, comme les mythes soulignés au début de ce chapitre en attestent.

De plus, les observateurs du déroulement des affrontements entre partenaires rapportent qu'ils doivent faire preuve d'une grande agilité mentale pour suivre l'effet des actions ou des gestes d'un partenaire sur l'autre. Les couples doivent tous avoir cette agilité s'ils veulent observer et comprendre avec précision les actions de leur partenaire *et*, en même temps, demeurer conscients de leur propre comportement. Chaque partenaire ne doit pas oublier de se poser les questions suivantes : « Est-ce que je peux préciser ce qui me dérange dans le comportement de mon partenaire ? Puis-je indiquer clairement ce qu'il (elle) peut faire pour changer ? » Puis, en examinant leur propre comportement, ils doivent se demander : « Quelle est ma part de responsabilité dans l'origine du problème ? » et « Que puis-je faire pour améliorer notre relation ? » Lorsque les partenaires, surtout les Faucons, reconnaissent à haute voix qu'ils ont une part de responsabilité dans leur problème, la colère est désamorcée et des solutions raisonnables sont proposées.

Christian, par exemple, en terminant d'une façon plus conciliante la querelle à propos de qui des deux irait chercher les enfants a dit : « On se perd dans nos horaires. Maintenant, je me rappelle que tu m'as dit que tu voulais que j'aille chercher les enfants mais tes réunions de comité étaient habituellement les lundis soir. » Suzanne : « Tu as raison et la semaine dernière elle a été reportée au jeudi. Je me rappelle t'avoir dit ce matin que la réunion était aujourd'hui, mais peut-être tu ne m'as pas entendue parce que l'un des enfants criait. Qu'en penses-tu si, chaque matin, juste avant de quitter la maison nous nous rappelions mutuellement à qui revient la tâche d'aller chercher les enfants ? »

CHAPITRE 10

Comment réduire le risque de violence dans vos querelles;

comment vous réconcilier;

comment évaluer vos propres façons de vous disputer

« Les coups peuvent me blesser mais jamais les paroles ne pourront m'atteindre. »

La violence entre conjoints, entre parents et enfants, et surtout entre les pères et leurs enfants, est à la hausse dans la culture occidentale. Une personne risque plus de mourir entre les mains de son conjoint ou d'un parent qu'entre les mains d'un étranger. Dans un chapitre précédent, j'ai expliqué comment le recours à des insultes est une façon non constructive d'exprimer sa colère à l'égard d'un partenaire. Les injures devraient être des armes prohibées. Il en est de même pour les cris, le lancement d'objets, les coups, les claques, le viol et l'asservissement parce que chacun de ces comportements peut provoquer une augmentation rapide de la colère *ressentie* et *exprimée*. La recherche révèle que le meurtre ou les blessures entre époux sont rarement ou jamais le résultat d'un seul incident. Habituellement, ils sont plutôt la conséquence d'un échange qui a débuté avec une colère exprimée raisonnablement, qui s'est ensuite intensifié par des injures, des menaces et, finalement, a abouti à la violence.

Vous pourriez bien répondre: «Qu'y a-t-il de si terrible à traiter mon partenaire de bâtard ou d'enfant de chienne?» Certains couples peuvent limiter leur agressivité aux injures alors que d'autres s'en tiennent à ce stade pendant un certain temps, puis s'en servent comme tremplin pour proférer des menaces d'abord et user de violence physique ensuite. Au cours d'arguments véhéments, les deux partenaires désirent obstinément l'emporter. Chacun veut que l'autre change son comportement, s'avoue vaincu(e) et admette que l'autre a raison. Comme nous l'avons vu au chapitre 9, bien qu'il soit naturel et même utile d'essayer d'inciter votre partenaire à changer, cela dépend de la façon dont vous vous y prenez pour recommander ce changement. Les couples qui, lors de leurs querelles, se contrôlent l'un l'autre principalement au moyen de reproches ou d'injures risquent de s'adonner au même type habituel d'affrontement. Ils deviennent prisonniers d'un système de comportement dont ils ne peuvent s'échapper. Henri, un chauffeur de camion de livraison de bière, et Sylvie, une infirmière auxiliaire, ont été référés à notre clinique par une travailleuse sociale. Leurs querelles comprenaient généralement des cris, des menaces et des injures. Leurs échanges hostiles avaient lieu chaque vendredi soir après une longue et dure semaine de travail pour les deux. Cependant, un vendredi, Sylvie est sortie couverte de bleus de l'une de leurs chicanes et a dû être conduite à l'hôpital. Ce soir-là, leur fille de 4 ans et leur garçon de 6 ans étaient couchés. Après avoir bu chacun deux bières, le couple a commencé à se disputer à propos d'une variété de reproches mutuels: le manque d'argent, la division des tâches ménagères, le peu de temps passé ensemble. Avant longtemps, ils ont commencé à se lancer des injures.

SYLVIE *(criant)*: Toi, espèce de bâtard sans coeur, tu ne penses qu'à tes propres besoins. Tu ne penses jamais que j'aimerais avoir un moment de répit moi aussi.

HENRI: Si tu me traites de bâtard une autre fois, je vais te montrer comment un bâtard *peut* être.

SYLVIE: Voilà encore des menaces. Je n'ai pas peur de toi, mon cher raté de mari.

HENRI *(se mettant rapidement en colère en se rappelant leur conversation précédente au sujet de sa crainte d'être remplacé par un employé plus jeune et plus fort)*: Mon enfant de chienne, tu as couru après. De quel bord es-tu de toute façon?

SYLVIE *(enragée par son insulte et son accusation voilée de ce qu'elle ne l'appuie pas, mais décidée à lui tenir tête et à l'emporter)*: Je te soutiens depuis le jour où tu t'es fait mal au dos et j'ai supporté tes misères pendant un an, alors que tu te morfondais ici à vivre de ton assurance-chômage.

HENRI *(voyant rouge à la suite de cette dernière insulte)* traverse la pièce en courant et frappe Sylvie.

SYLVIE *(aussi enragée et décidée à ne pas céder)*: Espèce de bâtard, lâche qui ose frapper une femme.

HENRI *(encore plus enragé par la dernière injure de Sylvie)* la frappe à plusieurs reprises à la figure et aux épaules jusqu'à ce qu'elle tombe évanouie.

Pouvez-vous repérer le moment décisif de cette querelle? Sinon, relisez le dialogue. Après que le couple a échangé les premières insultes et injures, Sylvie a dit: « Voilà encore... » Ces paroles exprimaient ce que les deux ressentaient. Une fois qu'ils se sont engagés sur la voie des injures, chacun d'eux s'est rendu compte que la seule façon dont il (elle) pouvait l'emporter était d'essayer une nouvelle arme. Dans ce cas, Henri a fait le premier pas et a choisi la brutalité.

Les couples réfléchissent rarement à leurs stratégies durant leurs querelles. Cependant, les deux partenaires essaient désespérément de remporter la victoire. Après tout, l'estime de soi et la valeur de l'être humain étant concernées, les enjeux sont grands. Les deux partenaires peuvent penser en eux-mêmes: « Si je laisse cette personne qui me connaît si bien et à qui j'ai tant donné me crier des noms, c'est que j'admets que je ne suis qu'un(e) bon(ne) à rien. » Un couple peut alors s'engager dans une lutte au cours de laquelle les deux partenaires se sentent prêts à faire *n'importe quoi* pour éviter le sentiment d'anéantissement personnel.

Durant les cours de démarches de survie, lorsqu'un membre de notre équipe conseille aux couples de « réduire au minimum les injures et les cris, de ne jamais menacer de violence physique et de jamais, au grand jamais, frapper, jeter par terre ou violer votre partenaire », de nombreux couples répondent: « Il n'y a pas de mal à crier un peu, à s'échanger des injures, à se bousculer un peu et à se lancer de la vaisselle. Nous savons quand nous arrêter. » Si vous êtes vraiment de ces couples qui savent quand s'arrêter, peut-être réussissez-vous à en être quittes pour un tel comportement. Cependant, vous seriez surpris de voir combien de couples constatent qu'ils passent soudainement des insultes et des cris aux coups. Parfois, la spirale toujours croissante de l'agressivité s'étend sur plusieurs années, ce qui donne aux couples le temps d'adopter des mesures préventives avant de perdre le contrôle en usant de violence. D'autres couples, par contre, ne donnent que très peu d'avertissement avant d'avoir recours à la violence physique. Celle-ci peut être provoquée par un état d'ébriété, la fatigue ou la vulnérabilité excessive. Ainsi, la frustration engendrée par des événements extérieurs au foyer tels que des contraintes au travail ou le chômage peut également déclencher une explosion de colère tout comme un orgueil blessé lorsqu'une insulte proférée par un partenaire cause plus de tort qu'il ne l'aurait voulu.

Six étapes à suivre lorsqu'un acte violent semble inévitable ou s'est déjà produit

Si vous avez noté une agressivité dévorante croissante dans votre liaison, que les insultes deviennent peut-être plus grossières et plus fréquentes, ou que vous avez eu des échanges de coups, que pouvez-vous faire? Les six étapes définies ci-dessous se sont avérées d'une grande utilité pour de nombreux couples que nous avons conseillés.

1. Que faire si votre partenaire vous bat?

Même si beaucoup de gens préfèrent ne pas aborder ce sujet, je crois qu'il est dans l'intérêt de tous d'en discuter ouvertement. Dans les pays occidentaux, au moins une femme sur 10 est battue par son partenaire[10]. Étant donné leur plus petite taille et leur moins grande propension à la violence physique, les femmes sont presque toujours perdantes lorsque les disputes tournent en violence physique. Plusieurs de celles qui sont battues souvent hésitent à en parler à quiconque. Soit qu'elles aient peur des représailles de leur partenaire, soit qu'elles n'aient aucun endroit où se réfugier ou encore, aussi surprenant que cela puisse paraître, si elles quittent la maison, qu'elles veuillent protéger l'homme même qui les a attaquées.

D'après mon expérience, il est presque toujours préférable que la femme battue recherche une protection physique et émotionnelle auprès d'une tierce personne compétente. De nombreuses communautés nord-américaines disposent maintenant de centres qui apportent aux femmes battues le refuge émotionnel et physique dont elles ont besoin. Les noms et adresses de ces centres figurent habituellement dans l'annuaire ou peuvent être obtenus au moyen de l'assistance annuaire. Des renseignements précis et détaillés sont fournis aussi par les centres de santé pour les femmes, les services sociaux ou encore le YWCA de la région. Les travailleurs sociaux, les psychologues, les psychiatres, les omni-praticiens et le clergé peuvent également apporter leur appui et des conseils précieux. Avec l'aide d'un conseiller compétent, la femme battue peut définir les problèmes auxquels elle se heurte et choisir les meilleures solutions. Souvent, l'éloignement physique de son partenaire est la seule façon de garantir la cessation de la violence physique dont elle est la victime. Une fois que sa vie n'est plus en danger, la femme peut alors effectuer des démarches soit pour améliorer sa relation, soit pour entreprendre une séparation. Aussi extraordinaire que cela puisse paraître pour quelqu'un étranger à la situation, certaines femmes battues sentent qu'il leur est impossible de quitter leur partenaire, même si celui-ci met continuellement leur vie en danger.

2. Prendre son temps avant de décider quoi que ce soit.

Une étape importante pour la personne battue est de prendre le temps de décider s'il est plus indiqué pour lui ou pour elle de se donner la peine de sauver sa relation ou de commencer à envisager de vivre sans le partenaire qui l'a maltraité(e). Plusieurs personnes brutalisées continuent à partager une vie commune non pas par choix, mais par manque de choix, parce qu'elles n'entrevoient aucune autre possibilité[10]. Parfois, il est préférable d'entreprendre des démarches pour accroître l'autonomie financière, affective et sociale plutôt que de chercher à sauver la relation à tout prix, au détriment de sa propre vie ou du bien-être des enfants. Le recours à des professionnels en ce domaine peut s'avérer particulièrement utile pour parvenir à la meilleure solution dans une situation lourde d'émotions et de répercussions possibles. Si la personne battue décide que la séparation représente la meilleure solution, alors le chapitre 13 sur ce sujet revêt une grande importance pour elle. Par contre, si cette personne décide d'essayer de sauver la relation, la prochaine étape à suivre consiste à apprendre à repérer les éléments annonciateurs de la violence physique.

3. Identifiez les événements qui précèdent l'accès de violence physique.

De nombreux couples sont capables de repérer les signaux d'alarme qui annoncent les querelles avec violence physique. Ainsi, au lieu de chercher à livrer ses sentiments ou à demander un changement de la part de l'autre, un partenaire peut, par exemple, démontrer que ce qu'il vise en fait est d'emporter une victoire sur l'autre partenaire ou encore à exercer des représailles sur celui-ci. Ainsi, un intime peut reconnaître les moments où son partenaire est exténué ou irritable, lorsqu'il vit une nouvelle situation de tension ou encore lorsqu'il souffre d'une accumulation de frustrations. Il est possible que les injures deviennent plus fréquentes et plus grossières et qu'il manifeste des signes de tension tels que des mâchoires crispées, une respiration profonde, des poings fermés ou une rigidité musculaire des membres. La violence peut aussi s'annoncer par des fantasmes. Ainsi, un partenaire ou les deux peuvent se rendre compte qu'ils ont des fantasmes dans lesquels l'un fait mal à l'autre ou se fait maltraiter par l'autre.

4. Essayez une discussion calme.

Une fois que vous avez noté les signaux d'alarme d'un comportement violent de votre part ou de la part de votre partenaire, essayez d'en discuter. Cependant, n'entamez le sujet qu'une fois que vous avez choisi soigneusement le moment. N'abordez pas la discussion dans le but d'exprimer votre agressivité ou votre frustration mais plutôt comme une demande de cessez-le-feu ou d'apaisement de la bataille. L'objectif est de réduire le risque que l'un de vous ou vous deux commenciez la querelle qui sera la dernière de toutes.

5. Ne reprenez les querelles que lorsque vous avez consolidé les aspects les plus positifs de votre relation.

Faites-le au moyen des capacités d'écoute (chapitre 4), avec l'expression d'amour et d'affection (chapitre 5), de sensualité (chapitre 6) ou de la résolution de problèmes (chapitre 7). Certains couples, les « Faucons » par exemple, peuvent atteindre un point tel lors de leurs échanges d'agressivité que tout affrontement utile devient impossible. Ces couples devraient donc tout faire pour réduire leurs querelles au minimum, jusqu'à ce que les aspects positifs de leur relation soient suffisamment forts pour résister à la décharge de leurs frustrations. Ils doivent d'abord s'entourer de respect et d'égard mutuel, sinon leurs arguments vont dégénérer en véritables batailles.

6. Le respect des règles.

Apprenez à suivre soigneusement les règles du quand, du pourquoi et du comment de l'affrontement loyal décrites au chapitre 9. Aussitôt que vous voyez que vous ou votre partenaire avez de la difficulté à les suivre, demandez poliment une trêve et reportez votre discussion à un moment plus approprié.

Comment et pourquoi vous réconcilier après une querelle

L'une des plus riches gratifications de la discussion franche et loyale est l'expérience de la réconciliation. Les couples qui savent se réconcilier, et qui ne craignent pas de le faire, décrivent ainsi cette phase : « C'est le calme après la tempête » ; « J'aime me retrouver dans ses bras après que nous avons fait la paix parce que je peux me sentir tellement seul(e) et loin de mon (ma) partenaire pendant une querelle » ; « Après avoir passé quelques minutes ou même des heures à considérer nos faiblesses respectives, il est merveilleux de nous rappeler pourquoi nous sommes ensemble et pourquoi nous nous aimons. » « Lorsque je pardonne à mon conjoint d'avoir eu un accès de colère, ou lorsque mon (ma) conjoint(e) me pardonne, cela me rappelle mon enfance. Lorsque j'avais été méchant(e) et que mes parents me réprimandaient, ils me disaient : « Bon, tu as eu ta punition. Maintenant, oublions cela et amusons-nous. » Je me sens ému(e), soulagé(e) et réconforté(e). »

De nombreux couples craignent la réconciliation parce qu'ils l'assimilent au pardon et à l'oubli. Cependant, cela ne doit pas être nécessairement le cas. Certaines querelles naissent de frustrations qui ne peuvent être soulagées au moyen de la colère. Elles ne peuvent être apaisées que si les partenaires se calment d'abord et passent ensuite beaucoup de temps à discuter, à écouter, à résoudre leurs problèmes. D'autres querelles ne peuvent être réglées que si l'expression d'amour et de la sensualité est améliorée. A l'occasion, le comportement ou les actes qui déclenchent certaines querelles ne peuvent jamais être éliminés et le partenaire offensé doit soit apprendre à tolérer le malaise, soit se séparer de l'autre. Je crois qu'il est préférable qu'une querelle, quelle qu'en soit la cause, ne dure qu'un temps limité. En fait, la durée idéale d'un affrontement varie entre quelques heures et presque une journée complète. A ce moment, il est toujours préférable de se réconcilier que de poursuivre la querelle jusqu'au lendemain. Les partenaires qui ne veulent pas écourter leur dispute et se réconcilier courent certains risques.

Rappelez-vous ceci : les objectifs de l'affrontement loyal sont de réduire la frustration et d'améliorer la qualité d'une relation. Si l'un ou l'autre des partenaires ou les deux ne sont pas disposés à se déclarer la paix, ces objectifs ne seront pas atteints. Faire la paix nécessite que les partenaires vivent certaines expériences positives ensemble pour oublier leurs différends, même si ce n'est que pour un moment. La plupart des gens qui maintiennent leur vie commune le font parce que, pour eux, leur relation représente l'alternative qui leur rapporte le plus de plaisir et le moins de douleur. La réconciliation implique une réaffirmation des bons aspects de la vie à deux. Le ou les partenaires qui ne sont pas disposés ni aptes à se réconcilier ne feront que s'ancrer davantage dans les aspects les plus néfastes de leur relation amoureuse. Si cette phase dure trop longtemps, l'un ou l'autre des partenaires peut ressentir un vide sentimental. Autrement dit, si les dimensions défavorables ou restrictives de la relation l'emportent sur les aspects positifs, l'un ou l'autre des partenaires peut se demander : « La relation en vaut-elle la peine ? »

Une querelle, si elle se situe à l'intérieur de la limite de temps recommandée ci-dessus, peut avoir des résultats favorables : elle peut réduire la tension, révéler des émotions refoulées, définir des problèmes et rétablir l'identité personnelle des deux partenaires. Si ceux-ci se réconcilient peu de temps après leur querelle, chacun peut utiliser le renouveau d'espoir et la meilleure connaissance du partenaire qu'ils en ont retirés pour effectuer les changements qui s'imposent. Un partenaire, par exemple, peut soulager davantage l'autre partenaire de la tâche d'éduquer les enfants, ou les deux peuvent passer plus de temps ensemble. Cependant, si l'un des partenaires ou les deux préfèrent bouder, refusent de communiquer ou persistent à dire : « Ne t'attends pas que ce soit *moi* qui fasse les premiers pas de la réconciliation », alors l'action positive qu'ils auraient pu entreprendre à la lumière de cette querelle sera remise à plus tard.

Dans le cas de la relation de couple de Christian et de Suzanne, les deux étaient réticents à faire la paix après leurs querelles. Lors d'une séance de démarches de survie, nous leur avons demandé : « Pourquoi hésitez-vous à vous réconcilier ? » et « Que pourriez-vous faire pour vous réconcilier si vous le vouliez ? » Voici ce qu'ils nous ont répondu :

CHRISTIAN : Je n'aime pas faire la paix parce que j'ai l'impression que j'admets que j'avais tort, ou que j'étais stupide ou que j'étais celui à blâmer.

SUZANNE : Je ne passe pas l'éponge parce que je refuse de pardonner à Christian ses insultes ou ses efforts délibérés pour me blesser. En plus, si je me réconcilie, je crains qu'il ne croie que je ne pensais pas ce que je lui ai dit, ou qu'il pense que tout est oublié, ce qui n'est jamais le cas.

Durant la discussion qui s'ensuivit, j'ai expliqué à Suzanne et à Christian les avantages de la réconciliation. Les deux semblaient plus intéressés par la question, mais demeuraient toutefois quelque peu sceptiques. L'une de leurs pierres d'achoppement évidentes était leur maladresse à se réconcilier : ni l'un ni l'autre ne savaient comment s'y prendre.

CHRISTIAN : Après une querelle, je vais habituellement dormir et le lendemain matin, j'ai oublié ma colère.

SUZANNE : Je suis comme ça aussi. Si nous ne nous parlons ou ne nous voyons pas pendant quelques heures, ma colère s'apaise souvent, de sorte que je n'ai plus envie de me quereller.

Nous avons discuté de la liste suivante avec Suzanne et Christian afin de les aider à trouver de nouvelles façons de se réconcilier. Certaines options recommandent aux partenaires d'échanger des propos anodins; les autres moyens demandent tout simplement que l'un ou l'autre pose des actes de bonne volonté.

PROPOS

« Pouvons-nous nous réconcilier maintenant ? »

« Pouvons-nous laisser de côté nos différends pour un certain temps ? »

« Je pense que nous en avons assez dit pour aujourd'hui. »

« Je sais que nous n'avons pas résolu tous les problèmes que tu as soulevés, mais pouvons-nous faire la paix maintenant ? »

« Je ne crois pas que notre querelle puisse nous mener bien loin si nous continuons ainsi. Pouvons-nous discuter de ce problème demain et, entre-temps... ? »

ACTES

Agiter un mouchoir blanc

Offrir des fleurs

Envoyer un mot d'amour

S'étreindre ou s'embrasser

Faire jouer un disque qui plaît à votre partenaire

Pratiquer un sport ensemble

Faire l'amour

Évidemment, Christian et Suzanne devaient apprendre que la réconciliation ne doit pas nécessairement signifier « Oublions tout ce que nous avons *dit* ou *appris* au cours de notre querelle ». Cela peut plutôt vouloir dire: « Arrêtons de nous quereller à propos de nos différends et faisons autre chose ensemble de façon que nous puissions en venir à bout. » La réconciliation est beaucoup plus facile pour les couples qui possèdent à la fois les capacités d'affrontement loyal *et* de résolution de problèmes. Ils peuvent se servir de leurs querelles pour se sensibiliser l'un l'autre au comment et au pourquoi d'un problème. Ensuite, ils peuvent déposer les armes pour se mettre à la tâche de découvrir des solutions acceptables pour les deux.

Pourquoi se quereller alors qu'il est si compliqué de le faire loyalement et que l'échec est tellement dangereux ?

Après avoir étudié le quand, le comment et le pourquoi de l'affrontement loyal, les Colombes peuvent réagir ainsi: « Oh, tout ça est trop compliqué. Ne serait-il pas plus simple de ne jamais exprimer notre agressivité, étant donné le potentiel de violence en chacun de nous ? »

Les « Faucons », par contre, peuvent répondre : « Mes sentiments agressifs sont tellement forts et dangereux que je les crains plus que jamais ainsi que leurs répercussions sur mon mariage. » Ou : « Ne serait-il pas mieux que je m'abstienne tout à fait et que je ne me laisse jamais aller à exprimer ma colère ? » Examinons ces réactions tout à fait compréhensibles.

Certains partenaires auront besoin de l'aide d'un professionnel pour apprendre l'art de l'affrontement loyal.

Les capacités de l'affrontement loyal vous seront difficiles à maîtriser si vous avez une phobie extrême de la querelle ou êtes le type « rageur invétéré ». Ces partenaires *auront* beaucoup de chemin à parcourir. Ils trouveront sans doute qu'il leur est plus facile et moins long d'apprendre l'art de la conciliation s'ils sont guidés par un professionnel compétent. La personne qui réprime continuellement son agressivité ou qui cesse net toute expression d'hostilité sans cette aide ne résoudra rien à la longue. L'individu qui souffre de phobie de la querelle et qui nie l'expression de ses sentiments en paiera éventuellement le prix, tout comme le type « rageur invétéré ». Les deux peuvent se dire en eux-mêmes : « Ce serait différent, ou mieux, ou plus facile avec un(e) autre partenaire », ou : « Je ne changerai pas mes manières, je vais plutôt changer de partenaire. » La recherche démontre toutefois que si vous bloquez l'expression de votre colère, ou si vous êtes constamment envahi de sentiments de colère envers votre partenaire, et que vous n'ayez pas développé les manières pour aborder un conflit, il est fort probable que vous vous heurtiez aux mêmes difficultés avec un nouveau partenaire.

Certains couples peuvent apprendre à s'affronter loyalement sans l'aide d'un professionnel, mais la tâche prendra du temps et beaucoup d'effort.

La grande majorité des couples ne sont ni « Colombes » ni « Faucons » mais se situent plutôt entre ces deux extrêmes. Ces partenaires n'ont pas besoin d'aller en thérapie conjugale ni individuelle mais peuvent apprendre les facultés nécessaires à l'affrontement loyal décrites dans ce livre ou au moyen d'un cours d'enrichissement conjugal ou de communication du couple. D'une façon ou d'une autre, l'apprentissage de ces techniques prend du temps et des efforts. Nombreux sont ceux qui trouvent que le temps et le degré de concentration physique, intellectuelle et émotionnelle requis sont démesurés. Mais une relation amoureuse riche en diversité, confiance et intimité exige que les deux partenaires prennent soin de chaque aspect de celle-ci et le temps nécessaire pour en maintenir l'harmonie.

Un nombre significatif de couples modernes estiment encore qu'une relation heureuse est ce qui compte le plus au monde, mais ils dépensent beaucoup plus d'effort et passent un nombre infiniment plus élevé d'heures, de jours et d'années dans leur travail, dans des activités sportives et dans l'accumulation de biens matériels.

Un couple ordinaire pourrait apprendre à s'affronter loyalement si les partenaires consacraient de 50 à 200 heures dans les tâches suivantes : la lecture, la discussion, la pratique d'exercices et peut-être un cours de démarches de survie. Si 200 heures vous semblent beaucoup trop de temps, posez-vous les questions suivantes :

Combien de jours complets représentent 200 heures ?

Combien d'heures par semaine je regarde la télévision ?

Combien d'heures par semaine ou par année je consacre à d'autres cours ?

Combien de temps je consacre aux activités sportives ou aux loisirs ?

Combien de temps par semaine mon partenaire et moi passons-nous ensemble à effectuer des activités ennuyeuses ou à nous quereller ?

Nombre de partenaires se rendent compte que le total des heures consacrées aux activités décrites ci-dessus s'élève facilement au-dessus de 200. Par conséquent, consacrer le même nombre d'heures dans l'apprentissage des techniques d'affrontement loyal, c'est-à-dire un projet d'amélioration visant au maintien de l'harmonie dans la relation du couple, devrait être l'un des buts les plus importants dans la vie.

Mais avons-nous vraiment besoin d'apprendre ces techniques ?
Ne serait-il pas préférable de trouver d'autres façons d'exprimer, de réduire ou de maîtriser notre agressivité ?

Je crois qu'à la longue, tous les couples profitent de la maîtrise des habiletés de combat loyal. Cependant, plusieurs couples devraient d'abord s'ingénier à améliorer leurs capacités d'écoute, d'expression d'amour et de résolution de problèmes. La recherche et la pratique clinique révèlent que les couples qui savent comment s'y prendre pour résoudre leurs problèmes, ou comment atteindre une vie sexuelle satisfaisante, se sentent *moins souvent* frustrés et, par conséquent, ressentent moins souvent couver en eux des inhibitions. Si vous vous efforcez de développer d'autres techniques d'harmonisation du couple, la maîtrise des techniques d'affrontement loyal sera secondaire. *Après* une dispute, les deux facultés les plus importantes à développer sont l'art de savoir apprendre d'une querelle et la réconciliation. Il est beaucoup plus facile d'apprendre à retirer les éléments constructifs d'une querelle si vous êtes déjà capable de découvrir ce que vous êtes réellement et d'écouter. De même, il est beaucoup plus simple de vous réconcilier si vous pouvez échanger avec votre partenaire une *variété* d'activités positives en gage de paix : faire l'amour, par exemple, ou partager des loisirs.

Les couples qui s'affrontent loyalement s'ouvrent des voies d'enrichissement personnel que les mauvais querelleurs ont de la difficulté à atteindre. L'affrontement loyal permet de pratiquer l'exploration de soi, de définir clairement le degré de différence entre les deux partenaires, d'affirmer leur identité émotionnelle respective, d'établir une saine distance, de réduire le risque de tenir la paix comme acquise et, enfin, d'augmenter l'intimité et le partage.

En quoi diffère la résolution de problèmes de l'affrontement loyal ?

L'excellent livre de George Bach et de Peter Wyden[9] identifie avec éloquence les bénéfices que beaucoup de couples peuvent retirer de l'apprentissage de l'affrontement loyal. Plusieurs des recommandations formulées par ces auteurs ressemblent à celles données dans ce livre. Nos philosophies ont également certains aspects en commun. *Il y a* toutefois des différences importantes. Bien que je sois d'accord avec Bach et Wyden sur les gains que procure l'affrontement loyal, je ne partage pas leurs avis quand ils recommandent aux partenaires d'utiliser le combat loyal pour exprimer leur amour ou pour négocier, ou encore pour résoudre leurs problèmes. Il arrive parfois que les couples entremêlent inconsciemment ces activités. De fait, la plupart des participants à nos cours trouvent qu'il leur est plus facile de garder séparés la querelle, l'amour et la résolution des problèmes. Je suggère donc que les couples maintiennent la résolution de problèmes en dehors des séances d'affrontement et vice versa. La plupart des couples trouvent en effet qu'il leur est plus facile d'essayer de maîtriser une technique à la fois, parce que chacune comporte différents objectifs et gains.

Les objectifs de la querelle doivent être de formuler ses griefs personnels, d'exprimer sa colère et de chercher à diminuer ses frustrations. Même si les règles de combat loyal énumérées dans ce livre empêchent les comportements destructifs, il reste encore amplement d'espace pour le défoulement. En fait, il est encore possible de dire « Je suis en colère », « Je suis blessé(e) », « Je me sens abandonné(e) », « Je me sens trompé(e) ». Il y a également de la place pour les larmes, les vociférations et les arguments dramatiques pour convaincre l'autre de la force et de l'authenticité des sentiments. *Cependant,* une fois que les partenaires ont réussi à donner libre cours à leur frustration et à accroître leur connaissance mutuelle au moyen de la querelle, je leur recommande de ne pas essayer de résoudre des problèmes en suspens ou de définir une nouvelle ligne de conduite immédiatement, à moins qu'ils ne soient en crise et doivent résoudre un problème dans un laps de temps bref. La plupart des couples trouvent que la résolution de problèmes est plus facile, plus satisfaisante et apporte des résultats plus concrets une fois que la querelle est bel et bien terminée, ou lorsque les sentiments de frustration sont maîtrisés et que les esprits sont suffisamment apaisés pour attaquer les exigences de la résolution de problèmes.

Comment évaluer vos propres façons de vous quereller

Avant que deux partenaires ne s'engagent à améliorer leurs techniques d'affrontement, ils devraient d'abord examiner leurs styles actuels. Il existe une variété de systèmes de pointage qui ont été utilisés pour mesurer la nature des querelles entre intimes. Le système présenté ici est relativement simple et offre l'avantage de résumer ce qui a été dit sur l'affrontement loyal dans ce chapitre ainsi que dans le chapitre précédent.

Comment évaluer vos propres façons de vous quereller

	OUI	NON
1. Croyez-vous que si vous avez bien choisi votre partenaire, vous n'aurez jamais besoin de vous quereller?	−1	+1
2. Croyez-vous que les affrontements forment une partie inévitable et naturelle de toute relation intime?	+1	−1
3. Croyez-vous que lorsque vous êtes en colère, il est toujours préférable de ravaler ce sentiment?	−1	+1
4. Croyez-vous que votre partenaire soit le (la) plus à blâmer des problèmes dans votre relation?	−1	+1
5. Est-ce que vous et votre partenaire vous querellez en tout temps et en tout lieu, au lieu de choisir soigneusement le moment et le lieu?	−1	+1
6. Commencez-vous une querelle avec votre partenaire lorsqu'il est évident qu'il (elle) est fatigué(e) ou maussade, ou lorsqu'il (elle) rentre à la maison juste après le travail?	−1	+1
7. Essayez-vous d'exprimer vos plaintes aussitôt que le problème se présente au lieu d'attendre des mois?	+1	−1
8. Lorsque vous entamez une querelle avec votre parte-		

	OUI	NON
naire, connaissez-vous habituellement la cause de votre colère?	+1	−1
9. Trouvez-vous que votre partenaire ou vous avez souvent des explosions de colère sans avertissement?	−1	+1
10. Critiquez-vous souvent votre partenaire pour un certain motif lorsque, en réalité, vous savez que vous êtes en colère à propos d'un autre motif?	−1	+1
11. Vous querellez-vous habituellement à propos d'une question à la fois au lieu de formuler plusieurs plaintes au cours d'une même querelle?	+1	−1
12. Critiquez-vous souvent votre partenaire pour des aspects qu'il (elle) ne peut changer, tels que sa taille, sa race, sa couleur de peau ou son milieu familial?	−1	+1
13. Votre partenaire et vous vous querellez-vous souvent à propos de problèmes qui se sont produits quelques mois ou quelques années auparavant?	−1	+1
14. Lorsque vous exprimez votre colère ou votre frustration à votre partenaire, commencez-vous votre récrimination avec des propos à la première personne tels que: « Je pense... » ou « J'ai le sentiment... »?	+1	−1
15. Avez-vous déjà lancé des objets à votre partenaire?	−1	+1
16. Vous arrive-t-il d'avoir recours aux injures, de crier des noms blessants tels que « bâtard » ou « enfant de chienne »?	−1	+1
17. Vous dites-vous souvent au cours d'un argument avec votre partenaire: « Je lui revaudrai ça »?	−1	+1
18. Lorsque vous vous plaignez à votre partenaire, spécifiez-vous habituellement la situation ou le comportement qui vous dérange?	+1	−1
19. Demandez-vous habituellement à votre partenaire de cesser de faire ce qui vous irrite plutôt que de lui suggérer de faire ce qui vous plairait?	−1	+1
20. Croyez-vous que vous êtes principalement la personne à blâmer du manque d'harmonie dans votre relation?	−1	+1
21. Lorsque vous êtes en colère, croyez-vous qu'il soit souvent valable d'exprimer votre colère?	+1	−1
22. Pouvez-vous résumer ce que votre partenaire ressent ou pense à propos de l'une de vos doléances habituelles?	+1	−1
23. Criez-vous souvent contre votre partenaire?	−1	+1
24. Avez-vous déjà donné des coups ou des claques à votre partenaire?	−1	+1
25. Lorsque vous êtes fâché(e), appelez-vous habituellement votre partenaire par son nom?	+1	−1

26. Vous dites-vous souvent en vous-même au cours d'un argument avec votre partenaire: « Je ne lui laisserai jamais gagner celui-là » ?   −1   +1

27. Supposez-vous habituellement que vous savez ce que votre partenaire ressent et pourquoi il ou elle dit telle chose, sans vérifier l'exactitude de votre interprétation?   −1   +1

28. Vous dites-vous souvent en vous-même ou à haute voix au cours d'une querelle avec votre partenaire: « C'est toi ou moi, mon (ma) cher.(chère) » ?   −1   +1

29. Lorsque vous remarquez que vous perdez le contrôle de votre querelle, savez-vous comment demander une trêve?   +1   −1

30. Pouvez-vous dire quel jour ou à quel moment vous et votre partenaire êtes plus susceptibles d'avoir une grosse querelle?   +1   −1

Maintenant, retournez aux réponses que vous avez données. Directement sous chaque « oui » ou « non », se trouve un signe plus ou un signe moins. Additionnez tous les plus que vous avez encerclés, puis tous les moins. Soustrayez le total des « moins » du total des « plus » et vous obtenez ainsi votre score d'affrontement loyal:

Nombre total de plus: Nombre total de moins:

Si vous avez un score positif, votre style de dispute est plus utile qu'insignifiant. Si, par contre, vous obtenez un score négatif, votre style est plus ravageur qu'utile. Si vous vous situez dans cette dernière catégorie, vous pourriez essayer l'un ou l'autre des projets proposés dans ce chapitre afin de réduire l'aspect dévastateur de vos querelles et en augmenter l'aspect bienfaisant.

CHAPITRE 11

La division efficace du travail

Léonard et Virginie sont mariés depuis huit ans et ont deux enfants adorables, Lise, 7 ans, et Stéphane, 4 ans. Léonard est agent d'assurances et gagne 24 000 $ par année, alors que Virginie, qui occupe un poste de secrétaire à plein temps dans un grand hôpital depuis les trois dernières années, a un revenu annuel de 13 000 $. Virginie a convaincu Léonard de participer avec elle à l'un de nos cours de démarche de survie après qu'ils ont commencé à avoir de plus en plus de querelles amères à propos de leur charge de travail respective. Il est ressorti clairement de notre examen du couple que chaque partenaire se comportait assez loyalement dans les disputes. Les deux s'aimaient encore beaucoup, avaient des relations sexuelles satisfaisantes (quand ils en trouvaient le temps) et faisaient preuve de bonnes habiletés de résolution de problèmes. Cependant, ils n'ont jamais réglé à leur satisfaction mutuelle leurs difficultés à propos du travail que chacun effectuait à l'extérieur de la maison et à propos du responsable des travaux ménagers. Leurs querelles au sujet du travail commençaient à déteindre sur tous les aspects les plus positifs de leur vie commune. Lors de l'une des premières réunions du cours sur les démarches de survie, ils se sont rappelé la querelle suivante, qu'ils ont eue vers 18 heures, un vendredi soir:

LÉONARD *(se sentant fatigué, maussade et affamé après une longue journée et une semaine de travail de 50 heures)*: « Quand crois-tu que le souper sera prêt, chérie ? »

VIRGINIE *(se sentant tout aussi fatiguée et maussade après* avoir travaillé *42 heures à l'extérieur de la maison et avoir fait ce qu'elle considérait* beaucoup plus *que sa part de travail ménager)*: Tu sais, je n'ai vraiment pas faim maintenant. Cela te dérangerait-il de te préparer quelque chose pour toi seul? Cela me donnerait l'occasion de consacrer quelque temps aux enfants.

LISE ET STÉPHANE : S'il te plaît, papa, nous ne l'avons pas vue de la semaine.

LÉONARD *(se fâchant et regrettant immédiatement son accès de colère)*: Écoutez, je ne vous ai pas vus beaucoup moi non plus mais *j'ai faim.* J'ai eu une semaine de fou et je crois que *le moins* que tu puisses faire, Virginie, est de préparer un repas.

VIRGINIE *(se sentant également fâchée et blessée puisqu'elle a le sentiment que Léonard n'apprécie pas tout le travail qu'elle a déjà effectué)*: Écoute, chéri. Moi aussi j'ai travaillé au bureau toute la journée. J'ai dû me lever cette nuit parce que Stéphane avait fait un cauchemar et ce matin à 6 h 30 pour aider Lise à faire ses devoirs. En plus, je ne me suis pas couchée avant 1 heure et ce, après avoir fait le lavage, le repassage, les lunchs et après avoir renouvelé mon permis de conduire et mes assurances pour la voiture. Tu sais comment ouvrir une boîte de conserve, tu sais comment faire chauffer le four et tu sais où se trouvent les ustensiles.

LÉONARD *(se sentant quelque peu coupable du fait qu'il se soit endormi à 20 heures la veille et qu'il se soit levé à 8 heures le lendemain matin, de sorte qu'il n'a pas du tout aidé Virginie, mais toujours en colère et blessé parce qu'il pense que Virginie n'apprécie pas sa collaboration)*: Tu sais que le médecin m'a dit que je devais dormir davantage et manger plus régulièrement pour contrôler mon hypertension. En plus, je ne suis pas bon cuisinier et j'en ai assez de manger des aliments en conserve.

VIRGINIE *(se sentant coupable parce qu'elle aimerait avoir plus de temps pour cuisiner, mais frustrée de ce qu'on lui demande encore une fois d'ignorer sa propre fatigue et ses propres besoins pour que les enfants et Léonard continuent à être heureux)*: Bon, je vais cuisiner maintenant si tu joues avec les enfants. Mais j'en ai assez de ce genre d'histoire. Je *m'inquiète* de ta santé Léonard. Mais que fais-tu de la recommandation de *mon* médecin qui m'a dit que je devais ralentir si je voulais maîtriser mes maux de tête?

LÉONARD *(commençant à bouillir)*: Tu en as assez? C'est moi qui apporte la plus grosse part des revenus ici.

LISE : Papa, maman, arrêtez de crier!

Stéphane, pleurant, se serre sur sa mère.

VIRGINIE *(se sentant très frustrée et en colère)*: Tu gagnes peut-être plus mais tu n'arrivais pas à joindre les deux bouts avant que je ne recommence à travailler. En plus, non seulement je travaille presque autant d'heures que toi au bureau mais je fais cinq fois plus de travail à la maison que tu n'en fais.

Ces arguments vous sont-ils familiers? Puisque plus de 50% des foyers occidentaux sont composés de deux partenaires qui travaillent, des querelles de cette nature sont monnaie courante. Dans ce chapitre, nous allons résumer les problèmes auxquels les couples se heurtent à propos du travail. Nous allons examiner en détail les causes de plusieurs des conflits les plus fréquents et étudier certaines solutions que Virginie et Léonard et d'autres couples dans leur situation ont découvertes. Cependant, avant de poursuivre davantage, prenez cinq minutes pour noter sur papier les solutions que vous considérez possibles aux problèmes de Virginie et de Léonard.

La famille à double carrière : les avantages

Au XXe siècle, en particulier depuis la deuxième guerre mondiale, les femmes sont entrées sur le marché du travail en nombre croissant. Des enquêtes récentes indiquent que dans plus de 50% des familles occidentales, deux partenaires travaillent à temps plein à l'extérieur de la maison. Il y a plusieurs avantages à ce que les deux partenaires possèdent un emploi à l'extérieur de la maison.

AVANTAGE 1

L'aspect financier.

Même si le salaire des femmes en Occident n'a jamais évolué au même rythme que celui des hommes, l'écart rétrécit graduellement. En fait, chez certains couples, le revenu de la femme est supérieur à celui de l'homme, soit parce qu'elle a plus d'instruction et d'expérience, soit qu'elle possède plus de compétences qui répondent aux besoins du marché ou qu'elle n'a pas été touchée par les licenciements. Cependant, il s'agit encore de l'exception à la règle. Des études démontrent que la tendance la plus courante dans les familles occidentales où les deux partenaires poursuivent chacun une carrière est que la femme a un revenu se situant entre 30 et 40% du revenu familial total. En cette ère caractérisée par l'inflation et la lente érosion du pouvoir d'achat, la plupart des couples sont convaincus qu'ils ne pourraient pas survivre financièrement sans l'apport de deux revenus. Virginie et Léonard pensaient sûrement de cette façon.

AVANTAGE 2
Une protection contre les catastrophes de la vie.

La famille à double revenu peut mieux survivre les conséquences pour le moins fâcheuses du chômage et de la maladie que la famille à un seul revenu. En outre, dans la famille à double carrière, une fois que les dépenses familiales et de la maison ont été payées, tout revenu disponible peut être dépensé ou épargné pour parer aux événements stressants tels qu'une maladie soudaine ou la mort accidentelle d'un partenaire ou la retraite. Les femmes des familles traditionnelles (dans lesquelles seul l'homme travaillait) étaient très vulnérables à la mort prématurée de leur partenaire. Ayant plusieurs enfants à élever et une assurance-vie invariablement insuffisante, le partenaire sans emploi se trouvait soudain plongé dans une situation difficile. De nos jours, le taux croissant de divorce a alerté la plupart des femmes (mais relativement peu d'hommes) leur suggérant ainsi que le travail à l'extérieur comporte un avantage indéniable: leur revenu peut servir de protection contre les catastrophes économiques qu'entraîne le divorce. Des études démontrent immanquablement qu'après une séparation, les femmes vivent beaucoup plus de difficultés économiques que les hommes. Ainsi, malgré les pénalités de plus en plus sévères imposées dans le cas de non-paiement de la pension alimentaire, un nombre impressionnant d'anciens partenaires continuent encore à refuser de payer cette pension. Les femmes qui voient leurs soeurs et leurs amies passer de la sécurité financière relative dans leur mariage à la pauvreté après leur séparation en concluent souvent que la ménagère à plein temps vit de façon précaire, sans aucune protection financière pour l'avenir. Après une séparation, les hommes se rendent compte rapidement que l'entretien de deux foyers est plus coûteux que l'entretien d'un seul et reconnaissent que le salaire de leur nouvelle partenaire ou de la partenaire précédente peut faire pencher la balance du côté de leur survie économique et leur éviter la faillite. Des études démontrent qu'en général, le niveau de vie des deux partenaires tombe brusquement après une séparation.

De plus en plus conscientes des taux croissants de divorce, les femmes y pensent deux fois avant d'avoir un autre enfant et de quitter un emploi durement gagné. Ainsi, Léonard voulait un troisième enfant, mais Virginie raisonnait ainsi: « Si je laisse mon emploi pendant un an ou dix-huit mois, je vais perdre mon ancienneté et mon salaire. Ce ne serait pas si mal si notre mariage durait, mais voilà huit ans que nous sommes mariés et que nous nous querellons comme chiens et chats. La plupart des couples ne semblent pas durer plus de dix ans ensemble. »

AVANTAGE 3
L'estime de soi et la stimulation intellectuelle.

Les femmes considèrent que la sécurité financière est l'une des principales raisons pour lesquelles elles travaillent à l'extérieur de la maison. Cependant, des recherches récentes ont indiqué que plus de la moitié de toutes les femmes qui travaillent à plein temps considèrent le travail à l'extérieur de la maison comme *préférable* aux travaux ménagers à plein temps. De même, 30% des ménagères à plein temps estiment qu'elles préféreraient de beaucoup travailler à l'extérieur de la maison pour des raisons autres que financières. Alors que les générations précédentes respectaient les travaux ménagers, dont la préparation des repas, l'éducation des enfants et le lavage, de plus en plus de femmes considèrent maintenant que ce type de travail est ennuyeux, routinier et représente une faible source d'estime de soi. Par contre, le travail à l'extérieur, quel qu'il soit, est évalué par une majorité de femmes comme plus « stimulant » et plus « valable » que les travaux ménagers. Une recherche sociologique très détaillée explique que ce changement d'attitude ne devrait pas être surprenant étant donné que les plus grandes possibilités d'instruction offertes aux femmes ont changé radicalement leurs ambitions en termes de carrière. Alors qu'autrefois les femmes aspiraient seulement à un foyer et à une famille, elles veulent maintenant une carrière aussi. Et tant que le plein accès au marché du travail leur sera refusé, leur frustration personnelle sera d'autant plus grande.

L'homme sait depuis des siècles que sa carrière peut lui procurer estime de soi et stimulation intellectuelle. En plus de lui apporter la satisfaction de gagner de l'argent, elle lui permet également de rencontrer quotidiennement d'autres personnes que sa partenaire, d'avoir un environnement différent de celui de la maison, de gagner le respect de ses collègues, de ses supérieurs et de ses clients pour le travail qu'il accomplit.

AVANTAGE 4
« Syndrome de la ménagère » évité.

Même si notre société en est venue graduellement à accorder de moins en moins de respect aux tâches de la ménagère, les responsabilités de ce rôle sont nombreuses. Nous allons bientôt les étudier en détail au moyen du formulaire de la page 200. Plusieurs de ces responsabilités, en particulier l'éducation des enfants et le soutien émotionnel du partenaire, nécessitent des qualités et une patience exceptionnelles. Cependant, d'autres aspects plus banals de ce rôle peuvent entraîner une accumulation lente de la frustration et de l'aliénation. Les tâches répétitives sont un irritant bien connu. Une maison en ordre dès 10 heures sera encore en désordre dès le moment où le partenaire et les enfants auront été à l'intérieur pendant une heure. La même histoire sera répétée 365 fois par année. Non seulement le travail est-il répétitif mais le ménager ou la ménagère peut facilement devenir frustré(e) par le fait qu'il ne subsiste rien qui puisse témoigner des 365 fois où la maison a été nettoyée. La préparation des repas, la vaisselle et le lavage produisent le même type de frustration : au mieux, il n'y a qu'une preuve très temporaire du travail bien fait et il subsiste relativement peu de place pour l'excellence ou l'initiative personnelle.

Les partenaires ou les enfants qui ont rarement ou jamais eu une véritable idée de ce que cela peut représenter que d'effectuer des travaux ménagers *seulement,* 365 jours par année, ou même pendant une semaine, ont tendance à ne pas se rendre compte de ce que ce rôle implique vraiment, ou de ce que peut ressentir la personne qui l'assume. Par conséquent, le travail de la ménagère est souvent tenu pour acquis et est rarement renforcé. Un autre inconvénient du rôle de la ménagère est que, trop souvent, celle-ci doit ajuster son horaire à celui des autres. Si elle a envie de lire, d'écrire, de suivre des cours ou seulement de se détendre, elle doit insérer ces activités durant le temps de sieste de son partenaire ou les effectuer lorsque celui-ci est à la maison, reposé, de bonne humeur et libre pour garder les enfants.

Ce type de comportement peut souvent amener diverses conséquences. L'une d'elles est le « syndrome de la ménagère ». Les psychiatres utilisent ce terme pour décrire des symptômes de dépression chronique, de légère anxiété à propos de l'avenir, de crainte d'aller à l'extérieur de la maison, de manque d'appétit sexuel, de perte ou de gain de poids. Il n'est donc pas surprenant que de nombreuses femmes familières avec ces symptômes préfèrent l'option de la carrière pour les deux partenaires au rôle de ménagère, surtout si elles ont entendu leur propre mère leur dire : « Je n'aurais jamais dû me marier tout de suite après mes études. J'aurais dû me trouver un emploi et faire une carrière. Je ne me retrouverais pas dans la routine que je vis aujourd'hui. »

AVANTAGE 5

L'égalité des rôles.

De nombreux couples pensent que le principal avantage de la famille à double carrière est l'égalité des rôles qu'elle crée. Lorsque les deux partenaires apportent un salaire et ont des responsabilités ainsi que des sources de stimulation à l'extérieur de la maison, il y a de plus grandes possibilités que les deux se sentent « égaux ». Mais pourquoi priser l'égalité ? Pour plusieurs, le mariage traditionnel menait deux individus dans deux mondes différents : lui, dans le monde du travail et elle, dans le monde du « foyer ». Étant donné que chacun travaillait dans un monde seulement, aucun des deux ne comprenait particulièrement celui de l'autre. La personne qui apportait un salaire, le soutien de famille, avait tendance à détenir plus de pouvoir et de contrôle. Habituellement, l'homme de la maison avait le compte de banque principal et la femme recevait de lui de l'argent pour ses « petites dépenses ». Il décidait le moment de changer d'emploi, de déménager, d'acheter une nouvelle maison ou une automobile. Souvent une division des rôles parentaux se développait, de sorte que la femme avait la charge de l'éducation des enfants et l'homme de les mettre au pas à l'occasion. La femme qui vivait cette situation se sentait souvent à la merci de son conjoint, dépendant de lui sur le plan de la sécurité matérielle, de la stimulation intellectuelle et du support moral. Fait intéressant, cependant, les statistiques sur la santé révèlent que cette division traditionnelle du travail (la femme qui travaille à la maison et l'homme, à l'extérieur) a fait beaucoup plus de tort à la santé physique des hommes qu'à celle des femmes.

De nombreux couples qui se sont engagés dans l'option de la double carrière apprécient le fait que leur foyer n'ait pas de « patron ». Les deux partenaires ont leur propre compte de banque, prennent des décisions ensemble et se partagent l'éducation des enfants ainsi que les tâches ménagères. Pendant de nombreuses années, les psychologues pour enfants ont souligné qu'un inconvénient de la famille traditionnelle est le fait que les enfants voient seulement leur mère dans le rôle émotionnel et dépendant et leur père, dans le rôle indépendant et rationnel. Par conséquent, les filles n'ont pas la possibilité d'observer une femme rationnelle et indépendante et les garçons n'ont pas l'occasion de voir un homme capable d'exprimer ses émotions, surtout la dépendance et l'amour. Dans les familles à double carrière, par contre, les enfants ont une plus grande possibilité de voir la flexibilité des rôles. Ainsi, ils sont mieux préparés à affronter les exigences imprévisibles et multiples de la vie.

AVANTAGE 6
L'empathie et le respect.

Une fois que les deux partenaires ont vécu l'expérience des deux mondes, lui confronté aux tâches ménagères et elle, au marché du travail ouvert, ils peuvent accroître leur empathie l'un pour l'autre. Ainsi, elle apprend ce que c'est que d'avoir un patron « fou », incompétent ou sans coeur, de ressentir le stress des échéances et la concurrence de ses collègues de travail. Il ap-

prend ce que c'est que d'accomplir des tâches ménagères répétitives, d'amener les enfants chez le médecin et de se réveiller la nuit
pour répondre à leurs besoins. Une plus grande empathie l'un envers l'autre peut entraîner un plus grand respect et une plus grande compréhension. Aussi, lorsque les deux partenaires ont chacun
leur emploi à l'extérieur de la maison, leur propre salaire et leurs
propres rapports sociaux, il est moins risqué qu'un partenaire
tienne l'autre pour acquis.

Les familles à double carrière : les inconvénients

L'option de la double carrière comporte également de nombreux inconvénients.

INCONVÉNIENT 1
Les maladies reliées au stress.

Depuis que les femmes sont entrées sur le marché du travail,
leur propension aux maladies produites par le stress a rejoint celle
des hommes. Alors que les crises cardiaques, les ulcères, l'alcoo-
lisme et le cancer du poumon étaient habituellement des maladies
qui frappaient principalement les hommes, les femmes sont maintenant de plus en plus sujettes aux mêmes troubles.

INCONVÉNIENT 2
Qui accomplira les tâches ménagères ?

Des études démontrent que les ménagères travaillent à la maison entre 35 et 70 heures par semaine. Si vous ajoutez à cela
toutes les heures passées à s'occuper des enfants, sept soirs par
semaine et deux jours complets les fins de semaine, les travaux
ménagers peuvent consumer 112 heures de travail par semaine
s'ils sont effectués par la même personne. Si toutes les responsabilités de la ménagère telles que le lavage, la couture, le nettoyage, les soins aux enfants et leur éducation, étaient mises sous
contrat, la facture totale dépasserait aisément les 30 000 $ par an-
née. Lorsque la femme de la maison prend un emploi à temps plein
ou partiel à l'extérieur, il faut que quelqu'un assume les tâches
ménagères. Des études effectuées en Amérique du Nord, en Europe occidentale et dans les pays de l'Est indiquent que les querelles
les plus fréquentes chez les couples dont les deux membres ont
une carrière surgissent lorsqu'il s'agit de déterminer qui effectuera
les tâches ménagères. Même si les statistiques varient grandement
d'un pays à l'autre, il existe une tendance universelle : les femmes
accomplissent plus de travaux ménagers que les hommes, même
si les deux partenaires travaillent un même nombre d'heures à
l'extérieur de la maison.

INCONVÉNIENT 3
Qui sera le « patron » ?

Une conséquence de la nouvelle division du travail au sein des familles à double revenu est que les règles traditionnelles qui désignaient le « maître » du foyer sont maintenant dénuées de sens puisque les deux partenaires apportent un revenu et que chacun consacre de longues heures de travail à l'extérieur de la maison. En fait, de nombreux couples décident maintenant que personne « ne portera le pantalon ». Un avantage des rôles familiaux traditionnels établis est que les deux partenaires savent qui des deux fait quoi. Souvent, par contre, les familles modernes à double carrière ne trouvent pas de nouvelle façon d'aborder les décisions à ce sujet. Par conséquent, leur association peut souvent dériver comme un bateau sans gouvernail.

INCONVÉNIENT 4
Quels sont les rôles des femmes et ceux des hommes ?

Les divisions traditionnelles du travail donnent souvent à chaque partenaire une idée claire du type de comportement social à adopter dans des situations impliquant les enfants, les beaux-parents et eux-mêmes, l'un envers l'autre. L'homme devait être fort, silencieux, rationnel, indépendant et strict en matière de discipline. On s'attendait que la femme soit moins dominante, plus volubile, émotionnelle, dépendante et aimante envers ses enfants. Cependant, la nouvelle égalité des sexes dans le monde du travail peut créer une confusion totale dans le milieu social. Bref, un avantage des rôles traditionnels des hommes et des femmes est que chaque personne connaît son scénario respectif. Cependant, en raison de l'effondrement des rôles traditionnels des sexes, il n'existe plus de scénario infaillible pour dicter le comportement de l'homme ou de la femme. Les partenaires d'une relation à double carrière trouvent qu'ils doivent souvent passer beaucoup de temps à écrire un nouveau scénario. S'ils ne le font pas, diverses conséquences fâcheuses peuvent s'ensuivre. Ainsi, les deux peuvent devenir forts, silencieux et être bons en matière de discipline avec les enfants, mais aucun ne peut leur donner amour et affection.

INCONVÉNIENT 5
La surcharge de travail.

L'une des plaintes les plus courantes des partenaires qui mènent chacun une carrière est la surcharge de travail. Si l'homme travaille 40 heures par semaine et voyage durant 6 heures et que la femme en travaille 30 et voyage aussi pendant 6 heures, il reste entre 50 et 70 heures de travail à effectuer à la maison. Si les partenaires divisent ces heures également entre eux, il travaillera et voyagera 46 heures à l'extérieur de la maison et en travaillera

26 à la maison ; elle voyagera et travaillera 36 heures à l'extérieur et 36 heures à l'intérieur.

L'une des conséquences d'une forte surcharge de travail est que les moments les plus agréables de la vie, soit jaser, jouer avec les enfants, écouter de la musique, faire l'amour ou avoir une saine querelle, deviennent rares. Les couples à double carrière à qui l'on suggère de consacrer une heure trois fois par semaine à discuter, à résoudre des problèmes, à s'écouter ou à s'échanger des caresses sensuelles répondront invariablement : « Bonne idée, mais quand ? Nous manquons de temps. » L'argent dans les familles à double carrière n'est peut-être pas une ressource rare, mais le temps, et surtout la qualité du moment ensemble, l'est. Évidemment, les partenaires peuvent prendre des vacances au cours desquelles ni l'un ni l'autre ne travaille pendant une, deux ou même trois semaines. Cependant, ils doivent assez rapidement retourner à la maison, au « monde réel », et ce monde comporte beaucoup de travail et très peu de loisirs.

Solutions possibles pour le couple à double carrière

Virginie, au cours de l'une des séances de démarches de survie, a résumé ainsi le dilemme auquel doivent faire face de nombreux individus dans les familles à double carrière : « Je me sens condamné(e) si je garde mon emploi et condamné(e) si je reste à la maison. » Le chef de groupe a suggéré que Virginie et Léonard effectuent un exercice de résolution de problèmes sur les questions qui ont provoqué leurs querelles à propos du travail.

Définitions du problème selon Virginie

1. Léonard ne fait pas sa part de travail autour de la maison.
2. Léonard tient mon emploi de secrétaire pour acquis et n'apprécie pas le salaire que j'apporte.
3. Nous ne partageons pas suffisamment de moments de loisir ensemble.
4. Nous ne passons pas suffisamment de temps avec les enfants.
5. Nous dépensons trop d'argent.

Définitions du problème selon Léonard

1. Depuis que Virginie est retournée au travail, elle a changé. Elle est moins affectueuse, sa compagnie est moins agréable et elle n'apprécie pas mon travail.
2. Virginie ne veut pas avoir un autre enfant. Moi, oui.

3. Virginie pense que je n'effectue pas suffisamment de travaux ménagers et je trouve que j'en fais beaucoup.

4. Les enfants ont besoin de passer plus de temps avec nous que nous leur en avons donné.

L'animateur du groupe a ensuite suggéré au couple d'examiner un problème à la fois et de proposer quelques solutions possibles pour chacun. Cependant, ils devaient d'abord savoir exactement de quelle façon ils consacraient leur temps de travail et de quelle façon ils dépensaient leurs revenus combinés. Afin de les aider à relever ces chiffres, l'animateur du groupe a présenté à Léonard et à Virginie deux ensembles de formulaires d'auto-observation à remplir: le formulaire d'auto-observation de la charge de travail du couple et le formulaire d'auto-observation du budget du couple (voir pages suivantes).

Votre partenaire et vous pouvez avoir des surprises intéressantes une fois que vous aurez complété ces formulaires. C'est ce qui s'est passé avec Virginie et Léonard. Comme c'est le cas de plusieurs couples qui ne sont pas en proie à un conflit grave, leurs estimations de la charge de travail concordaient relativement bien. Léonard était assez impressionné du nombre d'heures que Virginie consacrait au travail à l'intérieur de la maison en une semaine. Léonard prenait trois soirs par semaine et une demi-journée pour ses activités sportives. Il regardait la télévision 15 heures par semaine. Un des soirs où Léonard était absent, ils se sont entendus pour engager une gardienne afin que Virginie puisse aller au cinéma avec des amis. Cependant, Léonard a appris que durant les 21 heures où il pratiquait un sport ou regardait la télévision, Virginie accomplissait invariablement des tâches ménagères ou aidait les enfants à faire leurs devoirs. Léonard a également remarqué que presque chaque soir, il faisait la sieste et lisait ses journaux, ce qui revenait à 7 heures par semaine, alors que Virginie effectuait 5 heures de travail sur ces 7 heures. Au total, Léonard travaillait et voyageait durant 56 heures par semaine à l'extérieur de la maison et travaillait en moyenne 10 heures à la maison, soit un total de 66 heures. Quant à Virginie, elle comptait 46 heures de travail à l'extérieur de la maison et 32 heures à la maison, soit un total de 78 heures.

Formulaire d'auto-observation de la charge de travail du couple

Travail par semaine

Il vous faudra environ 5 minutes par jour pour remplir ce formulaire. Une fois complété, celui-ci vous fournira un relevé précis du temps que vous consacrez à diverses tâches à la maison et à l'extérieur de la maison. Inscrivez le temps que vous accordez chaque jour à chaque activité. Puis, lorsque vous avez complété votre calendrier pour une semaine spécifique, complétez la colonne « Temps habituel ». Vous y inscrivez le temps que vous estimez consacrer habituellement à chaque activité. Enfin, évaluez le temps que vous croyez que votre partenaire accorde normalement à chacune des activités figurant sur la liste.

FORMULAIRE D'AUTO-OBSERVATION DE LA CHARGE DE TRAVAIL DU COUPLE

	Heures L M M J V S D	Total par semaine	Temps habituel	Estimation pour le partenaire
1. Travailler à l'extérieur de la maison				
2. Effectuer les trajets journaliers				
3. Cuisiner				
4. Nettoyer la maison				
5. Faire le lavage				
6. Laver la vaisselle				
7. Acheter la nourriture et des articles pour la maison				
8. Gérer le budget				
9. Payer les comptes				
10. Répondre aux besoins des enfants				

Formulaire (suite)

	Heures L M M J V S D	Total par semaine	Temps habituel	Estimation pour le partenaire
11. Aider les enfants à faire leurs devoirs				
12. Garder les enfants				
13. Changer les lits				
14. Effectuer des réparations à la maison ou à des appareils électro-ménagers				
15. Apporter des améliorations à la maison				
16. Réparer la voiture				
17. Prendre soin des animaux domestiques				
18. Préparer la déclaration d'impôt				
19. S'occuper des parents et des beaux-parents				
20. Suivre des cours pour améliorer les perspectives de carrière				
21. Aller en vacances				
22. Courir les magasins pour des cadeaux				
23. Faire des courses pour des articles de luxe				
24. Autres				

FORMULAIRE RÉCAPITULATIF DE LA CHARGE DE TRAVAIL

	VOUS	VOTRE PARTENAIRE
HEURES TOTALES consacrées au travail à l'extérieur de la maison		
HEURES TOTALES consacrées aux trajets journaliers		
HEURES TOTALES consacrées aux études		
HEURES TOTALES consacrées aux tâches ménagères		
TOTAL GLOBAL		

FORMULAIRE D'AUTO-OBSERVATION DU BUDGET DU COUPLE

DATE
Revenu net par mois: Lui $
                  Elle $
Autres revenus: $
REVENU MENSUEL TOTAL: $

DÉPENSES MENSUELLES
Hypothèque ou loyer $
Nourriture $
Repas: lunchs et dîners au restaurant $
Boisson $
Cigarettes $
Vêtements $
Assurances (vie, maison et automobile) $
Dépenses mensuelles $
Électricité $
Gaz $
Réparations à la maison ou à l'appartement $
Réparations de la voiture $
Réparations des meubles et des appareils ménagers $
Chauffage $

Transport	$
Frais de dentiste	$
Frais médicaux	$
Médicaments	$
Achats d'appareils ou d'outils	$
Frais du club sportif ou autres	$
Cours et livres	$
Épargne-retraite	$
Remboursement d'emprunts	$
Frais de garde d'enfants	$
Cadeaux	$
Articles de luxe	$
Dépenses mensuelles	$
Autres	$
TOTAL GLOBAL	$

Formulaire d'auto-observation du budget du couple

Dépenses mensuelles

Une fois complété, le formulaire d'auto-observation du budget a aussi provoqué des surprises intéressantes. Avec le revenu annuel net de 10 000 $ de Virginie et le revenu de 18 000 $ de Léonard, ils disposaient de 28 000 $ par année, soit 2 333 $ par mois. Leurs dépenses se chiffraient à 2 000 $ par mois. Le surplus leur a permis de rembourser au complet deux emprunts, de sorte qu'au cours des six derniers mois, ils disposaient en moyenne de 333 $ pour des économies, pour se payer du luxe ou pour apporter des améliorations à la maison. Virginie, qui laissait habituellement la gestion du budget à Léonard, a été agréablement surprise de constater que le surplus mensuel était si élevé. Léonard savait qu'il s'agissait d'un montant raisonnable, mais il était évident que lui aussi était surpris de la somme exacte.

Lors de la séance subséquente, l'animateur du groupe a suggéré qu'avec ces chiffres en main, le couple pouvait maintenant entreprendre une séance de résolution de problèmes plus réaliste. Léonard et Virginie ont pris 2 heures pour passer en revue tous les problèmes inscrits sur leurs listes originales de définitions de problèmes. Plusieurs de leurs solutions proposées sont présentées ci-après.

Définition du problème

Léonard s'attendait que Virginie prépare plus de repas, mais Virginie travaillait une moyenne de 12 heures de plus par semaine que Léonard.

Solutions possibles	Auteur de la solution
1. Léonard apprend à cuisiner	Léonard
2. Nous engageons une aide-ménagère pour que Virginie puisse cuisiner plus souvent.	Virginie
3. Léonard laisse tomber une sortie par semaine et aide davantage aux travaux ménagers.	Léonard
4. Virginie a un emploi à mi-temps plutôt qu'à temps plein.	Léonard
5. Léonard travaille moins d'heures à son emploi de façon à se libérer pour aider davantage à la maison.	Virginie
6. Nous travaillons tous les deux moins à l'extérieur de la maison.	Virginie
7. Nous dépensons moins en articles de luxe afin de réduire la nécessité d'avoir de « gros » revenus mensuels.	Léonard

Léonard et Virginie ont convenu de suivre une méthode étape par étape. Ils ont décidé que, durant six mois, ils adopteraient les solutions 1, 2 et 7. Ainsi, Léonard préparerait les repas deux fois par semaine. Ils engageraient une aide-ménagère durant une demi-journée afin que Virginie soit libre pour cuisiner deux soirs de plus par semaine. Ils se priveraient d'un second téléviseur, de nouveaux meubles et d'un équipement de ski alpin. Ces modifications à leur routine ne les gênaient pas mais ils ont préféré s'entendre pour surveiller chaque semaine la réussite de leur projet.

Les deux partenaires avaient le sentiment que leur contribution respective aux travaux à la maison et à l'extérieur de la maison n'était pas appréciée par l'autre. Après avoir effectué plusieurs séances de résolution de problèmes, ils se sont rendu compte que la clé de leur insatisfaction résidait dans la façon dont ils discutaient ensemble de leur travail. Chacun sentait que l'autre aurait dû montrer plus d'appréciation et de compréhension mais, envahi par des sentiments de ressentiment, chacun étouffait son intérêt pour le travail de l'autre. Léonard et Virginie ont convenu d'utiliser leurs capacités d'écoute active et de révélation de soi (chapitre 4) pour accroître leur compréhension de leur travail respectif.

Ils avaient également le sentiment qu'en s'aidant mutuellement à résoudre leurs problèmes (chapitre 7) concernant leurs difficultés respectives liées à leur emploi, leur respect et leur appui mutuels en seraient accrus et qu'en assouplissant leurs façons de dialoguer, leur partenaire aurait moins l'impression d'être tenu pour acquis (chapitre 5). Ultérieurement, Léonard faisait le commentaire suivant: «Je me rends compte maintenant que si je n'exprime pas mon appréciation pour tout ce que Virginie accomplit ici, il est possible qu'elle continue à le faire, mais elle éprouvera beaucoup de ressentiment à mon égard. Et je ne l'en blâmerais pas.»

Virginie a répondu: «Maintenant que Léonard a parlé davantage de son emploi et que je l'ai vraiment écouté, je me rends compte que non seulement il travaille de plus longues heures à l'extérieur de la maison, mais que ses heures sont souvent beaucoup plus exigeantes que les miennes. Il doit constamment pousser la vente. Moi aussi, j'ai des périodes de stress au travail, mais beaucoup moins fréquemment que lui.»

Un troisième problème, reconnu par chacun, est qu'ils avaient peu de temps à se consacrer mutuellement. «Nous devenons de plus en plus comme des associés en affaires, disait Léonard, et nous avons moins de temps pour nous divertir.» Les deux avaient l'intention de réduire suffisamment leurs dépenses au cours de l'année pour leur permettre de diminuer leur nombre d'heures de travail.

Leur philosophie est donc devenue: «On ne vit qu'une fois.» Entre-temps, ils se sont entendus pour se consacrer du temps ensemble au moins une soirée par semaine.

Le dernier problème que Léonard et Virginie avaient à résoudre était relatif à leurs enfants. Les deux avaient le sentiment qu'ils ne donnaient pas suffisamment de temps et d'amour à Stéphane et à Lise et que ceux-ci manquaient de discipline. Virginie, en particulier, souhaitait que Léonard participe davantage. Voici quelle a été leur discussion à ce sujet:

VIRGINIE: Nous disciplinons tous deux les enfants lorsqu'ils ne sont pas sages mais j'aimerais que tu aides plus souvent Lise dans ses devoirs et que tu passes plus de temps à jouer et à parler avec eux.

LÉONARD: Eh bien! je me sens vraiment incapable d'aider Lise dans ses devoirs. Tu es tellement meilleure que moi pour ça. Et tu me connais, j'ai de la difficulté à parler avec les enfants. Je ne sais jamais quoi dire. Ils ont leur monde et j'ai le mien. C'est la même chose avec le jeu. Stéphane et moi n'aimons pas faire les mêmes choses.

Il n'est pas facile d'être parent. Nous ne sommes pas nés avec la faculté d'être parents pas plus que nous ne sommes nés avec la capacité de former un mariage heureux. La première tâche de Léonard a été d'apprendre à cesser de dire: «Je ne sais pas comment être un père affectueux » mais à dire plutôt: « Je *veux* apprendre. » Quant à Virginie, elle devait admettre qu'en raison de son milieu familial, elle s'était engagée dans le mariage avec une plus grande facilité à parler, à jouer et à travailler avec les enfants. Par conséquent, les deux enfants avaient tendance à lui démontrer plus d'affection et d'estime. Une fois qu'elle a reconnu cela, Virginie a appris à être plus patiente avec Léonard dans ses tentatives pour se rapprocher davantage des enfants et elle a encouragé plus souvent les efforts qu'il faisait pour changer.

Des problèmes différents exigent des solutions différentes

L'observation des nombreux couples qui se heurtent à des difficultés relatives au travail révèle clairement que chaque couple doit essayer de trouver des solutions qui correspondent le mieux à sa situation. Virginie et Léonard ont décidé de poursuivre l'option de deux carrières. D'autres couples trouveront d'autres solutions. Certains, par exemple, seront plus heureux si seulement un partenaire travaille à l'extérieur de la maison et que l'autre effectue le gros du travail ménager. Peu importe que ce soit la femme qui assume les tâches ménagères et devienne la ménagère ou que ce soit l'homme qui prenne la responsabilité de ces corvées et reste à la maison, des problèmes vont quand même se présenter. Certaines femmes et, de nos jours, certains hommes, préfèrent passer la plupart de leurs heures de travail à la maison, surtout lorsque les enfants sont jeunes. Comme il a déjà été souligné, cette option présente clairement de nombreux avantages si le couple peut se le permettre. Parfois, ces couples restreignent leurs dépenses de façon à se permettre le luxe d'un seul partenaire qui travaille à l'extérieur. D'autres couples, influencés entre autres par notre société de consommation et par la forte pression des médias pour se procurer des biens matériels, ont choisi l'option de la vie commune à double carrière. Cependant, comme Léonard et Virginie l'ont constaté, trop d'efforts dépensés à gagner de l'argent pour jouir d'un « meilleur niveau de vie » peut être incompatible avec le maintien de rapports de qualité entre partenaires et entre ces derniers et leurs enfants. Même lorsque les deux partenaires travaillent avec dévouement à la construction d'un château équipé de tout le luxe imaginable, ce château peut ne pas tenir longtemps. Si les deux partenaires ne maintiennent pas les conditions minimales requises pour jouir d'une relation de qualité, ils vont vers des contraintes émotionnelles certaines. L'argent épargné sera gaspillé en procédures de divorce et le luxe acheté sera vendu pour supporter deux ménages brisés.

Nous recommandons aux couples de maintenir le travail dans des proportions raisonnables et de ne pas le laisser dominer leur relation amoureuse. De plus, les partenaires devraient apprécier le travail de l'autre et ne pas tenir ses efforts pour acquis. Pour ce faire, les partenaires doivent exercer leurs capacités d'écoute et effectuer un effort déterminé pour avoir une idée claire de ce que peut représenter une journée de travail pour l'autre. Ceci peut être réalisé si chaque membre du couple essaie de changer de rôle, même si ce n'est que pour une période temporaire. Si, par exemple, un partenaire s'est occupé de certains travaux ménagers, l'autre partenaire doit prendre la relève durant un certain temps. Dans le cas de Virginie et de Léonard, Léonard a fait la cuisine, les courses et a aidé les enfants dans leurs devoirs durant une semaine. Virginie a géré le budget, payé les comptes, coupé le gazon et sorti les ordures. Si cela est possible, rencontrez les collègues de travail de votre partenaire et passez un jour ou deux avec lui ou elle à son lieu de travail.

Trois nouvelles options : deux emplois à mi-temps ; chacun son tour ; le soutien inter-couple

Une solution que certains couples trouvent intéressante consiste à ce que chacun des deux partenaires occupe un emploi à mi-temps à l'extérieur de la maison. Cet arrangement peut aider les deux partenaires à ne pas être épuisés par leur emploi à l'extérieur de la maison. Cela leur permet également d'avoir plus de temps libre pour travailler et se divertir à la maison. Évidemment, ce n'est pas tous les couples qui peuvent survivre financièrement durant de longues périodes de temps avec la moitié de deux salaires. Pour eux, une solution possible pourrait être l'option du travail « chacun son tour ». Ainsi, un partenaire travaille à plein temps durant une certaine période à l'extérieur de la maison alors que l'autre travaille à la maison. Puis, après plusieurs mois ou années, ils inversent les rôles. Ce type d'arrangement nécessite toutefois une grande flexibilité des rôles. Les hommes, en particulier, ont été lents à apprendre à maîtriser avec habileté et gaieté de coeur les tâches ménagères. Nombreux sont ceux qui trouvent que le travail n'est pas viril. Mais cet argument est insoutenable de nos jours.

Avec la dissolution de la famille élargie, les couples d'aujourd'hui comptent de plus en plus sur l'un et l'autre pour des besoins qui, originellement, étaient satisfaits par les frères et soeurs, les parents ou les enfants. La recherche révèle que les couples qui savent comment profiter des systèmes de soutien extérieurs ont une bien meilleure possibilité de surmonter les contraintes de la vie, que ce soit la maladie, le chômage, la mort ou des difficultés financières. Parmi les divers systèmes de soutien dont les couples peuvent dépendre, mentionnons les organismes de services sociaux, les amis, les groupes d'entraide et les organisations religieuses. Enfin, une option qui fonctionne bien pour certains partenaires est que le couple, et ses enfants s'il en a, forme un système de soutien composé d'autres couples et de célibataires. Ces associations peuvent comporter l'échange de garde d'enfants, le partage d'équipement et la formation d'un groupe de covoiturage. Elles peuvent également comprendre le partage du lieu de résidence et la mise en commun des ressources financières. Même si de nombreux couples à tendance individualiste tournent le dos à cet échange de soutien social et émotionnel, leur refus envers ce type de renforcement peut les conduire à un plus grand risque de discorde conjugale et même à une rupture de leur relation.

CHAPITRE 12

Le mariage ouvert ou la monogamie: avantages et inconvénients

William, 34 ans, un enseignant du niveau secondaire, et France, sa femme, une infirmière de 31 ans, sont venus me consulter alors que leur mariage était en difficulté. Un soir, William a eu une crise de jalousie. Lors de leur première séance d'évaluation avec moi, ils m'ont révélé leur histoire:

FRANCE: Je ne suis pas certaine de ce qui va nous arriver. Il y a trois ans, sur l'insistance de William, nous avons ouvert notre mariage. Il avait lu le livre de O'Neil[12] sur le mariage ouvert et a proposé de l'essayer. Au début, j'étais très blessée parce qu'il voulait avoir des relations sexuelles avec une autre femme. J'étais sûre qu'il s'ennuyait avec moi et qu'il voulait commencer à papillonner. A ce moment, je n'ai rien fait. J'ai été éduquée dans l'idée que si l'on se marie, on met tous les oeufs dans le même panier et j'aimais profondément William et nos deux enfants.

JOHN: William, comment voyiez-vous cette période de votre relation amoureuse?

WILLIAM: Cela s'est passé à peu près comme France l'a décrit. J'ai ouvert le bal. Je suivais un cours de sociologie et j'avais effectué un travail de recherche sur les solutions de rechange au mariage traditionnel. Lorsque j'ai abordé le sujet avec France, je pensais sincèrement que cela ferait du bien à notre relation. Nous étions mariés depuis cinq ans et nous nous sommes fréquentés durant cinq ans. Même si nous avons toujours eu de bons moments, France commençait graduellement à manifester moins d'intérêt que moi pour l'aspect sexuel de notre vie ensemble. Je me disais que tous ces livres qui font de la propagande pour le mariage ouvert devaient être dans le vrai, que tous nos besoins ne pouvaient pas être satisfaits par une seule personne. Je pensais que les possibilités que notre relation de couple dure seraient accrues si nous essayions d'être moins dépendants l'un de l'autre.

JOHN : Vous étiez-vous entendus sur un projet quelconque ou un ensemble de règles que vous auriez pu suivre au moment où votre mariage se serait ouvert ?

FRANCE : En fait, au début, non. William était tellement enthousiaste à l'idée de l'essayer que je ne voulais pas lui refuser sa liberté. Je me disais que je perdrais davantage si je montrais mes inquiétudes, que si j'affrontais la situation.

WILLIAM : J'ai promis à France qu'elle et les enfants passeraient toujours en premier, que si j'avais des relations avec une autre femme, je ne la laisserais pas empiéter sur notre propre relation.

JOHN : Alors, comment l'expérience a-t-elle tourné ?

WILLIAM : Eh bien ! comme France le sait déjà, j'ai eu des relations avec deux autres femmes. Elle sait qui, quand et combien de fois. Comme je le lui avais promis, ces aventures n'étaient que des passades et je ne pense pas qu'elles aient empiété sur notre propre relation.

FRANCE : Il dit vrai. J'en suis venue à me rendre compte que j'avais fait une montagne avec un rien. Il était très discret à propos de ses aventures et je n'ai jamais senti qu'il voulait me rendre jalouse ou me blesser. Mais après deux ans de ce « mariage ouvert » qui, en fait, n'était ouvert que de son côté, j'ai été attirée par l'un des internes de l'hôpital où je travaille. Je n'ai pas parlé de Stéphane à William parce que je ne savais pas très bien comment le faire. J'ai commencé à voir Stéphane un soir par mois. Au début, j'étais curieuse et je voulais seulement avoir du plaisir, comme le disait William. Mais après environ quatre mois, j'ai commencé à penser de plus en plus à Stéphane et je voulais le voir plus fréquemment.

WILLIAM: Je me suis finalement aperçu de ce qui se passait lorsque France, moi et Stéphane étions tous à la réception de Noël de l'hôpital. France et Stéphane dansaient souvent ensemble, et très collés. Mais ils ne se caressaient pas quand même. Un physiothérapeute de l'hôpital avec qui j'ai grandi m'a confié que ma femme avait une aventure galante avec cet homme depuis plus d'un an. Je ne m'en étais même pas douté. Vers minuit, j'ai proposé à France de rentrer à la maison. Elle a accepté, mais à contrecoeur, et la querelle a commencé dans la voiture.

JOHN: Alors, quel était le motif de la querelle?

FRANCE: Pour moi, il s'agissait typiquement d'une situation où il y a deux poids, deux mesures. L'homme libéré ici présent était enthousiaste à l'idée du mariage ouvert tant que celui-ci était unilatéral, c'est-à-dire ouvert pour lui. Aussitôt que je suis passée à l'action, il est devenu jaloux.

WILLIAM (élevant la voix): Je ne me suis jamais engagé de façon romantique dans mes escapades. Vous auriez dû voir France et cet homme ensemble. Elle m'a tout dit à son sujet: comment lui et moi sommes différents, pourquoi elle m'aime pour certaines raisons et lui, pour d'autres. Je ne suis pas certain de pouvoir supporter cela.

FRANCE: Toute cette expérience m'a vraiment ouvert les yeux. Cela fait deux semaines que l'abcès a crevé. Je n'ai pas revu Stéphane depuis, sauf quelques moments. Je ne sais pas ce que je vais faire. Je me sens très perdue. Je ne veux pas renoncer à ma relation amoureuse avec Stéphane mais je ne peux pas supporter la tension à la maison. William n'a jamais été comme ça auparavant. Il est maussade, susceptible et il crie beaucoup. Les enfants (âgés de 2 et 5 ans) savent évidemment qu'il y a de l'orage dans l'air. Je ne sais vraiment pas ce que je vais faire. Je ne peux pas m'empêcher de penser que cela ne serait jamais arrivé si William n'avait pas commencé tout ça.

WILLIAM: Mais j'avais dit que je ne tomberais pas amoureux de quelqu'un d'autre et je ne l'ai pas fait.

FRANCE: Je ne peux pas contrôler mes sentiments comme ça. En plus, je ne comprends pas comment tu peux coucher avec quelqu'un juste pour le plaisir. Moi, je dois me sentir intime avec quelqu'un et avoir du respect pour cette personne avant d'être excitée.

Des échanges de ce type se produisent assez fréquemment dans le bureau des conseillers conjugaux. Au cours des 20 dernières années, les pays occidentaux ont vu les expériences sexuelles extra-conjugales augmenter de façon significative chez les couples mariés. Dans ce chapitre, je vais discuter des diverses dimensions et formes du mariage ouvert. Je ne recommande pas que tous les couples fassent l'essai du mariage ouvert, pas plus que je conseille nécessairement la monogamie comme la meilleure option. Je propose plutôt des questions que les partenaires d'un couple peuvent se poser en essayant d'en arriver au meilleur arrangement pour leur relation.

Comme France et William en sont venus à le constater, ni le mariage monogame ni le mariage ouvert ne représentait une solution à tous leurs problèmes. La question n'est pas le fait que le couple ait une relation monogame ou ouverte mais plutôt dans quelle mesure les besoins de chaque partenaire en termes de satisfaction sexuelle, de croissance personnelle, d'expression de soi et de sécurité émotionnelle sont satisfaits, et jusqu'à quel point la confiance partagée, l'éducation des enfants et la communication ouverte peuvent se développer au sein de cette première relation. Chaque alternative répond à certains besoins, mais chacune entraîne également de nouveaux problèmes qui doivent être résolus pour assurer la survie de la relation.

Ce chapitre comporte des exemples de différents couples, leurs façons d'aborder la question du « mariage ouvert ou monogame » et les ententes qu'ils ont finalement acceptées.

Les relations sexuelles extra-conjugales sont en hausse

Des études menées au cours des 30 dernières années sur le comportement sexuel dans le monde occidental ont révélé que les activités extra-conjugales sont en hausse. Depuis l'escapade occasionnelle à l'échange *très* ouvert de partenaires, les relations sexuelles à l'extérieur du couple original deviennent plus courantes. Avant d'essayer de définir les variantes de ce phénomène, jetons un coup d'oeil sur les changements dans la société qui ont déclenché cette montée.

Les changements dans la société et le mariage traditionnel

Les sociologues, les psychologues sociaux et les sexologues s'entendent pour dire que les changements dans les valeurs sexuelles sont liés à plusieurs changements dans la société. La famille élargie était le type de famille qui prévalait dans le monde occidental jusqu'aux années 40: elle était menée par un père et une mère dont les rôles de soutien de famille et de ménagère étaient clairement définis et les générations subséquentes vivaient habituellement rapprochées, si ce n'était pas sous le même toit. Puis, avec l'avènement de la technologie, les couples ont commencé à déménager au loin plus souvent afin de gagner leur pain. Un résultat de cette mobilité accrue a été une diminution de la stabilité et de l'importance de la famille élargie. Le mari et la femme étaient laissés à eux-mêmes, leurs liens avec leurs parents ainsi que leurs frères et soeurs étant de plus en plus lâches.

Au cours des 30 dernières années, grâce à une plus grande aisance et à plus de temps de loisirs, les couples ont pu se concentrer sur des aspects autres que leur survie économique. Notre société a vécu une révolution sexuelle qui en a fait connaître beaucoup plus à la plupart des adultes modernes au sujet de l'essentiel du fonctionnement sexuel. Les médias ont tiré parti de ce changement dans les valeurs et ont bombardé de plus en plus le public avec les questions sexuelles pour stimuler la vente de divers produits, la littérature érotique et romantique, les arts, les films, la musique, la mode et le théâtre.

Simultanément, des changements pour les femmes, dont une meilleure instruction, une amélioration de leur situation d'emploi, une indépendance financière et une méthode efficace de contrôle des naissances, ont modifié la relation traditionnelle homme-femme. Alors que les mariages des générations passées possédaient une structure dans laquelle l'homme dominait et la femme lui était soumise, de plus en plus de couples adoptent maintenant le mode de « camaraderie ». Deux partenaires avec des ressources à peu près équivalentes décident de former une union qui est conçue pour durer tant et aussi longtemps qu'elle est satisfaisante pour les deux. Au sein de cette union, les partenaires, comme dans la relation plus traditionnelle, se concentrent sur le maintien de la sécurité financière et émotionnelle et sur l'éducation des enfants. Cependant, les relations modernes sont maintenant caractérisées par le fait que les partenaires demandent plus de latitude pour leur croissance personnelle et l'expression de soi. Alors que les générations précédentes supposaient que lorsque les partenaires prononçaient les voeux du mariage, ils abandonnaient certaines options, de nombreux couples des années 60, 70 et 80 espèrent sincèrement qu'ils n'auront pas à sacrifier leurs besoins et leurs buts individuels au profit de leur mariage.

Les types de mariage ouvert

Les relations extra-conjugales ont été qualifiées de mariage de groupe, de mariage ouvert, d'infidélité, d'adultère, de relations multilatérales, de relations sexuelles paraconjugales et d'échanges de couples. Les couples confrontés au choix entre la monogamie et le mariage ouvert doivent savoir précisément dans quelle mesure l'expérience des relations sexuelles en dehors du mariage peut varier. Je présente huit questions que les partenaires peuvent se poser pour évaluer les différentes formes de relations extra-conjugales possibles, et pour examiner la pertinence de ces diverses options pour leur situation particulière et leurs besoins en tant qu'individus et en tant que couple.

Pour aider William et France à décider quelle option pourrait régler leur crise, j'ai soulevé la plupart des questions suivantes lors d'entretiens avec les deux partenaires présents, ou avec l'un ou l'autre individuellement.

Ne vous étonnez pas si vous pensez que vous aimeriez mieux lire ce chapitre seul et si vous n'avez pas envie de discuter tous les aspects de vos réponses avec votre partenaire. Le mariage ouvert touche quelques questions très intimes : l'identité personnelle contre l'identité en tant que partenaire, les attentes personnelles contre les attentes au sein du couple et la croissance personnelle contre la croissance du couple.

Pour mieux identifier vos sentiments sur les relations ouvertes, lisez chaque question ci-dessous et formulez vos propres réponses avant de lire la discussion qui l'accompagne.

1. Quel(s) besoin(s) espérez-vous satisfaire en ayant une relation extra-conjugale?

La plupart des gens supposent que le motif principal derrière les relations extra-conjugales est d'ordre sexuel. Cependant, la recherche et la pratique clinique suggèrent que les raisons qui motivent cette activité sont beaucoup plus complexes. Des partenaires rêvent du mariage ouvert, en font l'essai et continuent à maintenir leur relation principale ouverte afin de répondre à des besoins qu'ils estiment n'avoir jamais satisfaits dans une relation monogame.

Un besoin de plus de variété, de fréquence et de qualité des rapports sexuels est souvent mentionné comme la motivation pour une relation ouverte. Au chapitre 6, j'ai expliqué que l'intensité de la réponse de plaisir de l'être humain dépend en partie du changement. Les partenaires qui sont mariés depuis plusieurs années trouvent souvent que l'intensité et la fréquence de leur réponse sexuelle ont décliné. Certains réagissent à ce déclin en s'alarmant énormément. D'autres acceptent facilement que faire l'amour avec la même personne année après année peut ne pas être aussi excitant que lors de leurs premiers rapports. D'autres réagissent comme William, qui m'a expliqué ainsi sa position: « Mes rapports sexuels avec France étaient fantastiques, lorsque nous en avions. Elle avait tendance à être de moins en moins encline que moi et, au lieu de constamment la presser, j'ai proposé d'avoir des aventures occasionnelles pourvu que mes activités extra-conjugales ne nuisent pas à notre union. »

La recherche nous a démontré que les réponses de l'homme et de la femme tendent à être différentes. En général, les hommes ont tendance à séparer le plaisir sexuel de leur désir de satisfaction d'autres besoins. Les femmes, en général, ont tendance à ne pas distinguer les réponses sexuelles des réponses émotionnelles. Ainsi, dans le cas de France, lorsqu'elle a décidé d'avoir une relation intime avec Stéphane, c'était en partie pour satisfaire un besoin de changement d'ordre sexuel, mais surtout pour satisfaire sa curiosité. Lors d'une séance de consultation, elle m'a dit: « Je me demandais ce que cela serait de faire l'amour avec un autre homme qui m'attirerait physiquement. Je trouvais également Stéphane chaleureux, compréhensif et il me traitait avec plus de respect que William ne m'avait jamais traitée. Il semblait considérer davantage mes opinions. »

En somme, pour France et de nombreuses autres femmes, et pour certains hommes, une expansion des relations intimes peut se fonder sur l'espoir de satisfaire une curiosité envers de nouvelles expériences, et des besoins tels que le respect, l'amélioration de l'estime de soi, la compréhension et la chaleur.

Il serait injustifié de dire que les différents besoins des hommes et des femmes sont déterminés biologiquement. Au cours des 10 dernières années, alors que les femmes se sont affirmées et qu'elles ont obtenu de plus grandes opportunités de travail et une sécurité financière, de nombreux conseillers matrimoniaux ont rapporté une hausse du nombre de femmes qui commencent un mariage ouvert principalement dans l'espoir de satisfaire un besoin de changement sexuel.

Certains partenaires, comme France, veulent des relations extra-conjugales dans le but de gagner l'acceptation et l'approbation de quelqu'un d'autre que leur partenaire. La plupart d'entre nous ont besoin d'une certaine rétroaction de la part du monde extérieur pour prendre conscience de leur propre valeur. Les partenaires d'un couple monogame fonctionnent souvent avec l'entente implicite qu'une grande part du respect, si ce n'est pas tout le respect, de la part d'autrui provient de leur partenaire. Parfois, cependant, des signes de respect communiqués par la même personne peuvent devenir trop habituels pour constituer une bonne source de renforcement, ou l'un ou l'autre des partenaires ou les deux peuvent en offrir trop peu. Dans sa relation avec William, France se sentait appréciée pour son charme et pour leurs beaux enfants, mais elle avait le sentiment que William avait peu de respect pour sa force émotionnelle ou sa capacité intellectuelle.

Les individus qui n'ont pas une confiance de base en eux peuvent porter leur besoin d'approbation à l'extrême et rechercher fréquemment auprès de personnes autres que leur partenaire la confirmation qu'ils sont attirants. Une personne de ce type accordera souvent une grande importance à son propre physique et entretiendra fréquemment des flirts pour recevoir l'appréciation des autres. Une fois que ce(cette) « perpétuel(le) flirteur(se) » a séduit un(e) nouveau (nouvelle) candidat(e), il lui est temps de passer à un(e) autre. Le besoin essentiel n'est pas une satisfaction sexuelle ou un désir de rapprochement, mais plutôt le besoin de quelqu'un qui « me dise que je vaux quelque chose parce que je ne le crois pas moi-même ». Aussitôt que l'objet sexuel a dit « oui, je vais faire l'amour avec toi », la conquête baisse dans l'estime du (de la) « perpétuel(le) flirteur(se) » : « S'il (elle) m'a accepté(e), il (elle) n'est pas si fantastique que ça après tout. »

Même si certains cherchent toute leur vie à avoir confiance en eux, d'autres passent de brèves périodes de doute qui peuvent ou non être reliées à des événements dans leur relation originale. Ainsi, après plusieurs naissances, une femme peut se sentir obligée de prouver qu'elle est encore attirante et elle peut être convaincue que ce type de confirmation ne peut venir que d'un homme autre que son mari. Les hommes et les femmes qui ont vécu la maladie ou un échec, ou qui ont pleinement conscience de leur vieillissement, peuvent rechercher une confirmation de leur valeur et de leur attrait auprès de quelqu'un d'autre que leur partenaire.

Dans certaines relations intimes, une hostilité non résolue engendre le besoin de faire des expériences. La femme prend un amant ou le mari une maîtresse afin de punir l'autre pour divers méfaits. Vous rappelez-vous de George et de Marthe dans le livre *Who's Afraid of Virginia Woolf?*[12], de Edward Albee? Aucun effort n'est ménagé pour assurer que le partenaire sache tous les détails les plus douloureux à propos des amants. Les descriptions de la façon dont le nouvel amant est supérieur en certains points fondamentaux sont particulièrement importantes: « Il est tellement viril, mais doux et compréhensif aussi. » Le (la) partenaire qui prend une maîtresse ou un amant est souvent plus intéressé(e) par le potentiel de punition que représente cette aventure que par le nouvel amant ou la nouvelle maîtresse.

Ceux qui ont un besoin insatiable de stimulation et d'imprévus peuvent se lancer dans des aventures extra-conjugales dans le seul but de s'assurer de l'action continue. Ce genre de personne a souvent besoin d'une grande variété d'expériences nouvelles pour éviter de devenir ennuyée ou déprimée. Un changement de partenaire sexuel constitue une façon de modifier la routine, mais le défi, les nouvelles activités, les nouveaux sujets de conversation et les nouveaux amis que procure l'autre partenaire peuvent également représenter des sources importantes de stimulation variée.

Enfin, certains, particulièrement ceux qui sont malheureux dans leur mariage, s'engagent dans des relations extra-conjugales parce que, consciemment ou non, ils attendent autant ou davantage de leur nouvelle liaison que de leur premier mariage, espérant que la nouvelle conquête satisfasse plusieurs de leurs besoins émotionnels. Un « mariage de raison », dans lequel l'un ou l'autre des partenaires ou les deux ne trouvent plus leur partenaire attirant sexuellement ou émotionnellement, peut provoquer ce type de comportement. En vertu d'une entente tacite ou connue, l'union ne sera pas dissoute juridiquement, mais l'un des partenaires ou les deux ne s'attendent plus que la relation originale soit leur principale source de plaisir émotionnel et sexuel.

2. Quelle importance revêtira la nouvelle liaison?

Combien de temps est consacré à l'autre ou aux autres partenaires? La nouvelle liaison rivalise-t-elle avec la relation initiale en ce qui a trait au temps libre? Combien d'effort la nouvelle liaison exige-t-elle? Non seulement l'effort dépensé avec la nouvelle conquête mais aussi celui passé à penser à lui (elle), à faire des projets ou à dissimuler les indices. Combien de temps et d'effort les partenaires originaux consacrent-ils à la discussion des relations extra-conjugales et de leurs répercussions sur la relation initiale?

Il est pratiquement impossible de ne pas comparer toute l'énergie investie dans l'aventure extra-conjugale à celui consacré à la relation originale. Lorsque j'ai rencontré William et France pour la première fois, William consacrait relativement peu de temps à ses liaisons extra-conjugales comparativement à sa relation avec France. Même si France avait commencé des activités extra-conjugales après William, les deux étaient d'accord sur le fait que sa nouvelle liaison demandait plus de temps et de peine.

3. Une relation extra-conjugale nuit-elle à la relation originale ou la rehausse-t-elle?

Plusieurs de ceux qui prônent les vertus du mariage ouvert soutiennent que les aventures extra-conjugales ne nuisent pas à la relation originale dans *certains* mariages. En fait, ils allèguent que la relation originale peut effectivement être valorisée par ces expériences. A quelle amélioration ou détérioration de la relation originale peut-on s'attendre et pourquoi?

Les tenants du mariage ouvert suggèrent qu'il est impossible qu'une seule relation réponde à tous les besoins émotionnels et sexuels. Le mariage traditionnel, soutiennent-ils, mène souvent à la frustration et, éventuellement, au divorce (soit juridique, soit émotionnel, ou les deux) parce que les participants s'attendent simplement que beaucoup trop de leurs besoins importants soient satisfaits par un seul partenaire. Avec la dispersion de la famille élargie de plus en plus courante, une mobilité sociale accrue et une diminution de l'importance des valeurs religieuses et spirituelles, les partenaires des mariages modernes se tournent habituellement vers l'un et l'autre pour satisfaire une grande variété de besoins qui, auparavant, étaient comblés par d'autres membres de la famille et d'autres institutions sociales.

Les tenants du mariage ouvert soulignent qu'il est humainement impossible qu'un seul individu satisfasse les besoins sexuels, émotionnels, sociaux et intellectuels d'une autre personne pendant une longue période. Ils allèguent qu'une fois que les partenaires d'un couple ont établi une base émotionnelle et des voies de communication solides, ils sont suffisamment forts pour envisager un mariage ouvert. Leur principale source affective se situera toujours au sein de la première relation, mais les autres besoins, qu'ils soient émotionnels, sexuels, intellectuels ou sociaux, seront satisfaits à l'extérieur de cette relation initiale. En général, cette école de pensée prédit que la majorité des individus assez mûrs pour entreprendre une telle voie connaîtront une meilleure qualité et une stabilité plus ferme dans leur relation originale en raison de la satisfaction de ces besoins à l'extérieur. Le mariage ouvert peut être une solution à des problèmes tels que l'accoutumance sexuelle, l'ennui occasionné par la routine, un développement affectif bloqué et le manque de défi ou de nouveauté.

Il y a toutefois de nombreuses façons dont le mariage ouvert peut éventuellement nuire à la relation originale. Jalousie, dépression, insécurité, rivalité amère entre les premiers partenaires, contraintes du partage de temps pour l'instigateur, diminution des ressources financières pour la famille originale, manque d'intérêt sexuel envers le premier partenaire, hostilité et atmosphère tendue entre l'instigateur et son (sa) partenaire original(e), sont autant d'inconvénients à encourir pour le mariage ouvert.

4. Les partenaires discutent-ils ouvertement de leurs sentiments, de leurs valeurs et de leurs réactions au sujet des activités extra-conjugales?

Le degré de conscience que chaque partenaire a des sentiments et du comportement de l'autre dans le domaine extra-conjugal influera sur la réussite d'un mariage ouvert. Voici un exemple classique de deux poids, deux mesures qui existaient souvent dans les mariages du type traditionnel: la femme restait à la maison, s'en occupait et était monogame alors que le mari, qui était appelé à se déplacer et à rencontrer plus de gens, avait à l'occasion, parfois fréquemment, des liaisons extra-conjugales. Les partenaires discutaient rarement ouvertement de cet état de fait. Parfois, il régnait entre eux une entente tacite selon laquelle ce qu'elle ne savait pas ne pouvait pas lui faire de mal. Les « couples à la page », qui s'engagent dans les échanges de couple lorsqu'ils sont pleinement conscients de tout ce que cela implique, se situent à l'autre extrême. Entre ces deux types opposés se trouvent des couples comme William et France, qui se parlent de certains aspects de leurs relations extra-conjugales, mais pas de tous. Certains couples considèrent que les relations extra-conjugales sont plus fructueuses si chaque membre rapporte tous les détails au premier partenaire, alors que d'autres peuvent s'entendre sur certaines lignes directrices à suivre et préfèrent ensuite ne pas être au courant de ce qui s'est passé, quand et avec qui.

5. Jusqu'à quel point les activités extra-conjugales sont-elles évidentes pour les amis et la famille?

Certains couples sont disposés à se lancer dans le mariage ouvert pourvu que les enfants, les voisins, les beaux-parents, les parents et les collègues ne soient pas au courant de leurs activités. Lors de mon entretien avec William, il était évident qu'une partie de sa colère envers France avait été déclenchée par « l'humiliation à l'idée que tout le monde le savait, sauf lui ». Je me suis rendu compte que certains couples sont particulièrement préoccupés par le fait que leur image de parents qui s'aiment et forment un couple solide ne soit pas ébranlée auprès de leurs enfants.

6. Qui est la « proie rêvée »

Certains acceptent, même avec enthousiasme, que leur partenaire ait des activités extra-conjugales, pourvu que le nouvel amant ne soit pas un voisin, un beau-parent, un frère ou une sœur, etc.

7. Les deux partenaires participent-ils?

Les tenants du mariage ouvert soulignent qu'avant d'ouvrir leur mariage, les deux partenaires doivent consentir aux changements et doivent ensuite participer aux activités extra-conjugales. La possibilité qu'un mariage ouvert ait des conséquences fâcheuses est grande lorsque « l'ouverture » est unilatérale. Le partenaire qui ne participe pas peut commencer à se sentir dépendant, pris au piège, anxieux, peu aimé et insatisfait sexuellement. Le partenaire qui fait l'expérience risque de tenir le premier partenaire pour acquis ou de perdre son respect pour lui ou elle.

Tout déséquilibre augmentera évidemment les risques d'hostilité. William et France étaient assez surpris de constater que, même s'ils s'étaient lancés dans le mariage ouvert avec une entente dont ils croyaient les termes justes, France avait réagi à cette nouvelle expérience de façon très différente de William. Les couples qui s'en tiennent à des mesures égales en principe mais fonctionnent selon deux poids, deux mesures en pratique, courent le risque d'avoir des surprises de ce genre. Dans leurs toutes premières discussions sur le mariage ouvert, voici ce que William a répondu lorsque France a exprimé sa crainte de devenir jalouse des autres partenaires sexuelles de William: «C'est une réaction complètement irrationnelle, ça va te passer.» La jalousie est devenue un facteur important de leur situation réelle mais, à leur grande surprise, elle s'est manifestée chez William et non pas chez France.

8) Devrait-on s'entendre sur les règles qui permettent les activités extra-conjugales? Quelles règles devrait-on définir?

Au chapitre 8, j'ai discuté de l'art de la concertation et du compromis. Les couples tendent à se concerter directement ou indirectement. Certains abordent délibérément les situations délicates, d'autres le font inconsciemment. Les couples qui acceptent un mariage ouvert peuvent souvent éviter certaines conséquences inhérentes à ce genre d'activités extra-conjugales s'ils définissent des lignes de conduite dès le début. Leur accommodement peut couvrir tous les aspects qu'ils jugent pertinents, et prévoir les satisfactions et les afflictions éventuelles que peuvent représenter leurs activités extra-conjugales. Les huit questions que je viens d'énumérer peuvent très bien servir de lignes de conduite.

Jacques et Denise (le couple que je vous ai présenté au chapitre 4) ont constaté que leurs liaisons extra-conjugales imposaient des contraintes importantes sur leur relation. Après plusieurs séances de résolution de problèmes et de franche communication, les deux ont décidé de consigner par écrit l'entente suivante afin de couvrir tous les aspects de leurs activités extra-conjugales.

1. Nous acceptons que chacun de nous puisse avoir des relations avec d'autres partenaires pour le plaisir et non pas pour supplanter le partenaire original.

2. Aucun de nous ne laissera toute activité extra-conjugale écourter le temps que nous prenons ensemble ni diminuer l'affection que nous nous portons.

3. Si l'un de nous ou nous deux avons le sentiment que les relations extra-conjugales nuisent à notre relation, nous en discuterons et serons consentants à en modifier les grandes lignes au besoin.

4. De temps en temps, nous discuterons de nos activités en termes généraux. Cependant, nous sommes d'accord sur le fait que, généralement, il sera préférable de ne pas discuter en détail de nos aventures.

5. Nous ferons tous les deux de notre mieux pour conserver nos aventures les plus discrètes que possible de façon qu'elles n'attirent pas l'attention de la famille ou des amis.

6. Nous prévoyons tous les deux être ouverts aux relations sexuelles extra-conjugales.

7. L'un ou l'autre est libre de demander un nouvel accommodement en tout temps. La qualité de notre mariage exige que nous acceptions tous les deux chaque règle que nous avons établie, mais que nous demeurions tous deux prêts à reconsidérer cet état de chose dans le cas où des changements l'exigent.

Ni Denise ni Jacques n'ont effectivement signé ce « contrat », qui ne les liait nullement d'ailleurs du point de vue juridique. Cependant, ce type d'arrangement non formel, qu'il soit verbal ou écrit, comporte des avantages distincts. Il impose une discussion franche des dimensions importantes du mariage ouvert et permet à chaque conjoint d'exprimer ses préférences sur la façon dont les diverses questions doivent être abordées.

William et France avaient un besoin urgent de revoir leur entente parce que William avait le sentiment que France avait violé leur accommodement original, même si France avait elle-même des sentiments très ambivalents à propos de sa relation conjugale et de sa relation extra-conjugale, ainsi qu'à propos de l'accommodement passé. Jacques et Denise étaient capables de se rapprocher affectivement de façon significative, en menant plusieurs discussions franches et en établissant un « contrat ».

Si votre partenaire et vous envisagez l'expérience des relations extra-conjugales, essayez de répondre aux huit questions que j'ai proposées et comparez vos réponses. Négociez des compromis si vous le pouvez et, si vous avez le sentiment que cela peut vous aider, rédigez une entente. En examinant sous toutes ses facettes et attentivement vos projets, vous pourrez tous les deux vous lancer dans un nouveau style de vie en connaissance de cause.

La jalousie : Quand est-elle dangereuse et quand est-elle saine ?

La recherche et la pratique clinique ont démontré que si certains mariages sont enrichis par l'expérience d'une relation ouverte, d'autres demeurent inchangés alors que plusieurs sont détruits. Quels types d'individus ou de couples se situent dans l'un de ces trois groupes ?

Rappelez-vous, lorsque j'essaierai de répondre à cette question, que la réussite ou la faillite d'une relation est fonction de nombreux facteurs complexes. La réussite ou l'échec sont difficiles à prédire. Les commentaires que je vous présente ici sont des énoncés généraux. En appliquant mes suggestions à votre propre vie commune ou à une autre, gardez bien à l'esprit que la personnalité des partenaires et les aspects de leur interaction conjugale ainsi que les circonstances de la vie influeront grandement sur leur situation particulière.

L'un des principaux obstacles à la mise en valeur d'une relation au moyen des liaisons extra-conjugales est la jalousie. La plupart des partenaires savent qu'ils ont été jaloux à un moment ou à un autre, mais il ne s'agit pas d'une émotion facile à définir. Ceux qui en souffrent peuvent la décrire comme un sentiment pénible, gênant et déroutant. Ils peuvent se dire en eux-mêmes : « Il l'aime plus que moi », « Elle donne ce qui me revient à quelqu'un d'autre », « Comment ose-t-il me tromper ? » « Comment peut-elle oser se partager avec quelqu'un d'autre ? » Les pensées jalouses comprennent souvent des prédictions pessimistes : « Je vais le perdre », « Elle va cesser de m'aimer », « Je vais passer au second plan », « Tout le monde dira que je suis un imbécile ». Les victimes de la jalousie peuvent ressentir une atteinte à leur image d'elles-mêmes : « C'est parce que je ne suis pas aussi beau(belle) », « Je ne suis pas aimable », « Je ne suis pas un assez bon amant, une assez bonne maîtresse », « Je ne suis pas suffisamment intelligent(e)... mystérieux(se)... puissant(e)... » Un partenaire jaloux peut fustiger l'autre de qualificatifs tels que « infidèle », « tricheur(se) », « gigolo », « hypocrite », « traître » ou même de « chanceux(se) d'avoir été capable de trouver quelqu'un d'assez stupide pour lui faire l'amour ».

Les amoureux jaloux peuvent réagir de nombreuses façons, selon leur propre personnalité, la personnalité de leur partenaire, la profondeur des sentiments de jalousie et leur perception de la situation. Certains, comme Denise, ne font que bouillir à l'intérieur ; d'autres, comme France, acceptent de tolérer les aventures de leur partenaire après avoir cependant donné quelques réserves ; d'autres encore, comme William, se mettent en rage, et accablent l'autre à la fois d'injures, de menaces, de larmes et de promesses. La jalousie incite certains à se prendre un amant ou une maîtresse pour rendre la pareille et prouver leur propre valeur. Dans les cas extrêmes, les victimes de la jalousie essaieront même de se suicider, poussées par un désir profond de réussir leur suicide (quelle meilleure façon de punir?), ou d'être sauvées par leur partenaire.

Certaines personnes aiment profondément leur partenaire mais ne ressentent rarement, ni même jamais, la jalousie. D'autres ont des sentiments de jalousie et de possession non seulement à l'égard des amants ou maîtresses imaginaires ou réels de leur partenaire, mais aussi à l'égard de leur emploi, de leur santé, de leur apparence, de leurs loisirs, de leur relation avec les enfants, etc. Le terme « pathologique » est utilisé pour décrire ce type de jalousie qui naît de cette possessivité compulsive. Entre le partenaire nonchalant et le partenaire pathologiquement jaloux se trouvent une variété de types différents. Une personne qui est pathologiquement jalouse pourrait chercher de l'aide auprès d'un professionnel. Mais qu'en est-il des Denise et des William de ce monde qui ne s'étaient jamais sentis jaloux avant que leur partenaire ne s'engage dans une relation extra-conjugale? Essentiellement, cinq options leur sont offertes: (1) se concerter pour redéfinir les règles régissant les activités extra-conjugales; (2) demander au partenaire qui en fait l'expérience de cesser au plus tôt; (3) dominer ses sentiments et ses comportements jaloux; (4) trouver de nouvelles façons d'enrichir la relation originale afin de diminuer la menace d'activités extra-conjugales; ou (5) terminer la relation en cours et choisir un nouveau partenaire dont les vues sur les besoins affectifs sont plus compatibles avec la leur.

Les solutions de William et de France à leurs problèmes de jalousie

La crise de jalousie de William et de France a suscité un examen sérieux des points forts et des points faibles de leur mariage tel qu'il se présentait lorsqu'ils sont venus me consulter. Au cours des séances de consultation, ils ont eu chacun l'occasion de formuler leurs ressentiments et de définir les aspects qu'ils aimaient en l'autre, en eux-mêmes et dans leur relation amoureuse. Après une première séance de prise de conscience, ils ont commencé un cours de seize réunions visant à développer les habiletés que j'ai élaborées dans ce livre. A mesure que leur relation s'améliorait, France était moins intéressée à revoir son amant et sentait que William satisfaisait davantage ses besoins. Ils ont modifié leur entente de mariage ouvert et ont convenu de limiter leurs rapports avec les autres à une fois par mois tout au plus. Les deux ont également promis que si l'un des deux sentait que leur mariage était sérieusement menacé par leurs activités extra-conjugales, ils en discuteraient immédiatement.

Cela fait deux ans que William et France ont surmonté leur période de crise. Les rapports des examens de contrôle indiquent qu'ils sont toujours ensemble et que leur mariage est encore « ouvert » mais apparemment sans conséquences fâcheuses. Lors de son dernier entretien de contrôle, William m'a dit : « Je me suis rendu compte que ma jalousie était due en partie à mon manque de maturité et que, de fait, j'avais deux poids, deux mesures. Mais une fois que j'ai pu m'exprimer ici, dans votre bureau, et avec France, j'ai compris que je ne voulais pas la priver de sa liberté. Je veux qu'elle reste avec moi parce qu'*elle* veut bien rester avec moi, non pas parce que je veux l'empêcher de partir ou parce qu'elle a le sentiment qu'elle doit me protéger. Je pense que depuis notre crise, je me suis évertué à m'améliorer et à enrichir notre relation afin d'être un partenaire plus intéressant et plus intéressé. Je suis convaincu que nos expériences de mariage ouvert nous ont aidés. »

Lors d'une réunion distincte, France m'a dit qu'elle aussi considérait le mariage ouvert une bonne chose, mais elle a souligné que sa liaison extra-conjugale lui avait enseigné que d'autres hommes que William pouvaient satisfaire ses divers besoins. Même si elle trouve maintenant que sa relation avec William est très satisfaisante, elle ne suppose pas nécessairement qu'il en sera toujours ainsi.

Une jalousie intense non résolue

Michel, un avocat de 43 ans, et Paule, 28 ans, une diplômée d'une école commerciale, sont venus me consulter sur la recommandation du psychothérapeute de Paule. Le couple avait un style de vie de classe moyenne supérieure, dans un centre urbain. Ils étaient mariés depuis trois ans et avaient un enfant d'un an. L'un des deux garçons (âgé de 12 ans) d'un mariage précédent de Michel vivait également avec eux.

Paule avait abandonné un poste prometteur dans une grosse compagnie de commercialisation afin d'élever leur enfant et de s'occuper des travaux ménagers. Le couple a vécu un « amour romantique riche et excitant » durant six mois après qu'ils se sont rencontrés alors qu'ils travaillaient dans le même bureau. Michel disait qu'il avait trouvé Paule tellement « intéressante, excitante, attirante et belle que j'ai quitté ma femme pour la marier ». Paule disait qu'elle aussi a abandonné un compagnon avec qui elle vivait depuis cinq ans, une fois qu'elle est devenue amoureuse de Michel pour « son charme, sa vie mondaine, sa maturité et son sens de la direction ». Leur mariage s'est passé sans incident au dire des deux jusqu'au jour où Michel a informé Paule qu'il avait « une aventure avec une autre femme, dans une autre ville, mais qu'elle ne signifiait rien ». Paule s'est montrée très jalouse et fâchée à la suite de cette confession et les deux se sont querellés ouvertement à ce propos. Michel insistait sur le fait qu'il refusait de rogner ses ailes pour quelque femme que ce soit. « Je te donne de l'amour, un bon revenu, des enfants, la possibilité de voyager et un avenir fantastique. Comment peux-tu me refuser une petite aventure ? » Paule a répliqué : « J'ai vraiment la conviction que si tu poursuis cette aventure, tôt ou tard, ce sera fini entre nous. »

Lorsque Paule s'est rendu compte que ses migraines et ses insomnies étaient sérieusement aggravées à la suite de la révélation de Michel et de la querelle qui s'était ensuivie, elle a décidé d'aller consulter un psychothérapeute.

Au cours de l'année qui suivit, le psychothérapeute a aidé Paule à avoir une meilleure compréhension des racines de son manque de confiance en elle, de sa tension et de sa jalousie, ce qu'elle est arrivée à surmonter. Après une analyse minutieuse des façons dont elle dépendait de Michel, elle a constaté qu'elle pouvait éliminer ses formes de dépendance. Elle a commencé à travailler à temps partiel pour réduire sa dépendance économique, à suivre un cours de danse aérobique et à fréquenter d'autres gens.

Après environ neuf mois de thérapie, son psychothérapeute et Michel lui-même ont suggéré à Paule que sa jalousie à l'égard de Michel pouvait être allégée si « elle avait un amant à l'occasion ». Paule a consenti à en faire l'essai. Cependant, sa jalousie ne s'est pas calmée après deux « aventures assez divertissantes ». C'est à ce moment que le psychothérapeute m'a référé le couple.

JOHN : Jusqu'à maintenant, vous avez tous les deux soutenu que la jalousie de Paule est irrationnelle et manque de maturité et que Paule est trop possessive. Je ne partage pas cette opinion. Il semble qu'avec l'aide d'un psychothérapeute Paule soit parvenue à bien comprendre ce qui suscite sa jalousie. Ainsi, sa réaction se limite aux aventures de Michel avec d'autres femmes. A mon avis, il est tout aussi faux de dire que Paule est pathologiquement jalouse que de qualifier de pathologique le besoin de Michel d'avoir des maîtresses. Il me semble que votre conflit provienne de deux préférences incompatibles qui vous ont menés à une impasse. Voici trois façons de trouver une issue à cette impasse :

1) Vous pouvez d'abord évaluer les avantages et les inconvénients d'un mariage ouvert par rapport à un mariage fermé. Puis, après une discussion franche et un examen minutieux des possibilités, voyez si vous continuez tous les deux à soutenir les mêmes points de vue.

2) Suivant ce que vous aurez décidé à propos de ce premier volet du problème, si vous êtes d'accord, nous pouvons

commencer à chercher à mettre en valeur votre vie commune dans les domaines qu'il y a lieu d'améliorer : la sensualité, l'expression de l'affection, les moments de loisirs et la division du travail.

3) Si vous décidez maintenant ou à tout autre moment que les deux premières options sont inacceptables pour l'un de vous ou vous deux, vous pouvez alors vous séparer. Notre temps de consultation peut être utilisé pour vous aider à entreprendre une séparation constructive.

Après que le couple eut considéré ces options pendant quelques minutes, nous avons eu la discussion suivante :

MICHEL : Je pense vraiment que Paule réagit stupidement et avec un manque de maturité. Elle n'a pas à se sentir jalouse juste parce que j'ai une aventure avec une autre femme.

PAULE : Michel, je ne peux pas oublier que notre propre couple a débuté comme une « aventure » qui a abouti à ta séparation et à notre mariage.

MICHEL : John, voulez-vous, s'il vous plaît, la convaincre qu'elle est pathologiquement jalouse, comme son psychothérapeute le lui a dit.

JOHN : Je préférerais que vos propres valeurs et préférences influent sur votre décision. C'est vous, et non moi, qui devez vivre avec votre situation.

PAULE : Personnellement, je favorise la première option. Je pense que nous devrions nous concerter sur ce qui nous a incité tous les deux à prendre ces décisions. La deuxième option pourrait aussi m'intéresser. Mais je refuse de venir à quelque séance que ce soit à moins que Michel n'accepte de suspendre son aventure. Êtes-vous d'accord, John ?

JOHN : Paule, comme je l'ai dit à Michel il y a quelques minutes, ce n'est pas moi qui a à vivre avec vos décisions.

MICHEL : Bien. J'accepte ton ultimatum. Je ne verrai pas mon amie au cours des deux mois que vont durer nos séances, mais je n'ai jamais cru à ces histoires de thérapies conjugales. L'amélioration de notre vie amoureuse ou la façon de diviser le travail ne m'intéressent tout simplement pas et ne changeront absolument rien. Mon esprit d'avocat me dit toutefois qu'une évaluation des avantages et des inconvénients d'un mariage ouvert serait une bonne chose. J'ai l'impression que Paule pourrait devenir plus rationnelle à ce sujet si elle prenait le temps de comprendre pourquoi je veux que notre mariage soit ouvert.

PAULE: J'accepte de considérer tes raisons avec soin mais, franchement, je serais surprise si je changeais d'idée.

Au cours des trois heures qui ont suivi cet entretien, Michel et Paule ont discuté des avantages et des inconvénients du mariage ouvert. Je les ai aidés à effectuer une analyse détaillée des conséquences rationnelles et émotionnelles de chacune des deux possibilités. Voici le résumé de leurs réactions à l'idée du mariage ouvert.

PAULE		MICHEL	
Avantages	*Inconvénients*	*Avantages*	*Inconvénients*
Michel sera plus heureux à la longue	Je me sens jalouse et en colère	Paule devrait voir que cela aidera, plutôt que nuira, à notre relation.	Paule est jalouse
Je pourrais me divertir avec d'autres hommes	Je pense que Michel devrait porter ses efforts dans notre relation.	Cela ferait du bien à Paule si elle avait une aventure à l'occasion.	Paule est en colère
Nous aurions la paix à la maison, temporairement du moins.	Je pense que Michel et moi devrions être disposés à améliorer notre relation amoureuse, de sorte qu'il n'aura pas besoin d'une autre femme.	Je ne peux pas satisfaire tous ses besoins	Paule pourrait mettre un terme à notre vie commune.
Notre mariage pourrait durer plus longtemps.	Si Michel continue à rechercher une liaison romantique à l'extérieur de notre mariage, il voudra éventuellement marier une autre femme.	Je sais que je serai triste si je ne me sens pas libre de courir le jupon de temps en temps.	
	Je préférerais changer de partenaire pendant que je suis encore jeune et accommodante et pendant que je n'ai qu'un seul enfant.	Je serais un meilleur père et un meilleur mari si je ne me sentais pas pris au piège.	
		On ne vit qu'une fois et chacun devrait pouvoir jouir de la vie au maximum.	

Après avoir effectué une revue similaire des réactions de Michel et de Paule à la monogamie, nous avons eu la discussion suivante :

JOHN : Alors, êtes-vous prêts à changer votre plan d'action ?

PAULE : Franchement, je pense que je serais folle d'être d'accord avec ce mariage ouvert. Si Michel est déterminé à jouir de l'aventure pendant qu'il y a la sécurité, je préférerais que nous nous séparions pour qu'il puisse le faire quand bon lui semblera. S'il était disposé à consacrer du temps à notre relation amoureuse, je serais heureuse de suivre un cours sur les démarches de survie et je serais disposée à changer.

MICHEL : Je suis vraiment déçu. Je pensais avoir marié une femme avec des idées larges. Je ne pense pas vraiment que tu m'aimes tant que ça puisque tu ne me laisses pas avoir mes petites escapades.

PAULE : Si je pensais vraiment que ce sont des petites escapades, cela ne me toucherait pas tant que ça, mais je pense qu'elles ne sont pas de bonne augure.

J'ai essayé d'appuyer l'opinion de chaque partenaire et je n'ai pas tenté de convaincre l'un ou l'autre de changer d'idée. Leur décision finale a été de se séparer. Avec mon aide, ils ont entrepris la préparation d'une entente de séparation durant six séances de consultation.

Quels besoins un mariage ouvert satisfait-il et qui pourraient également être satisfaits au moyen de modifications apportées à une relation monogame ?

Essentiellement, les huit questions que j'ai soulevées dans ce chapitre étaient centrées sur les motifs et les paramètres des relations extra-conjugales. Cependant, il est clair que les besoins qu'un partenaire ou qu'un couple espère satisfaire au moyen des activités extra-conjugales dépendent des besoins qui sont satisfaits ou non dans une relation monogame. Revoyez votre propre réponse à la question : « Quels besoins espérez-vous satisfaire en ayant une relation extra-conjugale ? » Maintenant, demandez-vous : « Est-ce qu'une partie de ce besoin ou ce besoin en entier pourrait être satisfait si notre relation amoureuse était différente ? Si mon (ma) partenaire changeait ? Si je changeais ? » Michel voulait de la variété dans ses relations sexuelles et sa liberté dans un mariage ouvert. Il était fermement convaincu qu'aucune modification dans sa relation amoureuse avec Paule pourrait répondre à ses besoins. Par contre, France s'est rendu compte que son amant répondait à plusieurs besoins que son mariage pouvait satisfaire si sa relation avec William changeait. Ces changements étaient possibles, mais seulement parce que France aussi bien que William avaient le désir et le pouvoir de les entreprendre.

L'établissement de rapports extra-conjugaux est de toute évidence une solution à une dépendance exagérée envers un partenaire en ce qui a trait à tous les rapports intimes. Cependant, il s'agit d'une option parmi plusieurs qui procurent aux partenaires des sources de satisfaction à leurs besoins *en plus* de leur partenaire. Une carrière satisfaisante, un passe-temps indépendant, des amis (qu'ils soient de même sexe ou non) et des activités intellectuelles indépendantes sont tous des exemples d'autres sources de stimulation. La satisfaction de certains besoins au moyen d'activités menées indépendamment du partenaire a l'avantage de diminuer la vulnérabilité aux hauts et aux bas de la relation amoureuse. Les difficultés financières, les exigences du travail, la maladie, les frictions, etc., ne sont pas aussi accablantes si chaque partenaire a d'autres ressources sur lesquelles il peut se rabattre.

Le développement d'activités indépendantes peut également aider les partenaires à s'apprécier l'un l'autre pour ce qu'ils *offrent*, au lieu d'être constamment déçus de ce qu'ils *n'offrent pas*, et à réduire les effets dévastateurs de la routine. La variété met du piquant dans la vie et les activités individuelles, les rapports sociaux et les intérêts, même une séparation planifiée de quelques jours ou de quelques semaines, aideront les partenaires à conserver le piquant dans leur relation amoureuse.

Certains partenaires ont besoin de beaucoup de variétés pour rester heureux alors que d'autres peuvent se satisfaire de peu. Certaines personnes ressentiront un besoin pressant de nouveauté sexuelle et émotionnelle qu'elles iront satisfaire auprès de différents partenaires, alors que d'autres seront tout à fait satisfaits de ce qu'une seule personne peut leur offrir. Plus leur besoin de changement est similaire, plus il est probable que les deux partenaires soient capables de s'entendre sur les décisions de style de vie relatives à la dépendance et à l'indépendance.

Un conflit entre les partenaires sur la question du mariage ouvert ou du mariage fermé est souvent, en fait, un conflit à propos des besoins de sécurité et de stimulation. Si les deux partenaires ressentent ces besoins à un degré similaire, il est probable qu'ils soient capables de trouver assez aisément un arrangement mutuellement satisfaisant. D'autre part, une personne qui accorde plus de valeur à la sécurité qu'à la stimulation risque d'entrer fréquemment en conflit avec un partenaire qui prise davantage la stimulation que la sécurité. Ni la monogamie, ni le mariage ouvert, ni la séparation ne permettent la conciliation miraculeuse de ces différences fondamentales. Les partenaires d'un couple doivent choisir parmi ces trois options celle qui leur convient le mieux, et se consacrer à tirer le meilleur parti de leur choix.

CHAPITRE 13

La séparation et le divorce : comment affronter la crise

Les parents et leurs enfants peuvent être plus heureux et mieux adaptés après un divorce bien préparé que durant un mariage perturbé. De nombreux couples en proie à un conflit intense ne tentent pas d'effectuer une séparation temporaire ou permanente parce qu'ils craignent ce que la rupture peut signifier pour eux-mêmes et leurs enfants. Ce chapitre examine les façons constructives qui peuvent permettre aux partenaires d'aborder la question de se séparer ou non. Je vais également étudier les considérations les plus fréquemment mentionnées qui influent sur cette décision et discuter des options offertes aux partenaires qui envisagent la séparation mais qui ne sont pas encore engagés dans l'étape finale de la rupture. Enfin, je vais suggérer des solutions aux problèmes auxquels les partenaires récemment séparés se heurtent souvent.

Frédéric et Diane : un couple en crise

Il y a quelques années, Frédéric a téléphoné à mon bureau après avoir lu un article dans les journaux au sujet de nos cours sur les démarches de survie du couple. Il semblait affolé au téléphone et il me demandait de lui dire immédiatement ce qu'il devait faire à propos de sa situation conjugale. J'ai pu voir le couple au cours de la même semaine. Frédéric, 45 ans, était un dentiste rondelet, vêtu correctement, provenant d'un milieu économiquement faible; il était marié à Diane, 34 ans, une femme très attirante, bien vêtue et venant de la classe moyenne. Ils avaient deux garçons et une fille, dont l'âge variait entre 4 et 11 ans. Frédéric s'est marié durant ses études en art dentaire, mais sa première femme l'a laissé pour un autre homme durant sa deuxième année de pratique. Lui et Diane, sa technicienne dentaire, ont vécu ensemble pendant plusieurs années et se sont mariés lorsque Diane est devenue enceinte de leur premier enfant.

FRÉDÉRIC : John, cela ne peut plus continuer. Ma femme est furieuse. Elle a téléphoné à un avocat et a menacé de me jeter à la porte et de faire saisir mes comptes de banque. Elle a dit à mes parents et à nos amis que je l'avais trompée. Je suis tout à fait bouleversé et troublé. J'ai le sentiment que ce que j'ai construit en travaillant si durement est en train de s'écrouler. Nous devons décider aujourd'hui de ce que nous allons faire de notre mariage. Je n'aurais jamais pensé que Diane agirait ainsi. Cela tombe à un très mauvais moment parce que mon bureau perd de l'argent et, récemment, j'ai effectué de mauvais placements. Je viens tout juste d'emprunter 50 000 $ pour payer mes dettes et mes dépenses de bureau.

JOHN : Diane, comment voyez-vous la situation?

DIANNE (l'air froid, mais en colère): Eh bien! je suis surprise que Frédéric soit tellement troublé. C'est moi qui devrais craquer. Il a commencé à avoir une aventure avec une technicienne qui travaille dans son immeuble. Je l'ai découvert et je lui ai demandé de choisir entre elle et moi. Il m'a choisie. Depuis ce moment, j'ai des témoins qui peuvent prouver qu'il couche avec cette même femme au moins une fois par semaine. Maintenant, je ne veux plus entendre parler de notre vie en commun.

FRÉDÉRIC : Mais tu es tellement déraisonnable. Tu pourrais perdre tout ce que nous avons réussi à obtenir par le travail. Et pense aux enfants. Je vous aime encore, toi et les enfants.

Leur échange s'est poursuivi durant 20 minutes. Frédéric et Diane étaient confrontés à une question que se posent de nombreux partenaires en crise: «Devons-nous nous séparer ou non?» Une telle décision n'est jamais facile à prendre. Diane, par exemple, malgré l'attitude qu'elle adoptait devant Frédéric, m'a révélé, alors qu'elle était seule avec moi, qu'elle se sentait «sur le point de craquer», qu'elle ne savait pas ce qui serait mieux pour elle et les enfants, mais qu'elle voulait désespérément effectuer le bon choix.

Comment choisir la meilleure solution

La décision de se séparer ou non est toujours pénible. Même les partenaires qui en viennent à se mépriser l'un l'autre hésiteront à faire le saut dans le monde inconnu qu'est le retour au célibat. Une façon d'atténuer quelque peu la douleur et d'augmenter les possibilités de trouver la meilleure solution est d'avoir recours aux habiletés de résolution de problèmes. La définition du problème dans une crise de cette nature devient relativement simple. Diane et Frédéric, avec mon aide, n'ont pas tardé à définir le leur. Leur prochaine étape a été de proposer une variété de solutions viables. Ils les ont inscrites sur un formulaire du couple en crise.

FORMULAIRE DU COUPLE EN CRISE

Consultant: J. W.   Couple: Frédéric et Diane

                                           Date:

Notre problème est: la séparation ou non.
Solutions possibles.

SOLUTION	PROPOSÉE PAR
1. Frédéric abandonne sa maîtresse	Frédéric
2. Frédéric quitte la maison durant les deux mois que nous suivons notre thérapie conjugale.	Diane
3. Nous restons ensemble, mais nous allons en thérapie conjugale.	Frédéric
4. Diane accepte de pardonner et d'oublier.	Frédéric
5. Nous déposons une demande en divorce.	Diane
6. Diane laisse Frédéric et les enfants durant trois mois, à condition qu'elle ne soit pas accusée d'avoir abandonné le domicile.	Diane
7. Diane retourne au travail et Frédéric cesse son aventure pendant que nous sommes en thérapie conjugale.	Diane
8. Chacun de nous rencontre individuellement le conseiller conjugal pour aider à clarifier les conséquences de chacune des solutions ci-dessus.	J. W.

Comme le révèle ce formulaire, Diane et Frédéric étaient capables d'avancer un certain nombre de solutions à leur problème. Cependant, la tâche vraiment difficile a été de décider laquelle choisir. Comme cela se produit souvent chez les couples en crise, ce qui convenait le mieux à Diane ne convenait pas à Frédéric et vice versa. Les deux se sentaient ambivalents et incertains à propos de ce que leur réservait l'avenir, peu importe la solution qu'ils choisiraient. A l'instar de la plupart des partenaires dans cette situation, ils avaient besoin d'effectuer une introspection de façon à comprendre les conséquences de chaque choix. Même si une séance d'évaluation avec les deux partenaires ensemble peut s'avérer fructueuse, si l'un ou l'autre des partenaires, ou les deux, ont de sérieux doutes au sujet de leur avenir ensemble, l'introspection individuelle est la meilleure chose à faire. C'est pourquoi j'ai suggéré à Frédéric et à Diane de venir séparément à deux entrevues distinctes.

La résolution de problèmes de Diane

Au cours de mon entretien individuel avec Diane, je lui ai demandé de revenir au formulaire du couple en crise pour voir si elle voulait y ajouter de nouvelles solutions. Elle ne le voulait pas. Je lui ai ensuite demandé d'indiquer la solution qu'elle désirait le plus évaluer en détail. L'objectif consistait à ce qu'elle et moi examinions durant l'entretien les avantages et les inconvénients de cette solution. Avant notre prochain entretien, elle aurait à compléter la tâche pour les autres solutions qui l'intéressaient.

Les avantages et les inconvénients que Diane a proposés pour la première solution sont résumés ci-dessous. Diane a consigné cette information sur un formulaire d'évaluation du couple en crise que j'utilise pour aider les partenaires d'un couple à évaluer leurs solutions en situation de crise. Essentiellement, la plupart des intimes confrontés à la possibilité d'une séparation essaient d'anticiper la façon dont leur décision touchera six aspects importants de leur vie. Ceux-ci figurent dans la colonne de gauche.

Après avoir poursuivi ce travail toute seule et à la suite d'une séance individuelle supplémentaire avec moi, Diane a rapporté : « Je vois beaucoup plus clairement maintenant ce que je suis en train de vivre. Je me sens beaucoup moins troublée. Il est possible que la thérapie ou un mariage ouvert fonctionne mais j'en doute sérieusement. Notre situation a continué ainsi depuis si longtemps que ni l'un ni l'autre pouvons revenir en arrière. Je me sens beaucoup trop blessée et en colère pour pardonner et oublier et j'aimerais beaucoup mieux recommencer à neuf. J'ai très peur de ce que sera ma vie seule avec les enfants, mais de bien des façons Frédéric a été un père absent depuis que j'ai été enceinte de notre plus jeune enfant. »

FORMULAIRE D'ÉVALUATION DU COUPLE EN CRISE

Personne: Diane

Date:

Solution à envisager: je dépose une demande en divorce

Aspect	Avantages	Inconvénients
A. Les enfants	— Nous allons cesser de nous quereller devant eux — La situation sera plus claire — Nous allons cesser d'être en désaccord sur la façon de les élever — De toute façon, Frédéric est rarement à la maison — Frédéric pourrait les voir régulièrement	— Il est préférable qu'ils vivent avec nous deux — Je serai peut-être trop troublée par la séparation pour être une bonne mère — Si je dois travailler pour subvenir à mes besoins et à ceux des enfants, je n'aurai pas le temps d'être une bonne mère
B. Mes émotions	— Je suis tellement en colère et blessée que je ne veux plus vivre avec Frédéric — Je ne crois pas aimer suffisamment Frédéric pour lui pardonner — Frédéric a commencé à se **retirer de notre** mariage depuis au moins quatre ans — Il est préférable que j'affronte les difficultés de vivre seule maintenant, à 34 ans, plutôt que lorsque je serai plus vieille	— Je serai toute seule — Je serai déprimée — J'aurais l'impression d'essuyer un échec — Les gens vont me juger — Je négligerai les enfants en tant que parent et je leur offrirai moins de sécurité — Ma vie sera finie — J'aime peut-être encore Frédéric

→

FORMULAIRE D'ÉVALUATION DU COUPLE EN CRISE (suite)

Personne: Diane   Date:

Solution à envisager: je dépose une demande en divorce

Aspect	Avantages	Inconvénients
C. La situation financière et les biens	— Un avocat m'a dit que j'ai droit à une pension alimentaire — Frédéric peut garder la maison s'il me donne la moitié des meubles et un montant forfaitaire	— Le bureau de Frédéric perd de l'argent actuellement et il a fait un mauvais placement: je ne sais pas où il trouvera l'argent pour une pension alimentaire — Je vais devoir commencer à travailler immédiatement — J'ai de la peine à laisser ma maison et d'être obligée de diviser nos biens
D. Mon partenaire	— Frédéric veut une femme plus jeune depuis que notre dernier enfant est né — Frédéric survivra **parce que son** travail et ses liaisons amoureuses ont toujours passé au premier plan avec lui	— Frédéric va s'ennuyer des **enfants** — Frédéric craint de ne pas avoir suffisamment d'argent — Frédéric n'aimera pas les **commérages que** notre séparation occasionnera — Les parents de Frédéric vont être durs avec lui parce qu'ils m'aimaient — Frédéric préférerait me garder comme épouse, mais aussi avoir un mariage ouvert

FORMULAIRE D'ÉVALUATION DU COUPLE EN CRISE (suite)

Personne: Diane   Date:

Solution à envisager: je dépose une demande en divorce

Aspect	Avantages	Inconvénients
E. La santé physique	— Je me sens bien maintenant — Je ferais mieux d'agir maintenant, pendant que j'ai encore la force de commencer un nouvel emploi	— J'ai perdu le sommeil, j'ai souffert de troubles gastriques et je fume davantage — Quand je serai seule, ce sera dur pour moi si je suis malade
F. L'aspect juridique	— L'avocat a dit que la séparation et le divorce seront de simples procédures	— Frédéric peut s'opposer à mes démarches juridiques ou les contester — Je déteste d'avoir recours à des avocats
G. Autres	— Je ne serai pas la seule à vivre la séparation et le divorce; ma soeur et ma meilleure amie ont vécu la même expérience	— Mes parents seront déprimés — Je ne suis pas près d'essayer de rencontrer quelqu'un d'autre — Avec trois enfants, qui voudra de moi? — Comment réagiront nos amis?

La résolution de problèmes de Frédéric

Frédéric se sentait beaucoup plus ambivalent et troublé à propos de la solution qui lui aurait le mieux convenu. Il se sentait encore profondément attaché à Diane mais la considérait principalement comme une amie et la mère de ses enfants, non pas comme son amour. Il a admis qu'il était très amoureux de sa dernière maîtresse qui, en fait, le pressait de laisser les enfants à Diane de façon qu'ils puissent construire une nouvelle vie ensemble. Il était également très préoccupé par le fait que sa situation financière, déjà très précaire, ne survivrait pas une séparation exigeant le soutien de deux foyers. Même après avoir passé trois heures seul à essayer de déterminer la solution qui lui conviendrait le mieux, il a demandé un dernier entretien en présence de Diane pour l'aider à trouver une décision finale.

La décision

Au cours de la réunion subséquente, qui s'est déroulée dans les larmes, les accusations, les remords et les promesses, Diane a dit à Frédéric qu'elle voulait faire l'essai d'une séparation d'un an, négociée par leurs avocats. Frédéric a consenti et a formulé le voeu qu'après ce laps de temps ils puissent trouver un moyen pour vivre de nouveau ensemble.

L'essai de séparation d'un an

Frédéric, Diane et leurs deux avocats ont pu en arriver à une entente qui n'a pas exigé une comparution devant les tribunaux. Le couple a décidé sans faire trop de complications que les trois enfants resteraient avec Diane dans un nouvel appartement. Le montant de la pension alimentaire était toutefois beaucoup plus difficile à établir. L'avocat de Diane a démontré de façon convaincante qu'elle avait besoin d'au moins 1 200 $ par mois pour survivre sans emploi dans l'avenir immédiat et avec trois enfants à charge. Étant donné la situation financière de Frédéric, ce forfait de 1 200 $ par mois représentait plus de la moitié de son revenu net. Au début, il s'est opposé à l'idée de vendre la grosse maison coûteuse qui était à son nom, mais après avoir exploré d'autres possibilités avec son avocat, il est arrivé à la conclusion qu'il n'avait pas le choix. Comme le stipulait leur contrat de mariage original, tous les appareils ménagers et la moitié des meubles revenaient à Diane.

Ils se sont entendus sur le fait que si l'un des deux ne voulait pas retourner avec l'autre après un an, celui-ci ou celle-ci accepterait un divorce sans contester. Frédéric aurait les enfants du samedi soir au dimanche soir. Il pourrait également les voir toutes les fois que cela conviendrait aux deux parents.

En l'espace d'une semaine après le départ de Diane et des enfants, Frédéric avait déménagé dans l'appartement de sa maîtresse et, en deux mois, il avait vendu sa maison. Diane a consulté une thérapeute et, avec son aide, « a réussi à traverser les quatre premiers mois de choc ». Dix mois plus tard, elle a commencé à travailler quatre matinées par semaine comme assistante dentaire. A l'occasion, elle a accepté de sortir avec des hommes mais elle n'était pas « intéressée à tout engagement maintenant ni peut-être jamais ».

Malheureusement, Frédéric s'est montré imprévisible avec les enfants et Diane trouvait que de les élever seule était très exigeant. Ainsi, au cours des premiers six mois, quand les deux plus vieux étaient encore traumatisés, ils blâmaient Diane du fait que Frédéric ne respectait pas ses droits de visite les fins de semaine et l'accusaient souvent d'être responsable de la séparation. Cependant, lorsqu'elle a trouvé une gardienne sûre, une veuve de 50 ans qui vivait dans le même immeuble, « les choses se sont grandement améliorées ». Un an plus tard, à la date convenue pour la décision, Diane et Frédéric ont consenti à déposer une demande en divorce. Cependant, leur demande a suscité une bataille juridique. Frédéric, devant les obligations pécuniaires que lui imposait le financement de deux foyers, a demandé que le salaire de Diane soit déduit de la pension alimentaire totale. Le juge a refusé la requête.

Les solutions aux conflits

La confusion et l'ambivalence qu'ont ressenties Frédéric et Diane durant leur crise conjugale sont monnaie courante. Il n'existe pas de formule classique qui permette aux couples d'éviter totalement ces jours, ces mois et même ces années pénibles. Cependant, une meilleure compréhension de certaines des options offertes aux couples face à la crise de la séparation et du divorce peut les aider à prendre les décisions les mieux adaptées à leur situation.

OPTION 1

Consultez un conseiller conjugal compétent

De nombreux couples restent attachés à la notion fausse que les conseillers conjugaux ne sont intéressés qu'à garder les partenaires ensemble. En fait, un bon pourcentage des conseillers matrimoniaux se sentent tout aussi à l'aise d'aider un couple à prendre la décision de divorcer de façon constructive que de l'aider à améliorer sa vie commune. Les conseillers veulent ce qui convient le mieux à toutes les parties concernées. La recherche révèle que les couples qui recherchent l'aide d'un conseiller durant et après une séparation ont plus de chance de réduire les conséquences néfastes de la crise telles que la dépression, une diminution de l'estime de soi, les querelles au détriment des enfants et les conséquences psychologiques traumatisantes pour ces derniers.

OPTION 2

Utilisez les habiletés de résolution de problèmes pour parvenir à de sages décisions

Mon équipe et moi avons utilisé les techniques de résolution de problèmes avec plus de 40 couples sur le point de se séparer. Cette procédure comporte de nombreux avantages et elle peut être utilisée par l'un ou l'autre des partenaires, ou les deux, sans l'aide d'un professionnel. Durant une crise au sujet de l'avenir d'une relation intime, les émotions sont immanquablement intenses. Si les partenaires n'abordent pas le problème de façon raisonnable, un trop-plein intempestif d'émotions viendra fausser la prise de décision, et les partenaires ainsi que leurs enfants peuvent en subir les conséquences. Ainsi, la haine et la colère peuvent inciter l'un ou l'autre des partenaires, ou les deux, à favoriser des mesures de représailles, lorsque les partenaires menacent : « Tu ne verras jamais les enfants » ou « Je vais t'avoir jusqu'au dernier sous » ou encore « Je vais t'amener devant les tribunaux ». La crainte de la solitude, par contre, peut conduire l'un ou l'autre des partenaires, ou les deux, à constamment repousser l'idée de la séparation malgré la douleur qu'occasionne leur vie ensemble et les inconvénients évidents pour les enfants. Une évaluation attentive des avantages et des inconvénients émotionnels et rationnels de chaque option les fera aboutir à une meilleure décision à long terme.

OPTION 3

Ayez à coeur le bien-être de vos enfants, mais ne supposez pas que le fait de rester avec votre partenaire soit nécessairement la meilleure option pour eux

Je suggère fortement que les couples qui ont des enfants procèdent avec beaucoup d'attention et avec prévenance durant la crise de la séparation afin de trouver une solution qui prenne en compte le bien-être de leurs enfants. Une relation conjugale perturbée et une séparation destructrice peuvent laisser des séquelles chez les enfants. Des années après, ils peuvent avoir des sentiments de culpabilité, de dépression, de faible estime de soi et de haine envers l'un des parents ou les deux. Ils peuvent également manifester des troubles de comportement et des difficultés d'apprentissage. La recherche révèle que si deux parents s'efforcent de maintenir une relation saine en tant que parents avec leurs enfants, les conséquences négatives de la séparation et du divorce peuvent être grandement diminuées ou même éliminées. En ce qui concerne les enfants, une séparation constructive des parents peut être une bien meilleure expérience qu'un mariage destructeur.

OPTION 4

Essayez la thérapie conjugale: elle peut constituer une option viable pour certains couples

Frédéric et Diane ont mis la thérapie conjugale sur la liste des solutions à leur crise. Cependant, Diane ne voyait aucun intérêt à cette option puisqu'elle avait le sentiment qu'il était trop tard pour réparer les dégâts. Moi aussi j'étais pessimiste au sujet des bénéfices possibles de la thérapie conjugale pour ce couple *parce qu'*ils avaient attendu trop longtemps avant de reconnaître la nécessité de cette aide. Cependant, s'ils avaient entrepris une thérapie conjugale durant la troisième grossesse de Diane, lorsque leur union commençait à se désagréger, le pronostic aurait pu être beaucoup plus favorable.

Comme il a été décrit dans le chapitre sur le mariage ouvert, Michel et Paule ont consacré plusieurs séances à l'étude du même type de questions que Frédéric et Diane et en sont venus à peu près aux mêmes décisions. Cependant, France et William ont décidé que la thérapie conjugale *valait* la peine d'être essayée. Après avoir passé plusieurs séances avec moi à tenter d'en arriver à une entente relative à leur avenir ensemble, particulièrement en ce qui concerne « l'ouverture » de leur liaison, France et William ont consacré seize séances à l'apprentissage de la plupart des habiletés décrites dans ce livre. À l'aide de la thérapie conjugale, ils ont non seulement renouvelé leur décision de rester ensemble, mais ils ont aussi grandement amélioré la qualité de leur relation amoureuse.

OPTION 5

Considérez l'essai de la séparation: l'histoire de Xavier et de Huguette

Xavier et Huguette sont venus à notre clinique sur l'insistance de Xavier. Huguette avait manifesté sa volonté de se séparer mais Xavier l'a suppliée de reconsidérer sa décision.

Voici leur histoire en peu de mots: Huguette, 38 ans, occupait un poste d'infirmière de santé publique au sein d'une vaste équipe interdisciplinaire. Xavier, 37 ans, était un travailleur de l'acier en chômage. Ils avaient deux garçons et une fille dont l'âge variait entre 14 et 18 ans. Au cours des quatre dernières années de leur vie commune, qui durait depuis dix-neuf ans, Huguette ressentait de plus en plus le besoin de vivre seule. Son mari et elle ne s'entendaient pas sur bien des points. Elle avait le sentiment qu'il était plus conservateur qu'elle en ce qui concernait la discipline des enfants, les moments de loisirs, les voyages, l'ouverture de leur mariage et la planification familiale. Elle reprochait également à son mari de n'avoir pas montré de persévérance dans sa recherche d'un emploi depuis qu'il était devenu chômeur, dix-huit mois auparavant.

Xavier reconnaissait le bien-fondé de la plupart des opinions de Huguette, mais il avait le sentiment que leur mariage méritait une autre chance. Huguette était disposée à accepter sa suggestion de poursuivre la thérapie de couple, mais avec les conditions suivantes : elle vivrait sous un autre toit durant un an et ils auraient des séances hebdomadaires en couple pour améliorer leur communication entre eux et avec leurs enfants. Huguette, en outre, ne voulait pas que Xavier suppose que, parce qu'ils étaient en thérapie conjugale, elle serait nécessairement moins intéressée à la séparation à la longue. Xavier a accepté volontiers ses conditions.

Huguette a déménagé avec les enfants et a eu la possibilité d'essayer un nouveau style de vie, plus indépendant. Au cours de l'année, elle a vécu plusieurs relations amoureuses avec d'autres hommes et a appris beaucoup de ces expériences. Xavier n'a connu aucune autre femme. Huguette a constaté que ses enfants la traitaient de « mauvais » parent quand son mari était absent. Cependant, lorsque les cinq membres de la famille vivaient sous le même toit, Huguette et les enfants entraient généralement en conflit avec Xavier. Huguette, malgré le défi que représentait le fait d'être un parent unique, était très enchantée de sa liberté nouvellement acquise.

Elle était particulièrement fière d'avoir découvert que la « solitude » et les contraintes financières étaient des difficultés surmontables. Elle a noté que Xavier aussi avait changé quelque peu. Il était devenu plus réceptif à propos de ses sentiments et écoutait plus activement. Huguette s'est rendu compte qu'elle voulait encore vivre avec Xavier et a consenti à retourner avec lui s'il était disposé à renégocier leur contrat de mariage afin d'y inclure la copropriété de tous les biens. Xavier a trouvé un emploi à temps partiel et, plein de confiance en lui, a accueilli son retour avec plaisir.

OPTION 6
Faites-vous conseiller dans les domaines juridique et financier

Lorsque la stabilité de leur relation amoureuse est menacée, les partenaires constatent soudainement qu'ils ne savent pas grand-chose de ce que l'avenir leur réserve. Plusieurs des aspects juridiques et financiers de leur relation, autrefois tenus pour acquis, deviennent du jour au lendemain de véritables sources d'anxiété. Dans notre culture moderne, il existe peu d'événements plus perturbants que le fait d'être témoin de deux personnes qui avaient l'habitude d'être de bons amis, des amoureux et des parents, se disputer devant le tribunal à propos des détails juridiques ou financiers d'une séparation. Cependant, je suggère fortement que chacun des deux partenaires en crise obtienne sa propre aide juridique et financière. Ils devraient rechercher auprès d'experts les réponses aux questions suivantes: 1) Que stipule exactement notre contrat de mariage? 2) Étant donné la nature de notre crise, quelles pourraient être les raisons de notre divorce? 3) A quels arrangements financiers pouvons-nous nous attendre? 4) Qui gardera la maison et les meubles? 5) Quel type d'arrangement relatif à la garde des enfants serait idéal pour nous? Consultez toujours un avocat qui a l'expérience de ces types de conflit et soyez conscient(e) du fait qu'il peut y avoir de grandes variations dans la compétence du service offert.

Comment survivre à la séparation et au divorce

La séparation et le divorce comportent une variété d'aspects négatifs[15]. Dans cette section, nous allons discuter de certains des aspects les plus problématiques et définir des solutions qui peuvent atténuer la douleur qu'engendre cette expérience.

ASPECT NÉGATIF 1
Les préjugés sociaux

Même si la rupture conjugale est de plus en plus monnaie courante, notre culture continue à véhiculer une variété de préjugés envers le phénomène de la séparation et du divorce. Les partenaires séparés et divorcés qui partagent ces préjugés ne font que se rendre la vie plus malheureuse.

A. *« Parce que nous avons divorcé, nous devons être mauvais, malades et pécheurs. »*

Certains segments de la société et certaines institutions religieuses continuent à montrer du doigt les gens qui divorcent. Même si je crois qu'il est souvent malheureux que deux personnes ne puissent plus vivre heureuses ensemble, il est tout à fait naturel que certaines relations amoureuses se terminent par une séparation. Au lieu de critiquer les partenaires qui ne peuvent plus trouver le bonheur ensemble, nous ferions bien mieux de nous poser les questions suivantes: « Est-il réellement trop tard pour sauver la relation? » « Qu'est-ce que les personnes concernées peuvent apprendre de cette situation? » « Comment pouvons-nous être de bons parents en dépit de la séparation? » « Comment pouvons-nous aborder la rupture de la vie commune d'une façon constructive? »

B. *« La séparation et le divorce font plus de tort aux enfants que si nous restons ensemble. »*

Cette notion, si elle est adoptée aveuglément, incitera personnes et institutions à essayer de maintenir une relation amoureuse à *tout* prix. Chaque situation de famille est différente. La recherche révèle que les enfants se portent mieux lorsqu'ils se sentent aimés de leurs parents et qu'ils peuvent compter sur eux. Une séparation raisonnable peut souvent être préférable pour les enfants à un mariage destructeur.

C. « Ma vie sera finie lorsque nous nous séparerons. »

De nombreux partenaires, particulièrement ceux qui ne désirent pas la séparation, croient que leur vie sera finie avec le divorce. Cependant, la recherche révèle que les gens qui entreprennent des démarches actives pour refaire leur vie peuvent être beaucoup plus heureux dans la première année d'une séparation qu'ils ne l'étaient l'année précédente.

ASPECT NÉGATIF 2
Les émotions intenses

Les partenaires ressentent immanquablement le poids d'émotions très intenses durant et après une séparation.

A. La dépression

Une perte d'estime de soi, d'optimisme, de joie de vivre et d'énergie affecte la plupart des personnes qui se séparent, même le partenaire qui a demandé la séparation. L'aide d'un thérapeute professionnel peut aider à restaurer la confiance perturbée et à créer un nouveau sentiment de bien-être. Avec de nouveaux amis et de nouvelles activités, toute mesure active prise par la personne déprimée pour se refaire une nouvelle vie l'aidera également à lutter contre les sentiments attristants et la dépression.

B. La colère

De nombreuses personnes ressentent énormément d'agressivité envers leur partenaire durant et après une séparation. Chez certains couples, l'hostilité débute avec le commencement du processus de la séparation. Chez d'autres, l'hostilité a des racines beaucoup plus profondes.

Les professionnels et les livres ont formulé une variété de recommandations sur la façon de composer le mieux possible avec la haine qu'entraîne la séparation. Certains suggèrent que la personne en colère exprime ouvertement sa colère et son hostilité envers son (sa) partenaire, sans retenue (pourvu que personne ne soit blessé physiquement). D'autres recommandent que les deux partenaires maîtrisent leurs ressentiments afin de « rester les meilleurs amis dans toutes les éventualités ». J'ai découvert que l'approche la plus efficace se situe entre ces deux extrêmes.

Évidemment, cela vaut la peine que les gens mettent le doigt sur ce qui provoque leur colère. Les questions à se poser lors de l'auto-observation, décrite au chapitre 9, peuvent aider dans cette tâche. Cependant, je conseillerais que les deux partenaires y pensent à deux fois avant d'exprimer sans retenue leur colère envers leur ancien partenaire. Plus un partenaire attaque l'autre, plus il est probable que la distance et la haine entre eux grandiront.

Parmi les trois couples que je vous ai présentés dans ce chapitre, chacun d'eux avait un partenaire particulièrement en colère contre l'autre. Ainsi, Diane était particulièrement fâchée contre Frédéric, Paule contre Michel, et Xavier contre Huguette. Lors d'entretiens individuels avec les partenaires en colère, je leur ai donné le conseil suivant: « Je peux comprendre pourquoi vous aimeriez affronter, punir, critiquer et blesser votre partenaire. Mais je vous suggère d'apprendre, au moyen du processus d'auto-observation, ce qui vous met tellement en colère et de comprendre précisément ce que vous ressentez. Je vous suggère également de trouver des façons d'exprimer ouvertement votre colère. Il n'est pas sage de tout ravaler. Il y a de nombreuses façons différentes de composer avec cette émotion. Avant d'exprimer votre colère directement à votre partenaire au moyen de paroles ou de gestes, je vous suggère de répondre aux questions suivantes: « Si je dis A ou B à mon partenaire, que vais-je y *gagner* et que vais-je y *perdre*? » Les partenaires en colère anticipent souvent les bénéfices qu'ils vont retirer de l'expression de sentiments hostiles: « Je vais me sentir mieux », ou « Je vais lui remettre ce qu'elle m'a fait ». De même, ils peuvent anticiper les pertes: « Il sera moins intéressé à collaborer avec moi ou les enfants seront encore blessés par nos querelles, ou elle essaiera de me retourner la pareille en me rendant la vie plus difficile. »

La plupart des couples auront de la difficulté à maintenir une amitié après une rupture. Cependant, ils ne devraient jamais devenir des ennemis. S'ils le deviennent, il est plus probable que les deux partenaires vivront des procédures de divorce plus compliquées et plus coûteuses. En outre, les observateurs innocents que sont les enfants seront invariablement plus blessés par des parents en guerre que par des parents qui essaient de se séparer de la façon la plus constructive possible.

C. La solitude

De nombreux partenaires, particulièrement ceux qui n'ont pas amorcé la séparation, considèrent la solitude comme la pire conséquence de l'expérience. Certains préfèrent vivre avec une personne qu'ils détestent plutôt que d'être seuls et laisser ainsi une relation pénible se poursuivre longtemps après qu'elle aurait dû se terminer. D'autres évitent la solitude en se lançant immédiatement dans une autre aventure et, ce faisant, dans un autre type d'échec. Nombre de relations modernes n'existent que comme moyen d'éviter la solitude. Qu'y a-t-il de si terrifiant dans la solitude? Divers partenaires la redoutent pour diverses raisons, selon leur milieu familial et leurs expériences de vie. Heureusement, à la grande surprise de plusieurs couples récemment séparés, la *crainte* de la solitude est souvent pire que la solitude elle-même.

Il est généralement préférable pour les partenaires nouvellement séparés d'essayer de faire face à l'expérience de la solitude afin de comprendre en quoi le fait d'être seul leur est tellement pénible. L'expérience d'apprentissage peut souvent amener les personnes à effectuer des découvertes surprenantes à leur sujet. Aussi la connaissance de soi qu'ils en retirent améliore-t-elle presque invariablement leur capacité à mener une nouvelle vie plus satisfaisante. Les amis, les collègues, les membres de la famille, les groupes de parents célibataires et les professionnels peuvent s'avérer des aides précieuses durant la période où la personne divorcée ou séparée s'adapte lentement à la solitude.

D. L'ambivalence et la confusion

La plupart des personnes se sentent déroutées durant une séparation et immédiatement après. Ce n'est pas surprenant puisqu'un changement majeur dans une relation intime (comme l'indique le formulaire d'évaluation du couple en crise) entraîne habituellement des perturbations dans de nombreux aspects de la vie. Il touche le rôle de parent, par exemple. Il perturbe également les émotions, la situation économique, les carrières et la vie sociale.

A l'occasion, les membres de la famille peuvent considérer la personne séparée comme un raté, un embarras et un mauvais reflet d'eux-mêmes. D'autres personnes de la société, soient-ils collègues ou amis, peuvent aussi porter des jugements sévères à l'égard du (de la) séparé(e). Par surcroît, de nombreuses questions, jamais soulevées auparavant, se posent soudainement à la personne séparée et s'accumulent à une vitesse étonnante: Quand vais-je manger? Où vais-je manger? Que vais-je faire ce soir? Où vais-je aller en vacances? D'où viendra l'argent? Que se passera-t-il si je suis malade? La vie commune qui, même si elle était insatisfaisante, offrait une existence quotidienne relativement prévisible, est soudainement détruite par la séparation.

Peu de relations sont composées uniquement d'amour ou de haine. Une personne qui se sent trahie par la demande de séparation de son partenaire peut se sentir perdue et déprimée lorsqu'elle est envahie d'émotions intenses de haine et d'amour. Certains déclarent la guerre à leur ancien partenaire afin, entre autres, d'éviter les sentiments déroutants d'ambivalence. Certains s'expliqueront ainsi : « J'aimerais mieux taire tout sentiment amoureux que je ressens : cela me fait moins mal de haïr que d'aimer. »

ASPECT NÉGATIF 3
Le sort des enfants

Les enfants sont très vulnérables au conflit entre leurs parents[14]. Les parents concernés peuvent réduire considérablement les répercussions de la rupture conjugale en prévoyant les problèmes qui vont surgir. Les parents aux prises avec la séparation doivent discuter des solutions à chaque problème qui se présente dans le « guide de dépannage des parents en voie de séparation » ci-dessous.

GUIDE DE DÉPANNAGE DES PARENTS EN VOIE DE SÉPARATION

Problème		Solutions possibles
Sentiments des enfants	1. « Personne ne m'aime. »	Expliquez-leur pourquoi vous vous séparez. Faites-leur bien comprendre que ce n'est pas de leur faute. Dites-leur que vous les aimez plus que jamais.
		Soyez aimants et consacrez-leur du temps.
	2. Je serai tout(e) seul(e)	Prenez les meilleures dispositions relativement au logement de façon qu'ils puissent jouir suffisamment de la compagnie des deux parents.
		Les deux parents expriment leur amour à leurs enfants.
		Les deux parents posent des gestes d'amour pour leurs enfants.
	3. Je veux que vous restiez ensemble.	Expliquez pourquoi il n'est pas possible que vous restiez ensemble.

→

(suite)

		Expliquez que vous ne vous séparez pas parce que vous les aimez moins.
	4. Je vous hais parce que vous vous séparez.	Ne vous querellez pas devant les enfants.
		Ne vous servez pas de vos enfants pour espionner votre ancien(ne) partenaire.
		Ne vous servez pas de vos enfants comme des intermédiaires.
		Ne vous servez pas de vos enfants pour vous venger de votre ancien-(ne) partenaire.

GUIDE DE DÉPANNAGE DES PARENTS EN VOIE DE SÉPARATION

Problème		*Solutions possibles*
Dispositions relatives au logement	1. Avec qui vivront les enfants?	Considérez ce qu'il y a de mieux pour les enfants.
	2. Quels seront les droits de visite?	Demandez-leur leur opinion.
		Les enfants devraient voir l'autre parent souvent et régulièrement.
		Les visites devraient être prévisibles. Aucun des deux parents ne devrait prendre l'habitude de les annuler.
Le parent seul et les problèmes de la garde des enfants	1. La fatigue: vous ne cessez jamais de travailler.	Ayez l'aide d'un(e) gardien(ne).
		Accordez-vous du temps libre.
		Partagez des activités avec une autre famille monoparentale.
		Joignez-vous à un groupe d'entraide.

(suite)

2. La discipline : vous êtes à la fois juge, juré et préfet de discipline.	La même qu'au numéro 1. Suivez des cours sur les compétences parentales et cherchez conseil auprès d'un professionnel. Assurez-vous que les deux partenaires exercent la discipline d'une façon cohérente. Ne laissez pas les enfants monter un parent contre l'autre.

GUIDE DE DÉPANNAGE DES PARENTS EN VOIE DE SÉPARATION

Problème		*Solutions possibles*
Les nouveaux amants et les beaux-parents	1. Les enfants répondent avec hostilité : « C'est toi le (la) fautif(ve) ».	Expliquez aux enfants pourquoi vous voulez un(e) autre partenaire et pourquoi vous en avez besoin. Expliquez-leur que le fait d'avoir un(e) nouveau (nouvelle) partenaire ne signifie pas que vous les aimez moins. Lisez le livre de Gardner[14].
	2. Des conflits entre votre nouveau (nouvelle) partenaire et les enfants.	Essayez d'agir en médiateur entre votre nouveau (nouvelle) partenaire et vos enfants.

Certains problèmes auxquels se heurtent les parents séparés se produisent immédiatement après la séparation. D'autres ne surgissent qu'après six mois, et même plus tard, lorsqu'un partenaire se remarie. Le « guide de dépannage des parents en voie de séparation » résume les problèmes les plus fréquents que les couples ont soulevés durant nos séances de consultation sur la séparation.

Chaque problème peut être résolu de bien des façons. Nous ne présentons ici qu'un échantillon des solutions possibles.

En décidant quelle solution sera la plus avantageuse pour chaque famille particulière, les partenaires doivent se rappeler que ce qui compte le plus est que les enfants reçoivent avec régularité et cohérence des marques d'amour et partagent la présence d'*au moins* un parent. En raison de toutes les expériences pénibles qui ont conduit à la séparation, plus vite les deux parents peuvent laisser leurs différends derrrière eux, plus vite ils peuvent offrir un environnement sain pour que débute un nouveau chapitre dans la vie de leurs enfants.

ASPECT NÉGATIF 4
La situation financière

A la suite d'un divorce ou d'une séparation, les deux partenaires voient habituellement leur sécurité financière et leur niveau de vie diminuer. Le coût de l'entretien de deux foyers est inévitablement plus élevé que celui d'un seul foyer qui vit grâce aux ressources combinées de deux partenaires qui travaillent. Les femmes sont particulièrement vulnérables aux difficultés financières qui découlent d'une séparation.

Même si les femmes jouissent maintenant de plus grandes possibilités en matière de ressources financières et d'éducation, la moyenne d'entre elles continuent à recevoir un salaire inférieur à celui des hommes pour le même travail dans toutes les professions. Étant donné que la femme séparée a le plus souvent la garde des enfants, c'est elle qui, avec le salaire le moins élevé, doit supporter la plus grosse part de la charge financière et parentale. Malgré la controverse publique ainsi que des lois plus sévères qui visent à assurer l'aide financière pour l'éducation des enfants, la femme seule n'a aucune garantie de soutien. Un pourcentage très élevé d'hommes continuent à manquer aux paiements de la pension alimentaire. De même, le statut de parent seul de la femme tend à durer beaucoup plus longtemps que le statut de parent « unique » de son ancien partenaire à la suite d'un divorce ou d'une séparation. Les statistiques démontrent en effet que les hommes divorcés se remarient plus souvent que les femmes divorcées et, souvent, la nouvelle partenaire du mari est considérablement plus jeune que l'ancienne partenaire. Ainsi, il semble que la garde des enfants par la femme, de même que les responsabilités financières qui en découlent diminuent son attrait en tant que candidate pour un remariage.

Il n'existe pas de solutions faciles aux difficultés financières auxquelles se heurtent deux partenaires après une séparation. Les partenaires qui ont ces difficultés feraient bien de chercher un soutien social auprès d'amis, de membres de la famille, d'organismes de services sociaux et d'autres personnes dans la même situation. La femme qui est chef de famille monoparentale peut également consulter plusieurs bons livres sur le sujet, qui expliquent en détail la conduite financière qui leur ést offerte si elles font face à la pauvreté après la dissolution du couple[15].

ASPECT NÉGATIF 5
La nouvelle identité sociale

La plupart des couples récemment séparés sont surpris et troublés lorsque les collègues, les amis, les familles et les institutions les traitent différemment lorsqu'ils se retrouvent seuls à nouveau. La séparation et le divorce imposent un changement dans l'identité sociale. Les femmes trouvent que certaines de leurs amies rivalisent davantage avec elles parce qu'elles voient maintenant la nouvelle divorcée comme une concurrente éventuelle pour leur propre compagnon. Les amis peuvent traiter très froidement la femme divorcée : « Je ne veux pas rendre jalouse ma propre partenaire » ou tenter la séduction : « Laisse-moi t'aider à affronter ta solitude... » Les études des organismes de services sociaux et des centres de jour démontrent que la femme qui est chef de famille monoparentale et ses enfants reçoivent un traitement moins généreux de ces organismes que les maris qui ont la garde des enfants.

Les hommes aussi bien que les femmes remarquent que plusieurs de leurs anciens amis hésitent à les inviter à la maison une fois qu'ils sont séparés, sous prétexte « que c'est plus agréable à quatre qu'à trois ». Ce nouvel état de chose ne fait que rendre plus difficile l'adaptation de l'individu séparé à sa nouvelle vie.

L'une des tâches les plus exigeantes que la personne nouvellement séparée doit affronter est la construction d'une nouvelle vie sociale qui inclut des amis des deux sexes. Plusieurs sont surpris de constater dans quelle mesure leur ancienne relation les protégeait des difficultés de la vie sociale. Ils doivent réapprendre tout d'un coup les anciennes façons de se comporter en société, ce qu'il faut faire pour être intéressant(e), apprendre comment et où rencontrer de nouveaux partenaires éventuels et comment choisir le type de relation à poursuivre une fois qu'ils ont découvert un(e) nouveau (nouvelle) partenaire. Certains acceptent le défi de leur nouvelle liberté avec entrain alors que d'autres sont intimidés par la tâche de développer de nouvelles relations intimés parce qu'ils n'ont jamais maîtrisé les habiletés sociales requises ou parce que la « scène des fréquentations » a changé radicalement depuis le temps où ils étaient célibataires.

Solutions pour le nouveau célibataire

La patience est l'élément le plus important dans l'élaboration de toute solution aux problèmes d'adaptation à la nouvelle identité sociale du « célibataire » ou du « parent unique ». Il sera préférable de commencer par repousser des notions romantiques telles que « Tous mes problèmes seront résolus si je peux rencontrer *la bonne* personne » ou « Je ne serai heureux(se) que lorsque je tomberai amoureux(se) encore une fois ». L'acceptation de son nouveau statut et la création d'un nouveau style de vie enrichissant, voilà vers quoi doit tendre la personne maintenant seule. Ainsi, elle peut s'inscrire à des cours sur la bonne manière de vivre son célibat. Ce genre de cours est de plus en plus populaire dans tout le pays. Les livres d'auto-assistance peuvent également aider à retrouver sa confiance en soi et à avoir une attitude positive et ouverte.

Depuis la désintégration de la famille élargie, le couple moderne a souffert d'un manque de soutien social. Les couples séparés en particulier ressentent cette lacune puisqu'ils ont à vivre la double perte d'un soutien financier et d'un appui émotionnel, aussi bien de la part de leurs anciens partenaires que de la société en général. L'élaboration de nouveaux systèmes de soutien social est essentielle à la survie de la personne nouvellement seule. Les attitudes traditionnelles ne sont plus utiles pour traiter les problèmes d'une société dans laquelle les personnes qui ont vécu au moins un divorce dépasseront en nombre sous peu les personnes qui n'en ont jamais vécu. Les groupes de parents seuls et les clubs pour divorcés, qui encouragent l'échange d'amitié et l'évolution des nouveaux couples, sont des étapes transitoires vers la réintégration dans la société. Les attitudes réceptives qu'on y trouve permettent le développement de ressources appropriées et un environnement plus accueillant pour les hommes, les femmes et les parents divorcés et séparés.

CHAPITRE 14

Et maintenant?
Les diverses options
offertes aux couples

Quelle est votre prochaine étape? Ce chapitre tente de résumer les options offertes et de suggérer des facteurs que vous pourriez considérer avant de prendre une autre décision importante. En bref, certaines des options les plus fréquemment choisies sont:

1. Votre partenaire et vous essayez de changer votre relation amoureuse à l'aide de ce livre.
2. Un partenaire essaie de changer la liaison à l'aide de ce livre.
3. Si vous avez des difficultés dans votre relation amoureuse mais que rien n'est encore joué, vous suivez un cours de survie préventif.
4. Si vous êtes en détresse, vous allez en thérapie conjugale.
5. Si vous et votre partenaire avez des difficultés sexuelles, vous allez en thérapie sexuelle.
6. Si vous et votre partenaire n'êtes pas certains de vouloir continuer à former un couple, vous demandez l'aide d'un conseiller pour prendre la meilleure décision possible.
7. Si vous voulez vous séparer, vous demandez l'aide d'un conseiller pour entreprendre une séparation constructive.
8. Vous, ou votre partenaire et vous, renforcez votre groupe de soutien en améliorant vos contacts avec vos familles et les amis, ou en joignant un groupe d'entraide.

9. Vous ne faites rien, soit parce qu'il n'y a pas de nuages à l'horizon, soit parce que le moment n'est pas propice au changement.

10. Si vous êtes dans le doute concernant l'état de votre vie amoureuse, essayez un « examen du couple ».

1. Devrions-nous essayer de changer notre relation amoureuse à l'aide de ce livre?

Si vous ne ressentez pas encore la tension au sein de votre relation amoureuse, vous voulez peut-être quand même la consolider ou l'enrichir. Si vous décidez d'utiliser ce livre comme aide, il est essentiel que vous le lisiez tous les deux et en discutiez. Il est évident que vous n'avez pas à avoir la même opinion sur tous les points qui y sont présentés. Cependant, il sera important pour vous d'être en accord sur le point de départ de votre projet d'amélioration de votre liaison ainsi que sur la façon de le démarrer.

Le point de départ

Chacun de vous jette sur papier les réponses aux quatre questions suivantes: 1) Quels sont les points forts de notre liaison? (*Échantillons de réponse:* Je suis fier (ou fière) de nos enfants et de la façon dont nous les avons élevés. Je pense que nous avons une vie sexuelle fantastique. Je me sens compris(e) et appuyé(e) par mon (ma) partenaire.) 2) Quels sont les problèmes ou les conflits que nous n'avons pas été capables de résoudre de façon satisfaisante? (*Échantillons de réponse:* Nous ne nous entendons pas sur le plan financier. J'ai besoin de plus d'amour.) 3) Qu'est-ce que j'aimerais réaliser au moyen d'un programme de changement? (*Échantillons de réponse:* Une amélioration de nos relations sexuelles. Un partage plus égal du travail. La conciliation de nos divergences d'opinion sur les relations sexuelles extra-conjugales.) 4) Quelles démarches de survie présentées dans ce livre sont à maîtriser en premier lieu pour nous? (Vous pouvez choisir une seule démarche, plusieurs ou même toutes.)

Une fois que chacun de vous a répondu à ces questions, échangez vos notes. Encore une fois, il n'est pas nécessaire que vous soyez entièrement d'accord sur chaque question. Ce qui compte est que vous élaboriez un projet réalisable. Tout au long de ce livre, j'ai souligné l'importance d'attaquer un problème à la fois, en commençant par le plus facile. Un examen de vos listes devrait vous mener directement à une discussion du problème que vous pensez le plus facile à résoudre.

Vous pouvez avoir de la difficulté à décider quelles habiletés il vous faut apprendre en premier. Chaque couple est différent. N'importe laquelle des huit démarches de survie pourrait être un bon point de départ selon vos besoins et vos points forts en tant qu'individus et en tant que couple. Habituellement, dans nos cours de survie, les capacités d'écoute et d'expression sont abordées en premier parce que, sans ces deux habiletés, l'apprentissage et l'exercice de toutes les autres capacités peuvent s'avérer difficiles. Les techniques de mise en valeur de l'amour et de résolution de problèmes présupposent une connaissance des capacités d'écoute et de la révélation de soi. La négociation, l'affrontement loyal, la satisfaction sexuelle, la division équitable du travail et la satisfaction des besoins d'indépendance dépendent tous du degré de communication entre partenaires.

Vous pouvez trouver utile de voir le livre divisé en deux parties. La première moitié couvre les habiletés qui peuvent mettre en valeur les aspects positifs d'une relation amoureuse. Les capacités d'écoute, de révélation de soi et d'expression efficace de l'amour et de la sexualité présentées dans cette moitié peuvent toutes être considérées comme les pierres angulaires d'une relation amoureuse. Les stratégies décrites dans la deuxième partie du livre sont précieuses pour aplanir les difficultés d'une même relation. Il est habituellement plus sage de consolider les points positifs avant d'attaquer les points faibles. La patience et la « bonne volonté » requises pour résoudre efficacement des problèmes ne seront suffisantes que si les qualités que j'ai décrites dans la première partie de ce livre sont déjà maîtrisées.

Comment démarrer

Une fois que vous avez décidé du point de départ, essayez de vous mettre d'accord sur la façon dont vous prévoyez changer avant de commencer. Ainsi, si vous avez choisi de commencer par l'apprentissage des capacités d'écoute et d'expression, avez-vous tous les deux interprété le chapitre pertinent de la même façon ? Relisez le chapitre ensemble et discutez de chaque section. Concentrez-vous sur chaque règle et exercice suggérés, en discutant de ce que chacun d'eux signifie pour vous. Combien de temps vous faudra-t-il ? Rappelez-vous que la maîtrise de toute technique nécessite de la pratique. Certains couples constatent que 15 minutes par jour pendant une semaine sont suffisantes. D'autres estiment que des séances d'une heure, deux ou trois fois par semaine, sont plus efficaces. Trouvez un horaire qui convient le mieux à vos besoins et à votre routine.

Combien de temps faudra-t-il ?

A cette question, il est difficile de répondre car chaque couple a ses particularités. Évidemment, si vous et votre partenaire avez déjà maîtrisé plusieurs démarches de survie, il est probable que vous puissiez apporter des améliorations dans d'autres domaines assez rapidement. La *motivation* est un facteur crucial. Si vous et votre partenaire *voulez* vraiment améliorer votre relation amoureuse, vous serez probablement capables d'acquérir la facilité nécessaire assez rapidement, même si vous partez de zéro.

Si vous vous rendez compte qu'à mesure que vous poursuivez votre projet d'aide personnelle, vous ne pouvez apporter des changements aussi vite que vous l'aviez espéré, vous pourriez trouver utile de demander l'opinion d'un professionnel. Un conseiller peut vous faire effectuer un « examen du couple » et vous offrir quelques suggestions sur ce que vous pourriez faire ensuite.

2. Que dois-je faire si mon (ma) partenaire refuse de participer ?

Ne vous étonnez pas si votre partenaire ne lit pas ce livre avec le *même* intérêt que vous. Ce ne sont pas tous les partenaires qui croient que leur relation amoureuse peut être améliorée. Ce ne sont pas toutes les personnes non plus qui croient que la consultation auprès d'une personne en dehors de leur couple en vaille la peine.

Cette situation dans laquelle un côté penche plus que l'autre peut être très frustrante pour le partenaire prêt à changer. J'ai découvert que les partenaires réticents sont souvent intéressés à lire un livre ou à visiter un conseiller s'ils comprennent que c'est une opinion que l'autre partenaire recherche et non pas nécessairement un changement. Si le (la) partenaire plus enthousiaste dit : « Lis ce livre, cela améliorera notre relation amoureuse » ou « Allons voir X, elle nous aidera à changer notre relation amoureuse », le partenaire réticent peut être davantage sur la défensive. Vous devez demander à votre partenaire s'il (elle) pense que votre relation peut être améliorée avant de supposer que *vous* connaissez la meilleure façon de procéder. Essayez : « J'aimerais savoir ce que tu penses de ce livre » ou « J'aimerais que nous effectuions un examen du couple ». De cette façon, vous ne demandez pas à votre partenaire de s'engager à changer, mais d'essayer tout simplement, de façon que vous puissiez en discuter ensemble.

Si la diplomatie ne fonctionne pas, revenez au chapitre sur la résolution de problèmes et suivez cette procédure pour examiner un problème auquel vous vous heurtez en tant qu'individu : « Je veux faire telle ou telle chose pour améliorer notre relation amoureuse, mais mon partenaire ne veut pas. Que dois-je faire maintenant ? » Les moyens d'action possibles sont : 1) Vous dites à votre partenaire comment vous envisagez la situation ; 2) Vous commencez une querelle ; 3) Vous essayez d'amener votre partenaire à une discussion de résolution de problèmes ; 4) Vous avez une aventure ; 5) Vous demandez l'opinion d'un conseiller en l'absence de votre partenaire ; 6) Vous essayez d'apprendre seul(e) certaines des démarches de survie; 7) Vous cherchez la séparation. En bref, vous devez rechercher une solution qui convient à votre situation particulière.

3. Devons-nous faire l'essai d'un programme d'enrichissement conjugal?

Des centaines de milliers de couples nord-américains ont suivi des cours conçus pour aider les partenaires à améliorer leurs possibilités de survie et à apprendre les rudiments utiles dans une relation amoureuse[15]. La majorité de ces programmes ont été élaborés pour les couples qui ne sont pas encore en difficulté. Ces cours varient selon le nombre de participants (habituellement entre 8 et 50), la durée (la plupart sont de 12 à 36 heures au total), le coût, le type de formation que le(s) animateur(s) a(ont) reçu, les principes enseignés et selon qu'il y a ou non un élément religieux ou spirituel. Certains, dont le très populaire programme « Marriage Encounter », ont recours en majeure partie à des animateurs de groupe non professionnels et enseignent principalement aux couples comment développer des aspects positifs dans leur relation amoureuse. D'autres programmes, tels que le renommé « Minnesota Couples Communication Program », sont dirigés par des professionnels munis de diplômes d'études postuniversitaires et essaient d'enseigner aux couples la manière de faire ressortir l'aspect positif de leur liaison ainsi que la façon de résoudre des problèmes et d'aborder des conflits. Ce type de programme commence toujours par un examen du couple de deux ou trois heures pour assurer que le couple reçoit le type de service qui convient le mieux à ses besoins. D'après mon expérience, certaines procédures de sélection sont conseillées. Les programmes offerts par des groupes à caractère religieux (tels que les programmes « Marriage Encounter » ou « Divorce Encounter ») n'effectuent généralement aucune évaluation d'un couple avant que celui-ci ne se joigne au groupe.

4. Avons-nous besoin de thérapie conjugale?

Vous voulez peut-être l'aide d'un professionnel compétent pour améliorer la qualité d'une relation en détresse. Les partenaires qui se querellent beaucoup, se sentent étrangers l'un vis-à-vis l'autre, éprouvent énormément de difficulté à communiquer, ou qui se sentent envahis par des problèmes non résolus, peuvent désirer ce type d'aide. Encore une fois, les objectifs, le nombre de séances et le type de formation du conseiller peuvent varier grandement. La thérapie conjugale se distingue des programmes d'enrichissement conjugal de deux façons importantes. La thérapie est généralement conçue pour aider les couples qui sont en détresse assez profonde, alors que les animateurs des programmes d'enrichissement conjugal sont habituellement peu aptes à aider les couples en grande détresse, ou sur le bord de la séparation.

Les conseillers qui offrent la thérapie conjugale aideront à l'occasion un couple à apprendre le type de rudiments que j'ai écrits dans ce livre, mais habituellement les séances sont consacrées à la discussion et à la résolution de ses problèmes particuliers. La plupart des programmes d'enrichissement sont conçus pour aider un couple à se développer des stratégies générales, non pas pour permettre la discussion de problèmes auxquels *eux seuls* font face.

5. Avons-nous besoin de thérapie sexuelle?

Si vous décidez d'améliorer l'aspect sexuel de votre relation au moyen de la thérapie sexuelle, vous réussirez probablement mieux si vous et votre partenaire y participez ensemble. De cette façon, vous pouvez tous les deux apprendre à comprendre le problème et la manière de modifier votre comportement sexuel avec l'aide d'un professionnel compétent.

6. Avons-nous besoin de l'aide d'un professionnel pour prendre une décision?

Vous n'êtes peut-être pas certain de l'option qui convient le mieux à votre situation. Comme Michel et Paule ainsi que Diane et Frédéric l'ont constaté, la consultation auprès d'un professionnel peut s'avérer très utile pendant que vous essayez de décider si vous devez vous séparer ou non, et comment vous pouvez procéder de la façon la plus constructive possible. Si vos projets d'amélioration de votre relation amoureuse aboutissent à une impasse, un conseiller peut vous aider à décider ce que vous devez faire ensuite.

7. Avons-nous besoin de consulter un professionnel pour entreprendre une séparation constructive?

Les couples qui décident de se séparer se heurtent immanquablement à des troubles émotionnels, intellectuels, sociaux, parentaux, juridiques et financiers. Il existe des démarches que les couples peuvent entreprendre durant et après une séparation qui leur permettront de réaliser un arrangement constructif. La recherche révèle que les couples qui reçoivent une aide au moment où ils entreprennent une séparation atténuent la durée et la gravité de leurs problèmes ainsi que de ceux de leurs enfants. En outre, les conseils lors d'une séparation peuvent aider chaque partenaire à tirer parti de l'expérience de façon que sa vie future, que ce soit avec un nouveau partenaire ou non, soit plus satisfaisante.

8. Avons-nous besoin de développer un soutien plus solide?

De nombreuses communautés ont organisé des groupes dans lesquels les parents seuls s'apportent un appui mutuel[11]. Ces groupes d'entraide peuvent donner à un individu ou à un couple un soutien essentiel qui ne peut être obtenu autrement en cette ère moderne de la disparition de la famille élargie. L'organisme de services sociaux de votre région devrait pouvoir vous informer de ces services. Évidemment, les individus et les couples peuvent aussi développer des voies de compréhension et de soutien en consolidant des relations avec les membres de la famille et les amis.

9. Avons-nous vraiment besoin de changer?

Après avoir lu ce livre, vous pouvez constater que vous comprenez votre relation amoureuse mieux que jamais auparavant. Vous pouvez aussi décider que même si vous aimeriez changer votre relation amoureuse d'une certaine façon, ce ne serait pas le moment de le faire. Un couple qui a le sentiment que sa relation comporte de nombreux aspects positifs et peu d'aspects pénibles ou déplaisants peut ne pas vouloir changer sa situation actuelle. Ou l'un des partenaires ou les deux peuvent convenir que certains changements sont décidément nécessaires mais que, étant donné leur situation actuelle, aucune modification ne peut être effectuée pour le moment. L'insécurité financière, la maladie, une grossesse, ou un risque élevé de violence peuvent inciter temporairement les partenaires à supporter les imperfections de leur relation amoureuse. Le (la) partenaire motivé(e) qui ne peut convaincre son (sa) partenaire d'entreprendre un projet d'amélioration de leur liaison, ou même de lire ce livre, pourrait aussi décider d'attendre un meilleur moment pour aborder le sujet de nouveau.

10. Devons-nous avoir un examen de notre relation de couple?

Tout au long de ce livre, j'ai tenté de souligner que vous ne devez pas tenir votre liaison pour acquise et que même si les relations intimes sont très complexes, il existe certaines tendances qui peuvent être reconnues et comprises. Faites le bilan de la vôtre et choisissez les périodes de tension ou les événements clés qui ont été des moments décisifs pour vous en tant que couple. Lorsque nous demandons aux couples de revenir sur leur passé, ils identifient régulièrement certains incidents clés de situations stressantes qui ont mis à l'épreuve leurs liens affectifs. Les plus fréquemment mentionnés sont:

1. La décision de se marier.

2. La fin de la lune de miel.
3. Une grossesse.
4. La naissance d'un enfant.
5. Le chômage.
6. Un changement d'emploi.
7. Des liaisons extra-conjugales.
8. La maladie.
9. Un emploi trop exigeant.
10. Un déménagement.
11. Une séparation forcée (qu'elle soit occasionnée par le travail, les études ou la santé).
12. Les enfants qui quittent la maison.
13. La retraite.

Bref, les couples peuvent prévoir qu'à l'une ou plusieurs de ces étapes, le degré de stress de leur vie commune augmentera. Une relation intime solide peut s'avérer une aide pour affronter les difficultés de la vie. Cependant, à l'instar d'un compte de banque, une relation stable et saine n'est pas une ressource inépuisable. Il n'est pas sage d'y puiser plus qu'on y dépose. Il ne faut pas beaucoup de temps pour constater l'épuisement d'un compte courant, mais il est possible qu'une relation amoureuse dont les réserves sont à sec n'émette pas de signaux de détresse visibles pendant des mois ou même des années.

En effectuant régulièrement l'inventaire de leur relation amoureuse lors d'un « examen », un couple peut éviter des dégâts irrémédiables. Même s'il existe des façons de réparer des années de dégâts, le réapprovisionnement en ressources d'une liaison « à sec » peut devenir plus difficile avec le temps. J'ai souligné que les couples peuvent réussir à améliorer leurs possibilités de survie, soit seuls, soit avec une aide. Un examen du couple, qu'il soit effectué par le couple seul ou en compagnie d'un professionnel, constitue une évaluation de la façon dont chaque partenaire considère les points forts et les difficultés de leur vie commune. Un couple qui fait le point tous les trois ou six mois peut suivre de près dans quelle mesure sa relation amoureuse est équilibrée et jusqu'à quel point les besoins de chaque partenaires sont satisfaits, s'évitant ainsi des « surprises ».

Une relation intime satisfaisante est chose précieuse. La vigilance peut valoir le temps et l'effort qu'on y consacre. De nombreux couples ont constaté qu'avec un peu de pratique et quelques principes nouveaux, le maintien et l'amélioration de leur vie à deux sont non seulement stimulants, mais aussi agréables.

BIBLIOGRAPHIE

1. LASSWELL, M. et LOBSENZ, M. M. (1980). *Styles of Loving*, New York: Ballantine.
2. GOTTMAN, J., NOTARIUS, C., GONSO, J., MARKMAN, H. (1976). *A Couple's Guide to Communication*, Champaign, Illinois: Research Press.
3. MASTERS, W. H., JOHNSON, V. E. (1968). *Les réactions sexuelles*, Paris: R. Laffont.
4. MASTERS, W. H., JOHNSON, V. E. (1971). *Les mésententes sexuelles et leur traitement*, Paris: Robert Laffont.
5. LOPICCOLO, J., LOPICCOLO, L., HERMAN, J. R. (1980). *Orgasme*, Montréal: Les Éditions de l'Homme.
6. ZILBERGELD, B. (1978). *La sexualité masculine d'aujourd'hui*, Paris: Les Éditions Marabout.
7. WRIGHT, J., SABOURIN, S., MATHIEU, M., GENDREAU, P. (1985). *L'intervention auprès du couple: diagnostic et traitement*, Montréal: Service de psychologie de l'Université de Montréal.
8. JACOBSEN, N., MARGOLIN, G. (1978). *Marital Therapy*, New York: Brunner Mazel.
9. BACH, G. R., WYDEN, P. (1983). *Ennemies intimes*, Montréal: Le Jour.
10. CADIEUX, A., MACLEOD, L. (1980). *La femme battue au Canada: un cercle vicieux*, Ottawa: Conseil consultatif canadien de la situation de la femme.
11. GUAY, J. (1985). *L'intervenant professionnel face à l'aide naturelle*, Chicoutimi: Gaétan Morin.
12. O'NEIL, G., O'NEIL, M. (1976). *Le mariage open*, Paris: Hachette.
13. ALBEE, Edward (1983). *Who's Afraid of Virginia Woolf*, New York: N.A.L.
14. GARDNER, R. (1980). *Les enfants et le divorce*, Paris: Ramsay.
15. KRANTZLER, M. (1973). *Creative Divorce*, New York: Signet.
16. SABOURIN, S., et WRIGHT, J. (1984). *Couple enrichment programs: a review of outcome studies*. Soumis pour publication.

Ouvrages parus chez les éditeurs du groupe Sogides

AFFAIRES

* **Acheter une franchise,** Levasseur, Pierre
* **Bourse, La,** Brown, Mark
* **Comprendre le marketing,** Levasseur, Pierre
* **Devenir exportateur,** Levasseur, Pierre
Étiquette des affaires, L', Jankovic, Elena
* **Faire son testament soi-même,** Poirier, Me Gérald et Lescault-Nadeau, Martine
Finances, Les, Hutzler, Laurie H.
Gérer ses ressources humaines, Levasseur, Pierre

Gestionnaire, Le, Colwell, Marian
Informatique, L', Cone, E. Paul
* **Lancer son entreprise,** Levasseur, Pierre
Leadership, Le, Cribbin, James
Meeting, Le, Holland, Gary
Mémo, Le, Reinold, Cheryl
* **Ouvrir et gérer un commerce de détail,** Roberge, C.-D. et Charbonneau, A.
Patron, Le, Reinold, Cheryl
* **Stratégies de placements,** Nadeau, Nicole

ANIMAUX

Art du dressage, L', Chartier, Gilles
Cheval, Le, Leblanc, Michel
Chien dans votre vie, Le, Margolis, M. et Swan, C.
Éducation du chien de 0 à 6 mois, L', DeBuyser, Dr Colette et Dehasse, Dr Joël
* **Encyclopédie des oiseaux,** Godfrey, W. Earl
Guide de l'oiseau de compagnie, Le, Dr R. Dean Axelson
Guide des oiseaux, Le, T.1, Stokes, W. Donald
Guide des oiseaux, Le, T.2, Stokes, W. Donald et Stokes, Q. Lilian

* **Mon chat, le soigner, le guérir,** D'Orangeville, Christian
Observations sur les mammifères, Provencher, Paul
* **Papillons du Québec, Les,** Veilleux, Christian et Prévost, Bernard
Petite ferme, T.1, Les animaux, Trait, Jean-Claude
Vous et vos oiseaux de compagnie, Huard-Viau, Jacqueline
Vous et vos poissons d'aquarium, Ganiel, Sonia
Vous et votre beagle, Eylat, Martin
Vous et votre berger allemand, Eylat, Martin

ANIMAUX

Vous et votre boxer, Herriot, Sylvain
Vous et votre braque allemand,
 Eylat, Martin
Vous et votre caniche, Shira, Sav
Vous et votre chat de gouttière,
 Mamzer, Annie
Vous et votre chat tigré, Eylat, Odette
Vous et votre chihuahua, Eylat, Martin
Vous et votre chow-chow,
 Pierre Boistel
Vous et votre cocker américain,
 Eylat, Martin
Vous et votre collie, Éthier, Léon
Vous et votre dalmatien, Eylat, Martin
Vous et votre danois, Eylat, Martin
Vous et votre doberman, Denis, Paula
Vous et votre fox-terrier, Eylat, Martin
Vous et votre golden retriever,
 Denis, Paula
Vous et votre husky, Eylat, Martin

Vous et votre labrador,
 Van Der Heyden, Pierre
Vous et votre lévrier afghan,
 Eylat, Martin
Vous et votre lhassa apso,
 Van Der Heyden, Pierre
Vous et votre persan, Gadi, Sol
Vous et votre petit rongeur,
 Eylat, Martin
Vous et votre schnauzer, Eylat, Martin
Vous et votre serpent, Deland, Guy
Vous et votre setter anglais,
 Eylat, Martin
Vous et votre shih-tzu, Eylat, Martin
Vous et votre siamois, Eylat, Odette
Vous et votre teckel, Boistel, Pierre
Vous et votre terre-neuve,
 Pacreau, Marie-Edmée
Vous et votre yorkshire,
 Larochelle, Sandra

ARTISANAT/BRICOLAGE

Art du pliage du papier, L',
 Harbin, Robert
* Artisanat québécois, T.1, Simard, Cyril
* Artisanat québécois, T.2, Simard, Cyril
* Artisanat québécois, T.3, Simard, Cyril
* Artisanat québécois, T.4, Simard, Cyril
 et Bouchard, Jean-Louis
* Construire des cabanes d'oiseaux,
 Dion, André

* Encyclopédie de la maison québécoise,
 Lessard, Michel et Villandré, Gilles
* Encyclopédie des antiquités,
 Lessard, Michel et Marquis, Huguette
* J'apprends à dessiner, Nassh, Joanna
 Taxidermie moderne, La, Labrie, Jean
* Tissage, Le, Grisé-Allard, Jeanne et
 Galarneau, Germaine
 Vitrail, Le, Bettinger, Claude

BIOGRAPHIES

* Brian Orser - Maître du triple axel,
 Orser, Brian et Milton, Steve
* Dans la fosse aux lions, Chrétien, Jean
* Dans la tempête, Lachance, Micheline
* Duplessis, T.1 - L'ascension,
 Black, Conrad
* Duplessis, T.2 - Le pouvoir,
 Black, Conrad
* Ed Broadbent - La conquête obstinée
 du pouvoir, Steed, Judy
* Establishment canadien, L',
 Newman, Peter C.
* Larry Robinson, Robinson, Larry et
 Goyens, Chrystian
* Michel Robichaud - Monsieur Mode,
 Charest, Nicole

* Monopole, Le, Francis, Diane
* Nouveaux riches, Les,
 Newman, Peter C.
* Paul Desmarais - Un homme et son em-
 pire, Greber, Dave
* Plamondon - Un cœur de rockeur,
 Godbout, Jacques
* Prince de l'Église, Le, Lachance, Micheline
* Québec Inc., Fraser, M.
* Rick Hansen - Vivre sans frontières,
 Hansen, Rick et Taylor, Jim
* Saga des Molson, La, Woods, Shirley
* Sous les arches de McDonald's,
 Love, John F.
* Trétiak, entre Moscou et Montréal,
 Trétiak, Vladislav

BIOGRAPHIES

* **Une femme au sommet - Son excellence Jeanne Sauvé,** Woods, Shirley E.

CARRIÈRE/VIE PROFESSIONNELLE

* **Choix de carrières, T.1,** Milot, Guy
* **Choix de carrières, T.2,** Milot, Guy
* **Choix de carrières, T.3,** Milot, Guy
  Comment rédiger son curriculum vitae, Brazeau, Julie
  Guide du succès, Le, Hopkins, Tom
* **Je cherche un emploi,** Brazeau, Julie
  Parlez pour qu'on vous écoute, Brien, Michèle

Relations publiques, Les, Doin, Richard et Lamarre, Daniel
Techniques de vente par téléphone, Porterfield, J.-D.
* **Test d'aptitude pour choisir sa carrière,** Barry, Linda et Gale
Une carrière sur mesure, Lemyre-Desautels, Denise
Vente, La, Hopkins, Tom

CUISINE

* **À table avec Sœur Angèle,** Sœur Angèle
* **Art d'apprêter les restes, L',** Lapointe, Suzanne
  Barbecue, Le, Dard, Patrice
* **Biscuits, brioches et beignes,** Saint-Pierre, A.
* **Boîte à lunch, La,** Lambert-Lagacé, Louise
  Brunches et petits déjeuners en fête, Bergeron, Yolande
  100 recettes de pain faciles à réaliser, Saint-Pierre, Angéline
* **Confitures, Les,** Godard, Misette
  Congélation de A à Z, La, Hood, Joan
  Congélation des aliments, La, Lapointe, Suzanne
  Conserves, Les, Sœur Berthe
  Crème glacée et sorbets, Lebuis, Yves et Pauzé, Gilbert
  Crêpes, Les, Letellier, Julien
  Cuisine au wok, Solomon, Charmaine
  Cuisine aux micro-ondes 1 et 2 portions, Marchand, Marie-Paul
* **Cuisine chinoise traditionnelle, La,** Chen, Jean
* **Cuisine créative Campbell, La,** Cie Campbell
  Cuisine facile aux micro-ondes, Saint-Amour, Pauline
* **Cuisine joyeuse de Sœur Angèle, La,** Sœur Angèle
  Cuisine micro-ondes, La, Benoît, Jehane

* **Cuisine santé pour les aînés,** Hunter, Denyse
  Cuisiner avec le four à convection, Benoît, Jehane
* **Cuisiner avec les champignons sauvages du Québec,** Leclerc, Claire L.
  Faire son pain soi-même, Murray Gill, Janice
* **Faire son vin soi-même,** Beaucage, André
  Fine cuisine aux micro-ondes, La, Dard, Patrice
  Fondues et flambées de maman Lapointe, Lapointe, Suzanne
  Fondues, Les, Dard, Patrice
  Je me débrouille en cuisine, Richard, Diane
  Livre du café, Le, Letellier, Julien
  Menus pour recevoir, Letellier, Julien
  Muffins, Les, Clubb, Angela
  Nouvelle cuisine micro-ondes I, La, Marchand, Marie-Paul et Grenier, Nicole
  Nouvelles cuisine micro-ondes II, La, Marchand, Marie-Paul et Grenier, Nicole
  Omelettes, Les, Letellier, Julien
  Pâtes, Les, Letellier, Julien
* **Pâtisserie, La,** Bellot, Maurice-Marie
* **Recettes au blender,** Huot, Juliette
* **Recettes de gibier,** Lapointe, Suzanne
* **Robot culinaire, Le,** Martin, Pol

DIÉTÉTIQUE

Combler ses besoins en calcium,
Hunter, Denyse
* **Compte-calories, Le,** Brault-Dubuc, M.
et Caron Lahaie, L.
* **Cuisine du monde entier avec Weight
Watchers,** Weight Watchers
Cuisine sage, Une, Lambert-Lagacé,
Louise
Défi alimentaire de la femme, Le,
Lambert-Lagacé, Louise
* **Diète Rotation, La,** Katahn, Dr Martin
* **Diététique dans la vie quotidienne,**
Lambert-Lagacé, Louise
Livre des vitamines, Le, Mervyn, Leonard
Menu de santé, Lambert-Lagacé, Louise
Oubliez vos allergies, et… bon appétit,
Association de l'information sur les
allergies

* **Petite et grande cuisine végétarienne,**
Bédard, Manon
* **Plan d'attaque Weight Watchers, Le,**
Nidetch, Jean
* **Plan d'attaque Plus Weight Watchers,
Le,** Nidetch, Jean
* **Régimes pour maigrir,**
Beaudoin, Marie-Josée
Sage bouffe de 2 à 6 ans, La,
Lambert-Lagacé, Louise
* **Weight Watchers - Cuisine rapide et
savoureuse,** Weight Watchers
* **Weight Watchers - Agenda 85 -
Français,** Weight Watchers
* **Weight Watchers - Agenda 85 -
Anglais,** Weight Watchers
* **Weight Watchers - Programme -
Succès Rapide,** Weight Watchers

ENFANCE

* **Aider son enfant en maternelle,**
Pedneault-Pontbriand, Louise
Années clés de mon enfant, Les,
Caplan, Frank et Thérèsa
Art de l'allaitement maternel, L',
Ligue internationale La Leche
Avoir un enfant après 35 ans,
Robert, Isabelle
Bientôt maman, Whalley, J., Simkin, P.
et Keppler, A.
Comment nourrir son enfant,
Lambert-Lagacé, Louise
Deuxième année de mon enfant, La,
Caplan, Frank et Thérèsa
**Développement psychomoteur du
bébé,** Calvet, Didier
**Douze premiers mois de mon enfant,
Les,** Caplan, Frank
* **En attendant notre enfant,**
Pratte-Marchessault, Yvette
* **Enfant unique, L',** Peck, Ellen
Évoluer avec ses enfants,
Gagné, Pierre-Paul
**Exercices aquatiques pour les futures
mamans,** Dussault, J. et Demers, C.
* **Femme enceinte, La,**
Bradley, Robert A.

* **Futur père,** Pratte-Marchessault, Yvette
Jouons avec les lettres,
Doyon-Richard, Louise
Langage de votre enfant, Le,
Langevin, Claude
Mal des mots, Le, Thériault, Denise
**Manuel Johnson et Johnson des
premiers soins, Le,** Rosenberg,
Dr Stephen N.
Massage des bébés, Le,
Auckette, Amédia D.
Mon enfant naîtra-t-il en bonne santé?
Scher, Jonathan et Dix, Carol
* **Pour bébé, le sein ou le biberon?**
Pratte-Marchessault, Yvette
* **Pour vous future maman,** Sekely, Trude
Préparez votre enfant à l'école,
Doyon-Richard, Louise
Psychologie de l'enfant de 0 à 10 ans,
Cholette-Pérusse, Françoise
**Respirations et positions
d'accouchement,** Dussault, Joanne
**Soins de la première année de bébé,
Les,** Kelly, Paula
Tout se joue avant la maternelle,
Ibuka, Masaru

ÉSOTÉRISME

Avenir dans les feuilles de thé, L,
  Fenton, Sasha
Graphologie, La, Santoy, Claude
Interprétez vos rêves, Stanké, Louis
Lignes de la main, Stanké, Louis

Lire dans les lignes de la main,
  Morin, Michel
Vos rêves sont des miroirs, Cayla, Henri
Votre avenir par les cartes,
  Stanké, Louis

HISTOIRE

* **Arrivants, Les,** Collectif
* **Civilisation chinoise, La,** Guay, Michel
* **Or des cavaliers thraces, L',**
    Palais de la civilisation

* **Samuel de Champlain,**
    Armstrong, Joe C.W.

JARDINAGE

* **Chasse-insectes pour jardins, Le,**
    Michaud, O.
* **Comment cultiver un jardin potager,**
    Trait, J.-C.
* **Encyclopédie du jardinier,**
    Perron, W. H.
* **Guide complet du jardinage,**
    Wilson, Charles
  J'aime les azalées, Deschênes, Josée
  J'aime les cactées, Lamarche, Claude
  J'aime les rosiers, Pronovost, René
  J'aime les tomates, Berti, Victor

  J'aime les violettes africaines,
    Davidson, Robert
  Jardin d'herbes, Le, Prenis, John
* **Je me débrouille en aménagement**
    extérieur, Bouillon, Daniel et
    Boisvert, Claude
* **Petite ferme, T.2- Jardin potager,**
    Trait, Jean-Claude
* **Plantes d'intérieur, Les,** Pouliot, Paul
* **Techniques de jardinage, Les,**
    Pouliot, Paul
  Terrariums, Les, Kayatta, Ken

JEUX/DIVERTISSEMENTS

* **Améliorons notre bridge,**
    Durand, Charles
* **Bridge, Le,** Beaulieu, Viviane
* **Clés du scrabble, Les,** Sigal, Pierre A.
  Dictionnaire des mots croisés, noms
    communs, Lasnier, Paul
  Dictionnaire des mots croisés, noms
    propres, Piquette, Robert
  Dictionnaire raisonné des mots croisés,
    Charron, Jacqueline

* **Jouons ensemble,** Provost, Pierre
  Livre des patiences, Le, Bezanovska, M.
    et Kitchevats, P.
  Monopoly, Orbanes, Philip
* **Ouverture aux échecs,** Coudari, Camille
* **Scrabble, Le,** Gallez, Daniel
  Techniques du billard, Morin, Pierre

LINGUISTIQUE

Anglais par la méthode choc, L',
  Morgan, Jean-Louis
J'apprends l'anglais, Sillicani, Gino et
  Grisé-Allard, Jeanne

* **Secrétaire bilingue, La,** Lebel, Wilfrid

LIVRES PRATIQUES

* **Acheter ou vendre sa maison,**
  Brisebois, Lucille
* **Assemblées délibérantes, Les,**
  Girard, Francine
  Chasse-insectes dans la maison, Le,
  Michaud, O.
  Chasse-taches, Le, Cassimatis, Jack
* **Comment réduire votre impôt,**
  Leduc-Dallaire, Johanne
* **Guide de la haute-fidélité, Le,**
  Prin, Michel
  **Je me débrouille en aménagement
  intérieur,** Bouillon, Daniel et
  Boisvert, Claude
  Livre de l'étiquette, Le, du Coffre,
  Marguerite
* **Loi et vos droits, La,**
  Marchand, Me Paul-Émile
* **Maîtriser son doigté sur un clavier,**
  Lemire, Jean-Paul
* **Mécanique de mon auto, La,** Time-Life
* **Mon automobile,** Collège Marie-Victorin
  et Gouv. du Québec

**Notre mariage (étiquette et
planification),**
du Coffre, Marguerite
* **Petits appareils électriques,**
  Collaboration
  Petit guide des grands vins, Le,
  Orhon, Jacques
* **Piscines, barbecues et patio,**
  Collaboration
* **Roulez sans vous faire rouler, T.3,**
  Edmonston, Philippe
  Séjour dans les auberges du Québec,
  Cazelais, Normand et
  Coulon, Jacques
  Se protéger contre le vol,
  Kabundi, Marcel et
  Normandeau, André
* **Tout ce que vous devez savoir sur le
  condominium,** Dubois, Robert
  Univers de l'astronomie, L',
  Tocquet, Robert
  Week-end à New York, Tavernier-
  Cartier, Lise

MUSIQUE

Chant sans professeur, Le,
Hewitt, Graham
Guitare, La, Collins, Peter
Guitare sans professeur, La,
Evans, Roger

Piano sans professeur, Le, Evans, Roger
Solfège sans professeur, Le,
Evans, Roger

NOTRE TRADITION

* **Encyclopédie du Québec, T.2,**
  Landry, Louis
  Généalogie, La, Faribeault-Beauregard,
  M. et Beauregard Malak, E.
* **Maison traditionnelle au Québec, La,**
  Lessard, Michel

* **Moulins à eau de la vallée du Saint-
  Laurent, Les,** Villeneuve, Adam
* **Sculpture ancienne au Québec, La,**
  Porter, John R. et Bélisle, Jean
* **Temps des fêtes au Québec, Le,**
  Montpetit, Raymond

PHOTOGRAPHIE

**Apprenez la photographie avec
Antoine Désilets,** Désilets, Antoine
8/Super 8/16, Lafrance, André
Fabuleuse lumière canadienne,
Hines, Sherman
* **Initiation à la photographie,**
  London, Barbara

* **Initiation à la photographie-Canon,**
  London, Barbara
* **Initiation à la photographie-Minolta,**
  London, Barbara
* **Initiation à la photographie-Nikon,**
  London, Barbara

PHOTOGRAPHIE

* **Initiation à la photographie-Olympus,** London, Barbara
* **Initiation à la photographie-Pentax,** London, Barbara

Photo à la portée de tous, La, Désilets, Antoine

PSYCHOLOGIE

Aider mon patron à m'aider, Houde, Eugène

* **Amour de l'exigence à la préférence, L',** Auger, Lucien

Apprivoiser l'ennemi intérieur, Bach, Dr G. et Torbet, L.

Art d'aider, L', Carkhuff, Robert R.

Auto-développement, L', Garneau, Jean

* **Bonheur au travail, Le,** Houde, Eugène

Bonheur possible, Le, Blondin, Robert

Ces hommes qui méprisent les femmes... et les femmes qui les aiment, Forward, Dr S. et Torres, J.

Changer ensemble, les étapes du couple, Campbell, Suzan M.

Chimie de l'amour, La, Liebowitz, Michael

Comment animer un groupe, Office Catéchèse

Comment déborder d'énergie, Simard, Jean-Paul

Communication dans le couple, La, Granger, Luc

Communication et épanouissement personnel, Auger, Lucien

Contact, Zunin, L. et N.

Découvrir un sens à sa vie avec la logothérapie, Frankl, D[r] V.

* **Dynamique des groupes,** Aubry, J.-M. et Saint-Arnaud, Y.

Élever des enfants sans perdre la boule, Auger, Lucien

Enfants de l'autre, Les, Paris, Erna

Être soi-même, Corkille Briggs, D.

Facteur chance, Le, Gunther, Max

Infidélité, L', Leigh, Wendy

Intuition, L', Goldberg, Philip

* **J'aime,** Saint-Arnaud, Yves

Journal intime intensif, Le, Progoff, Ira

Mensonge amoureux, Le, Blondin, Robert

Parce que je crois aux enfants, Ruffo, Andrée

Parle-moi... j'ai des choses à te dire, Salomé, Jacques

Perdant / Gagnant - Réussissez vos échecs, Hyatt, Carole et Gottlieb, Linda

* **Personne humaine, La,** Saint-Arnaud, Yves

* **Plaisirs du stress, Les,** Hanson, Dr Peter, G.

Pourquoi l'autre et pas moi? - Le droit à la jalousie, Auger, Dr Louise

Prévenir et surmonter la déprime, Auger, Lucien

* **Prévoir les belles années de la retraite,** D. Gordon, Michael

* **Psychologie de l'amour romantique,** Branden, D[r] N.

Puissance de l'intention, La, Leider, R.-J.

S'affirmer et communiquer, Beaudry, Madeleine et Boisvert, J.R.

S'aider soi-même, Auger, Lucien

S'aider soi-même d'avantage, Auger, Lucien

* **S'aimer pour la vie,** Wanderer, Dr Zev

Savoir organiser, savoir décider, Lefebvre, Gérald

Savoir relaxer pour combattre le stress, Jacobson, Dr Edmund

Se changer, Mahoney, Michael

Se comprendre soi-même par les tests, Collectif

Se connaître soi-même, Artaud, Gérard

Se créer par la Gestalt, Zinker, Joseph

* **Se guérir de la sottise,** Auger, Lucien

Si seulement je pouvais changer! Lynes, P.

Tendresse, La, Wolfl, N.

Vaincre ses peurs, Auger, Lucien

Vivre avec sa tête ou avec son cœur, Auger, Lucien

ROMANS/ESSAIS/DOCUMENTS

* **Baie d'Hudson, La,** Newman, Peter, C.
* **Conquérants des grands espaces, Les,**
    Newman, Peter, C.
* **Des Canadiens dans l'espace,**
    Dotto, Lydia
* **Dieu ne joue pas aux dés,** Laborit, Henri
* **Frères divorcés, Les,** Godin, Pierre
* **Insolences du Frère Untel, Les,**
    Desbiens, Jean-Paul
* **J'parle tout seul,** Coderre, Émile

Option Québec, Lévesque, René
* **Oui,** Lévesque, René
* **Provigo,** Provost, René et
    Chartrand, Maurice
Sur les ailes du temps (Air Canada),
    Smith, Philip
* **Telle est ma position,** Mulroney, Brian
* **Trois semaines dans le hall du Sénat,**
    Hébert, Jacques
* **Un second souffle,** Hébert, Diane

SANTÉ/BEAUTÉ

* **Ablation de la vésicule biliaire, L',**
    Paquet, Jean-Claude
* **Ablation des calculs urinaires, L',**
    Paquet, Jean-Claude
* **Ablation du sein, L',** Paquet, Jean-claude
* **Allergies, Les,** Delorme, Dr Pierre
Bien vivre sa ménopause,
    Gendron, Dr Lionel
Charme et sex-appeal au masculin,
    Lemelin, Mireille
Chasse-rides, Leprince, C.
* **Chirurgie vasculaire, La,**
    Paquet, Jean-Claude
Comment devenir et rester mince,
    Mirkin, Dr Gabe
De belles jambes à tout âge,
    Lanctôt, D^r G.
* **Dialyse et la greffe du rein, La,**
    Paquet, Jean-Claude
Être belle pour la vie, Bronwen, Meredith
Glaucomes et les cataractes, Les,
    Paquet, Jean-Claude
* **Grandir en 100 exercices,**
    Berthelet, Pierre
* **Hernies discales, Les,**
    Paquet, Jean-Claude
Hystérectomie, L', Alix, Suzanne
Maigrir: La fin de l'obsession,
    Orbach, Susie
* **Malformations cardiaques**
    congénitales, Les,
    Paquet, Jean-Claude
Maux de tête et migraines,
    Meloche, Dr J. , Dorion, J.
Perdre son ventre en 30 jours H-F, Bur-
    stein, Nancy et Roy, Matthews

* **Pontage coronarien, Le,**
    Paquet, Jean-Claude
* **Prothèses d'articulation,**
    Paquet, Jean-Claude
* **Redressements de la colonne,**
    Paquet, Jean-Claude
* **Remplacements valvulaires, Les,**
    Paquet, Jean-Claude
Ronfleurs, réveillez-vous, Piché, D^r J.
    et Delage, J.
Syndrome prémenstruel, Le,
    Shreeve, Dr Caroline
Travailler devant un écran,
    Feeley, Dr Helen
30 jours pour avoir de beaux cheveux,
    Davis, Julie
30 jours pour avoir de beaux ongles,
    Bozic, Patricia
30 jours pour avoir de beaux seins,
    Larkin, Régina
30 jours pour avoir de belles fesses,
    Cox, D. et Davis, Julie
30 jours pour avoir un beau teint,
    Zizmon, Dr Jonathan
30 jours pour cesser de fumer,
    Holland, Gary et Weiss, Herman
30 jours pour mieux s'organiser,
    Holland, Gary
30 jours pour redevenir un couple
    amoureux, Nida, Patricia et
    Cooney, Kevin
30 jours pour un plus grand épanouisse-
    ment sexuel, Schneider, A.
Vos dents, Kandelman, Dr Daniel
Vos yeux, Chartrand, Marie et
    Lepage-Durand, Micheline

SEXUALITÉ

Contacts sexuels sans risques,
I.A.S.H.S.
* Guide illustré du plaisir sexuel,
Corey, Dr Robert et Helg, E.
Ma sexualité de 0 à 6 ans,
Robert, Jocelyne
Ma sexualité de 6 à 9 ans,
Robert, Jocelyne
Ma sexualité de 9 à 12 ans,
Robert, Jocelyne
Mille et une bonnes raisons pour le
convaincre d'enfiler un condom et
pourquoi c'est important pour
vous..., Bretman, Patti,
Knutson, Kim et Reed, Paul

* Nous on en parle, Lamarche, M. et
Danheux, P.
Pour jeunes seulement, photoroman
d'éducation à la sexualité,
Robert, Jocelyne
Sexe au féminin, Le, Kerr, Carmen
Sexualité du jeune adolescent, La,
Gendron, Lionel
Shiatsu et sensualité, Rioux, Yuki
* 100 trucs de billard, Morin, Pierre

SPORTS

Apprenez à patiner, Marcotte, Gaston
Arc et la chasse, L', Guardo, Greg
Armes de chasse, Les,
Petit-Martinon, Charles
Badminton, Le, Corbeil, Jean
* Canadiens de 1910 à nos jours, Les,
Turowetz, Allan et Goyens, C.
Carte et boussole, Kjellstrom, Bjorn
Comment se sortir du trou au golf,
Brien, Luc
Comment vivre dans la nature,
Rivière, Bill
Corrigez vos défauts au golf,
Bergeron, Yves
* Curling, Le, Lukowich, E.
De la hanche aux doigts de pieds,
Schneider, Myles J. et
Sussman, Mark D.
Devenir gardien de but au hockey,
Allaire, François
Golf au féminin, Le, Bergeron, Yves
Grand livre des sports, Le,
Groupe Diagram
Guide complet de la pêche à la
mouche, Le, Blais, J.-Y.
Guide complet du judo, Le, Arpin, Louis
Guide complet du self-defense, Le,
Arpin, Louis
Guide de l'alpinisme, Le,
Cappon, Massimo
Guide de la survie de l'armée
américaine, Le, Collectif
Guide des jeux scouts, Association des
scouts
Guide du trappeur, Le, Provencher, Paul
Initiation à la planche à voile, Wulff, D.
et Morch, K.

J'apprends à nager, Lacoursière, Réjean
Je me débrouille à la chasse,
Richard, Gilles et Vincent, Serge
Je me débrouille à la pêche,
Vincent, Serge
Je me débrouille à vélo,
Labrecque, Michel et Boivin, Robert
Je me débrouille dans une
embarcation, Choquette, Robert
Jogging, Le, Chevalier, Richard
* Jouez gagnant au golf, Brien, Luc
* Larry Robinson, le jeu défensif,
Robinson, Larry
Manuel de pilotage, Transport Canada
Marathon pour tous, Le, Anctil, Pierre
Maxi-performance, Garfield, Charles A.
et Bennett, Hal Zina
Mon coup de patin, Wild, John
Musculation pour tous, La,
Laferrière, Serge
* Partons en camping, Satterfield, Archie
et Bauer, Eddie
Partons sac au dos, Satterfield, Archie
et Bauer, Eddie
Passes au hockey, Chapleau, Claude
Pêche à la mouche, La, Marleau, Serge
Pêche à la mouche, Vincent, Serge
Planche à voile, La, Maillefer, Gérard
Programme XBX, Aviation Royale du
Canada
Racquetball, Corbeil, Jean
Racquetball plus, Corbeil, Jean
Rivières et lacs canotables, Fédération
québécoise du canot-camping
S'améliorer au tennis, Chevalier Richard
Saumon, Le, Dubé, J.-P.

SPORTS

Secrets du baseball, Les,
    Raymond, Claude
Ski de randonnée, Le, Corbeil, Jean
Taxidermie, La, Labrie, Jean
Taxidermie moderne, La, Labrie, Jean
Techniques du billard, Morin, Pierre
Techniques du golf, Brien, Luc
Techniques du hockey en URSS,
    Dyotte, Guy

Techniques du ski alpin, Campbell, S.,
    Lundberg, M.
Techniques du tennis, Ellwanger
Tennis, Le, Roch, Denis
* **Viens jouer,** Villeneuve, Michel José
Vivre en forêt, Provencher, Paul
Volley-ball, Le, Fédération de volley-ball

le jour, éditeur

ANIMAUX

* **Poissons de nos eaux,** Melançon, Claude

ACTUALISATION

Agressivité créatrice, L' - La nécessité de s'affirmer, Bach, Dr G.-R., Goldberg, D^r H.

Aimer, c'est choisir d'être heureux, Kaufman, B.-N.

Arrête! tu m'exaspères - Protéger son territoire, Bach, Dr G., Deutsch, R.

Ennemis intimes, Bach, Dr G., Wyden, P.

Enseignants efficaces - Enseigner et être soi-même, Gordon, D^r T.

États d'esprit, Glasser, W.

Focusing - Au centre de soi, Gendlin, Dr E.T.

Jouer le tout pour le tout, le jeu de la vie, Frederick, C.

Manifester son affection -De la solitude à l'amour, Bach, Dr G., Torbet, L.

Miracle de l'amour, Kaufman, B.-N.

Nouvelles relations entre hommes et femmes, Goldberg, D^r H.

* **Parents efficaces,** Gordon, D^r T.

Se vider dans la vie et au travail - Burnout, Pines, A. , Aronson, E.

Secrets de la communication, Les, Bandler, R., Grinder, J.

DIVERS

* **Coopératives d'habitation, Les,** Leduc, Murielle

* **Hiérarchie ethnique dans la grande entreprise,** Rainville, Jean

* **Initiation au coopératisme,** Bédard, Claude

* **Lune de trop, Une,** Gagnon, Alphonse

ÉSOTÉRISME

Astrologie pratique, L',
 Reinicke, Wolfgang
Grand livre de la cartomancie, Le,
 Von Lentner, G.
Grand livre des horoscopes chinois, Le,
 Lau, Theodora

* Horoscope chinois, Del Sol, Paula
 Lu dans les cartes, Jones, Marthy
 Synastrie, La, Thornton, Penny
 Traité d'astrologie, Hirsig, H.

GUIDES PRATIQUES/JEUX/LOISIRS

* 1,500 prénoms et significations,
 Grisé-Allard, J.

* Backgammon, Lesage, D.

NOTRE TRADITION

* Lettre à un Français qui veut émigrer
 au Québec, Dubuc, Carl

PSYCHOLOGIE/VIE AFFECTIVE ET PROFESSIONNELLE

Adieu, Halpern, Dr Howard
Adieu Tarzan, Franks, Helen
Aimer son prochain comme soi-même,
 Murphy, Dr Joseph
* Anti-stress, L', Eylat, Odette
Apprendre à vivre et à aimer,
 Buscaglia, L.
Art d'engager la conversation et de se
 faire des amis, L', Gabor, Don
Art de convaincre, L', Heinz, Ryborz
* Art d'être égoïste, L', Kirschner, Joseph
Autre femme, L', Sévigny, Hélène
Bains flottants, Les, Hutchison, Michael
Ces hommes qui ne communiquent
 pas, Naifeh S. et White, S.G.
Ces vérités vont changer votre vie,
 Murphy, Dr Joseph
Comment aimer vivre seul,
 Shanon, Lynn
Comment dominer et influencer les
 autres, Gabriel, H.W.
Comment faire l'amour à la même per-
 sonne pour le reste de votre vie!,
 O'Connor, D.
Comment faire l'amour à une femme,
 Morgenstern, M.
Comment faire l'amour à un homme,
 Penney, A.
Comment faire l'amour ensemble,
 Penney, A.

Contacts en or avec votre clientèle,
 Sapin Gold, Carol
Contrôle de soi par la relaxation, Le,
 Marcotte, Claude
Dire oui à l'amour, Buscaglia, Léo
* Famille moderne et son avenir, La,
 Richards, Lyn
Femme de demain, Keeton, K.
Gestalt, La, Polster, Erving
Homme au dessert, Un,
 Friedman, Sonya
Homme nouveau, L',
 Bodymind, Dychtwald Ken
Influence de la couleur, L',
 Wood, Betty
Jeux de nuit, Bruchez, C.
Maigrir sans obsession, Orbach, Susie
Maîtriser son destin, Kirschner, Joseph
Massage en profondeur, Le, Painter, J.,
 Bélair, M.
Mémoire, La, Loftus, Élizabeth
* Mémoire à tout âge, La,
 Dereskey, Ladislaus
Miracle de votre esprit, Le,
 Murphy, Dr Joseph
Négocier entre vaincre et convaincre,
 Warschaw, Dr Tessa
On n'a rien pour rien, Vincent, Raymond
Oracle de votre subconscient, L',
 Murphy, Dr Joseph

PSYCHOLOGIE/VIE AFFECTIVE ET PROFESSIONNELLE

Passion du succès, La, Vincent, R.
Pensée constructive et bon sens, La,
    Vincent, Raymond
* Personnalité, La, Buscaglia, Léo
Petit répertoire des excuses, Le,
    Charbonneau, C., Caron, N.
Pourquoi remettre à plus tard?,
    Burka, Jane B., Yuen, L.M.
Pouvoir de votre cerveau, Le,
    Brown, Barbara
Puissance de votre subconscient, La,
    Murphy, Dr Joseph
Réfléchissez et devenez riche,
    Hill, Napoleon
S'aimer ou le défi des relations
    humaines, Buscaglia, Léo

Sexualité expliquée aux adolescents,
    La, Boudreau, Y.
Succès par la pensée constructive, Le,
    Hill, Napoleon et Stone, W.-C.
Transformez vos faiblesses en force,
    Bloomfield, Dr Harold
Triomphez de vous-même et des
    autres, Murphy, Dr Joseph
Univers de mon subconscient, L',
    Vincent, Raymond
Vaincre la dépression par la volonté et
    l'action, Marcotte, Claude
Vieillir en beauté, Oberleder, Muriel
Vivre avec les imperfections de
    l'autre, Janda, Dr Louis H.
Vivre c'est vendre, Chaput, Jean-Marc

ROMANS/ESSAIS

* Affrontement, L', Lamoureux, Henri
* C't'a ton tour Laura Cadieux,
    Tremblay, Michel
* Cœur de la baleine bleue, Le,
    Poulin, Jacques
* Coffret petit jour, Martucci, Abbé Jean
* Contes pour buveurs attardés,
    Tremblay, Michel
* De Z à A, Losique, Serge
* Femmes et politique, Cohen, Yolande

* Il est par là le soleil, Carrier, Roch
* Jean-Paul ou les hasards de la vie,
    Bellier, Marcel
* Neige et le feu, La, Baillargeon, Pierre
* Objectif camouflé, Porter, Anna
* Oslovik fait la bombe, Oslovik
* Train de Maxwell, Le, Hyde, Christopher
* Vatican -Le trésor de St-Pierre,
    Malachi, Martin

SANTÉ

Tao de longue vie, Le,
    Soo, Chee

Vaincre l'insomnie, Filion, Michel et
    Boisvert, Jean-Marie

SPORT

* Guide des rivières du Québec,
    Fédération cano-kayac

* Ski nordique de randonnée,
    Brady, Michael

TÉMOIGNAGES

Merci pour mon cancer,
    De Villemarie, Michelle

COLLECTIFS DE NOUVELLES

* **Aimer,** Beaulieu, V.-L., Berthiaume, A.,
  Carpentier, A., Daviau, D.-M.,
  Major, A., Provencher, M., Proulx,
  M., Robert, S. et Vonarburg, E.
* **Crever l'écran,** Baillargeon, P.,
  Éthier-Blais, J., Blouin, C.-R.,
  Jacob, S., Jean, M., Laberge, M.,
  Lanctôt, M., Lefebvre, J.-P.,
  Petrowski, N. et Poupart, J.-M.
* **Dix contes et nouvelles fantastiques,**
  April, J.-P., Barcelo, F., Bélil, M.,
  Belleau, A., Brossard, J.,
  Brulotte, G., Carpentier, A.,
  Major, A., Soucy, J.-Y. et
  Thériault, M.-J.
* **Dix nouvelles de science-fiction
  québécoise,** April, J.-P., Barbe, J.,
  Provencher, M., Côté, D., Dion, J.,
  Pettigrew, J., Pelletier, F.,
  Rochon, E., Sernine, D., Sévigny, M.
  et Vonarburg, E.

* **Dix nouvelles humoristiques,** Audet, N.,
  Barcelo, F., Beaulieu, V.-L.,
  Belleau, A., Carpentier, A.,
  Ferron, M., Harvey, P., Pellerin, G.,
  Poupart, J.-M. et Villemaire, Y.
* **Fuites et poursuites,** Archambault, G.,
  Beauchemin, Y., Bouyoucas, P.,
  Brouillet, C., Carpentier, A.,
  Hébert, F., Jasmin, C., Major, A.,
  Monette, M. et Poupart, J.-M.
* **L'aventure, la mésaventure,**
  Andrès, B., Beaumier, J.-P.,
  Bergeron, B., Brulotte, G.,
  Gagnon, D., Karch, P., LaRue, M.,
  Monette, M. et Rochon, E.

DIVERS

* **Beauté tragique,** Robertson, Heat
* **Canada — Les débuts héroïques,**
  Creighton, Donald
* **Défi québécois, Le,**
  Monnet, François-Marie
* **Difficiles lettres d'amour,**
  Garneau, Jacques

* **Esprit libre, L',** Powell, Robert
* **Grand branle-bas, Le,** Hébert, Jacques
  et Strong, Maurice F.
* **Histoire des femmes au Québec, L',**
  Collectif, CLIO
* **Mémoires de J. E. Bernier, Les,**
  Therrien, Paul

DIVERS

* **Mythe de Nelligan, Le,** Larose, Jean
* **Nouveau Canada à notre mesure,**
    Matte, René
* **Papineau,** De Lamirande, Claire
* **Personne ne voudrait savoir,**
    Schirm, François
* **Philosophe chat, Le,** Savoie, Roger
* **Pour une économie du bon sens,**
    Bailey, Arthur
* **Québec sans le Canada, Le,**
    Harbron, John D.

* **Qui a tué Blanche Garneau?,**
    Bertrand, Réal
* **Réformiste, Le,** Godbout, Jacques
* **Relations du travail,** Centre des
    dirigeants d'entreprise
* **Sauver le monde,** Sanger, Clyde
* **Silences à voix haute,**
    Harel, Jean-Pierre

LIVRES DE POCHES 10 /10

* **37 1/2 AA,** Leblanc, Louise
* **Aaron,** Thériault, Yves
* **Agaguk,** Thériault, Yves
* **Blocs erratiques,** Aquin, Hubert
* **Bousille et les justes,** Gélinas, Gratien
* **Chère voisine,** Brouillet, Chrystine
* **Cul-de-sac,** Thériault, Yves
* **Demi-civilisés, Les,** Harvey, Jean-Charles
* **Dernier havre, Le,** Thériault, Yves
* **Double suspect, Le,** Monette, Madeleine

* **Faire sa mort comme faire l'amour,**
    Turgeon, Pierre
* **Fille laide, La,** Thériault, Yves
* **Fuites et poursuites,** Collectif
* **Première personne, La,** Turgeon, Pierre
* **Scouine, La,** Laberge, Albert
* **Simple soldat, Un,** Dubé, Marcel
* **Souffle de l'Harmattan, Le,**
    Trudel, Sylvain
* **Tayaout,** Thériault, Yves

LIVRES JEUNESSE

* **Marcus, fils de la louve,** Guay, Michel et
    Bernier, Jean

MÉMOIRES D'HOMME

* **À diable-vent,** Gauthier Chassé, Hélène
* **Barbes-bleues, Les,** Bergeron, Bertrand
* **C'était la plus jolie des filles,**
    Deschênes, Donald
* **Bête à sept têtes et autres contes de**
    la Mauricie, La, Legaré, Clément
* **Contes de bûcherons,**
    Dupont, Jean-Claude
* **Corbeau du Mont-de-la-Jeunesse, Le,**
    Desjardins, Philémon et
    Lamontagne, Gilles

* **Guide raisonné des jurons,**
    Pichette, Jean
* **Menteries drôles et merveilleuses,**
    Laforte, Conrad
* **Oiseau de la vérité, L',** Aucoin, Gérard
* **Pierre La Fève et autres contes de la**
    Mauricie, Legaré, Clément

ROMANS/THÉÂTRE

* **1, place du Québec, Paris VIe,**
  Saint-Georges, Gérard
* **7° de solitude ouest,** Blondin, Robert
* **37 1/2 AA,** Leblanc, Louise
* **Ah! l'amour l'amour,** Audet, Noël
* **Amantes,** Brossard, Nicole
* **Amour venin, L',** Schallingher, Sophie
* **Aube de Suse, L',** Forest, Jean
* **Aventure de Blanche Morti, L',**
  Beaudin-Beaupré, Aline
* **Baby-boomers,** Vigneault, Réjean
* **Belle épouvante, La,** Lalonde, Robert
* **Black Magic,** Fontaine, Rachel
* **Cœur sur les lèvres, Le,**
  Beaudin-Beaupré, Aline
* **Confessions d'un enfant d'un**
  demi-siècle, Lamarche, Claude
* **Coup de foudre,** Brouillet, Chrystine
* **Couvade, La,** Baillie, Robert
* **Danseuses et autres nouvelles, Les,**
  Atwood, Margaret
* **Double suspect, Le,** Monette, Madeleine
* **Entre temps,** Marteau, Robert
* **Et puis tout est silence,** Jasmin, Claude
* **Été sans retour, L',** Gevry, Gérard
* **Filles de beauté, Des,** Baillie, Robert
* **Fleur aux dents, La,** Archambault, Gilles
* **French Kiss,** Brossard, Nicole
* **Fridolinades, T. 1, (1945-1946),**
  Gélinas, Gratien
* **Fridolinades, T. 2, (1943-1944),**
  Gélinas, Gratien
* **Fridolinades, T. 3, (1941-1942),**
  Gélinas, Gratien
* **Fridolinades, T. 4, (1938-39-40),**
  Gélinas, Gratien
* **Grand rêve de Madame Wagner, Le,**
  Lavigne, Nicole
* **Héritiers, Les,** Doyon, Louise
* **Hier, les enfants dansaient,**
  Gélinas, Gratien

* **Holyoke,** Hébert, François
* **IXE-13,** Saurel, Pierre
* **Jérémie ou le Bal des pupilles,**
  Gendron, Marc
* **Livre, Un,** Brossard, Nicole
* **Loft Story,** Sansfaçon, Jean-Robert
* **Maîtresse d'école, La,** Dessureault, Guy
* **Marquée au corps,** Atwood, Margaret
* **Mensonge de Maillard, Le,**
  Lavoie, Gaétan
* **Mémoire de femme, De,**
  Andersen, Marguerite
* **Mère des herbes, La,**
  Marchessault, Jovette
* **Mrs Craddock,** Maugham, W. Somerset
* **Nouvelle Alliance, La,** Fortier, Jacques
* **Nuit en solo,** Pollak, Véra
* **Ours, L',** Engel, Marian
* **Passeport pour la liberté,**
  Beaudet, Raymond
* **Petites violences,** Monette, Madeleine
* **Père de Lisa, Le,** Fréchette, José
* **Plaisirs de la mélancolie,**
  Archambault, Gilles
* **Pop Corn,** Leblanc, Louise
* **Printemps peut attendre, Le,**
  Dahan, Andrée
* **Rose-Rouge,** Pollak, Véra
* **Sang de l'or, Le,** Leblanc, Louise
* **Sold Out,** Brossard, Nicole
* **Souffle de l'Harmattan, Le,**
  Trudel, Sylvain
* **So Uk,** Larche, Marcel
* **Triangle brisé, Le,** Latour, Christine
* **Vaincre sans armes,**
  Descarries, Michel et Thérèse
* **Y'a pas de métro à Gélude-la-Roche,**
  Martel, Pierre

Achevé   Imprimerie
d'imprimer Gagné Ltée
au Canada Louiseville